새로운 세상을 향하여

호손의 장편, 멜빌의『사기꾼』
그리고 리파드의『퀘이커 시티』를 중심으로

새로운 세상을 향하여

호손의 장편, 멜빌의 『사기꾼』
그리고
리파드의 『퀘이커 시티』를 중심으로

정혜옥 지음

도서출판 ┃동인

작년 12월 14일 조 바이든 후보가 대통령으로 당선이 확정되었지만 도
날드 트럼프 대통령이 상당기간 동안 선거결과에 승복선언을 하지 않아 더
욱 관심을 끌었던 미국의 대통령 선거는 언제나처럼 우리나라 뉴스의 상당
부분을 차지했다. 미국 중심주의를 주장하던 트럼프 대통령의 재선 여부는
우리나라 대통령 선거만큼은 아니라도 많은 주목을 받았다. '위대한 미국'
의 재건을 내세운 트럼프 대통령은 점점 더 다양화되는 미국사회에 대해
우려하는 보수주의자들과 이민자들에게 일자리를 빼앗기고 있다고 생각하
는 중하층의 백인 미국인들에게 어필하는 정책으로 개방성과 다양성이 특
징이던 미국사회를 폐쇄적이고 백인 중심적으로 몰아가는데 일조했다고 해
도 과언이 아니었다. 때문에 세계의 국가들이 미국의 대선 결과에 촉각을
세우고 있었고 우리나라의 지도자들 역시 신경을 쓰고 있었을 것이다. 그만
큼 미국이라는 나라는 세계 전체적으로 강력한 영향을 행사하고 세계의 흐
름을 선도하는 국가이다. 특히 지정학적으로 서로 적대적인 강대국들 사이
에 위치한데다 분단국가라는 독특한 정치적 상황에 처한 우리나라는 미국과
정치·경제·사회·군사적으로 어느 나라보다 더 긴밀한 관계에 있다.

이렇듯 국제적으로 막대한 영향력을 행사하는 강대국 미국의 틀을 형성하고 현 미국사회가 당면하고 있는 대부분 문제들은 19세기에 본격적으로 나타나기 시작했고, 더 나아가서 본다면 미국 건국의 출발에 배태되었다고 해도 그리 틀린 말이 아닐 듯하다. 여기에 모은 글들은 미국이 1783년 영국으로부터 정치적으로 독립을 하고 오십 여년이 지난 후 유럽으로부터의 정신적인 독립을 주장하던 19세기에 글을 발표한 작가들의 작품에 관한 것이다. 나사니엘 호손(Nathaniel Hawthorne)의 네 편의 장편소설들과 허먼 멜빌(Herman Melville)의 『사기꾼』(*The Confidence-Man*), 그리고 조지 리파드(George Lippard)의 『퀘이커 시티』(*Quaker City*)에 관한 글들을 엮은 것이다. 언뜻 보기에 공통점이 있을 것 같지 않은 호손의 장편들과 멜빌의 『사기꾼』 그리고 리파드의 『퀘이커 시티』는 밑바닥에 미국이 건국의 이념에 어울리는 나라인가를 논의하고 있으며 하나같이 그들이 꿈꾸던 사회에서 점점 벗어나 타락하고 있는 당시 미국의 상황을 다루고 있다는 점에서 연결이 된다. 이 작품들은 공통적으로 사람은 무엇을 위해 살아야 하는가? 서로 돕고 의지하는 보다 나은 사회를 만들기 위해 무엇이 필요하고 어떤 일을 해야 하는가? 인간을 거듭날 수 있는가?와 같은 문제를 다루고 있다.

주옥같은 많은 단편들을 남긴 호손은 단편에서 다루었던 주제들을 장편소설에서는 좀 더 긴 호흡으로 더 넓은 배경 속에서 깊이 있게 다루고 있다. 그의 장편들은 미국 건국에서부터 내포되어 있던 문제들이 호손이 살던 당시의 문제들과 어떻게 연결되는지에 관해 심도 있게 다루고 있다. 『주홍글자』(*The Scarlet Letter*)는 19세기 당시 미국인들이 처한 문제가 어디에서 출발하는가를 탐색하고 있고 『칠박공의 집』(*The House of Seven Gables*)은 저택에 얽힌 두 집안의 갈등을 통해 미국의 출발에서부터 이미 존재했던 문제를 미국의 공적 역사가 감추고 있는 점을 드러낸다. 『블라이드데일 로맨스』(*The Blithedale Romance*)에서는 19세기 당시 미국의 정신적인 틀을 제공한 초월주의가 주창한 이상사회의 문제점을 다루면서 인간이 과거와 인연을 끊고 새롭게 출발하는 것이 얼마나 어려운 일인가를 다루고 있다. 영국의 리버풀 영사를 마치고 체류한 이탈리아에서 그 나라를 배경으로 한『대리석 목양신』(*The Marble Faun*)에서는 신세계인 미국인과 구대륙의 유럽인의 대조를 통해 미국의 문제를 논의한다.

허먼 멜빌은『모비 딕』(*Moby-Dick*)으로 가장 유명한 작가이지만『사기꾼』에서 그는 미국 건국의 기본이 되는 이상적인 덕목인 믿음과 자선이라는 주제를 다루면서 미국인 내면에 감추어둔 근본적인 문제를 드러낸다.『퀘이커 시티』의 작가 조지 리파드는 호손과 멜빌과 다른 관점에서 당시 미국 사회의 문제를 그린다. 경제적으로 넉넉한 편은 아니었으나 상대적으로 여유가 있던 외가 덕분에 대학을 졸업하고 당대 뉴잉글랜드의 시적 엘리드들의 그룹에 속했던 호손이나 아버지의 사업실패로 비록 포경선의 선원생활을 한 경험이 있지만 친가와 외가 모두 뉴욕의 명문가였고 대법관의 딸과 결혼을 한 멜빌과 달리 빈농의 아들로 태어나 극빈층의 삶을 뼈아프게 경험한 리파드는 훨씬 더 직접 사회문제를 다루고 있다. 리파드는 뉴잉글랜드 출신 호손과 뉴욕 출신 멜빌이 다루지 않은 필라델피아를 배경으로 타락한 부유층과 상상을 초월하는 가난으로 고통 받는 사람들의 문제를 생생하게 다루고 있어 미국의 또 다른 모습을 전달하고 있다.

신생국 미국이 나라의 틀을 잡아가고 부강해지는 도상에 있던 19세기는 지금 세계가 고민하는 여러 가지 문제가 본격적으로 부상하기 시작하던 시기였다. 호손과 멜빌 그리고 리파드가 작품에서 논하는 문제들은 당시 미국에만 해당되는 것이 아니라 현재 여기를 살고 있는 우리에게도 여전히 발생하고 있고 그것들의 해결책을 찾는 것은 쉽지 않은 듯하다. 지금 우리는 지구촌 전체가 코로나 19 바이러스로 인한 팬데믹으로 많은 사람들이 사망하는 사상 초유의 경험을 하고 있다. 나라마다 국경의 빗장을 잠가 외국인의 입국을 통제하고 회사와 학교 등 모든 기관은 재택근무와 비대면 교육을 권장하며 사람들이 직접 얼굴을 맞대고 만나는 것을 지양하도록 법적인 조치를 강구하며 압박하고 있다. 따라서 해외 관광객들은 발자취를 감추고 거의 대부분의 대면모임이 취소되었다. 많은 업종들이 영업에 제한을 받으면서 경제적으로 타격을 받고 이에 따라 경기 부침에 가장 예민하게 영향을 받는 가난한 사람들의 삶은 점점 더 힘들어지고 있다. 반면에 부유한 사람들은 폭등하는 주식과 부동산 가격으로 인해 재산이 기하급수적으로 증가하면서 빈부의 격차가 유례없이 벌어지고 있다. 여기에 그치지 않고 팬데믹 사태는 4차 산업혁명이 몰고 올 기업과 사회의 변화를 가속화시켜 급속한 변화에 적응할 여건과 능력이 부족한 사회적 약자들을 더욱 힘든 상황으로 몰아갈 것으로 예상된다.

이들 작품을 통해서 우리는 사람 사는 사회는 언제나 갈등과 고난이 있어왔다는 사실을 일깨워주는 점에서, 다시 말해 우리들만이 고통스런 문제적 상황에 있는 것은 아니라는 점에서 일말의 위안을 얻게 되고 여기 이 순간 우리들에게 닥친 문제의 해결책을 모색하는데 필요한 심리적 거리를 확보하게 된다. 허둥거리지 않고 좀 더 차분한 마음으로 이들 작가들이 제기한 문제의식과 이들이 우리에게 전하려 했던 메시지에 귀를 기울이면서 우리가 처하고 있는 고난의 질곡을 어떻게 해석하고 또 헤쳐 나가야 하는지 자신과 주변을 다시 한 번 성찰하고 해결을 위한 첫발을 대담하게 내디딜 용기를 얻게 되기를 기대해본다.

2021년 4월
정혜옥

차례

『주홍글자』
새로운 사회의 모색

1. 들어가는 글

  나사니엘 호손(Nathaniel Hawthorne)의 『주홍글자(*The Scarlet Letter*)』는 미국이라는 새로운 사회를 찾아온 헤스터 프린(Hester Prynne), 아서 딤스데일(Arthur Dimmesdale), 로저 칠링워스(Roger Chillingworth)의 고통스러운 운명을 통해서 미국사회의 비전이 지니는 문제점을 제시하며 그 문제의 극복을 모색한다고 볼 수 있다. 호손은 청교도들의 엄격함과 배타성이 신세계에서 척박한 자연환경을 극복하고 공동체를 형성하면서 더욱 독단적이고 배타적으로 변화되어 갔던 사회에 존재하는 사람들은 과연 어떤 선택을 할 수 있는가? 라는 의문을 던지고 있다. 호손은 이 작품에서 공동체의 구성원들이 그 공동체의 지배적인 질서를 어긴 다음의 상황을 그리면서 개인과 공공의 질서가 주장하는 바를 나란히 제시한다. 호손은 딤스데일이 추종하는 청교도사회가 제시하는 권위의 편도 아니고 종교를 대치하여 새롭게 부상하는 과학자의 편도 아니며 억압적인 사회의 권위에 저항하는 헤스터의 입장에 전폭적인 지지를 보내는 것도 아니다. 딤스데일, 칠링워스, 헤스터 어느 한사람의 관점으로 보지 않으며 누구도 최종의 진리를 표상하는 인물로 만들지도 않는 그는 진리파악에 있어 획일적인 관점을 강요하고 인간성에 대한 공감이 결여된 사회질서에 비판적이다. 그러면서도 그 사회의 질서를 위반한 자는 그에 상응하는 대가를 치르도록 만든다.

미국 건국의 질서를 수립한 청교도 조상들은 굳건한 신앙과 강인한 정신력으로 자신들이 건설하는 사회의 질서를 세워가는 이들이었다. 그들은 신의 말씀을 인간사의 모든 것을 주관하는 절대적인 진리로 받아들이고 신과 약속한 계명을 어긴다거나 사회질서를 흔들리게 하는 자에 대해서는 가차 없는 벌로 다스렸다. 딤스데일은 이들의 강인한 의지와 그에 따르는 무자비함이 결여되어 있으나 그들이 표방하는 질서와 권위에 절대 복종하려고 노력하는 사람이다. 인간적인 열정으로 인해 과거에 사회규범을 어긴 적이 있으나 그는 자신을 둘러싸고 있는 권위의 울타리는 뛰어넘지 못한다. 딤스데일은 청교주의를 근간으로 하는 사회질서의 억압적 규율 속에서 고민하고 이것을 어긴 뒤 비롯되는 참담한 결과를 보여주는 인물이다. 그는 자신이 신봉하는 규율을 뛰어넘지 못하고 궁극적으로 기존질서를 대표하는 사람으로 남게 된다.

종교적 믿음을 구심점으로 기존 질서를 따르는 사람들과는 다른 새로운 인간들은 실증 과학의 대두와 함께 오게 된다. 종교를 근간으로 하는 전통적 권위에 도전할 수 있는 대담한 지성과 진취성이 그들의 척도이다. 계몽화된 연금술사, 실증주의자가 이 범주에 속하며 칠링워스는 이런 부류에 속하는 사람이라 할 수 있다. 그 역시 딤스데일과 마찬가지로 그 나름의 다른 권위와 질서를 대표한다. 딤스데일이 종교적 의미의 가부장적 권위를 신봉한다면 그는 과학과 지성을 수단으로 가부장적 권위를 신봉한다고 말할 수 있다. 그런 의미에서 그와 딤스데일은 궁극적으로 다른 질서를 추구하는 것이 아니라 같은 맥락의 권위를 추구하는 사람들이라고 볼 수 있다.

이 두 사람들은 사회의 주류에서 추방당한 헤스터와는 달리 그들은 가부장제 밖의 질서에 관해 관심이 없기 때문에 자신들의 가치에 어떠한 객관적 척도를 지니지 못한다. 딤스데일이 영혼을 통해 삶을 이해하려는 신앙이라는 좁은 범주 안에 살고 있다면 칠링워스 역시 지성으로만 생을 파악하기 때문에 그의 시야 역시 제한되어 있다. 그들의 공적 질서는 그들의 삶을 지탱시켜주기 때문에 자신들의 삶에 의미를 부여하는 질서와의 관계를 끊을 수 없다. 이 소설은 자신들을 지탱시켜 주고 그들에게 정체성을 제공한 질서로부터 보호받지 못하게 된 다음 일어나는 좌절과 몰락을 보여준다. 이 두 남자는 위선의 압력을 견디지 못해 내면의 본질을 부인함으로써 보호하려 했던 자신을 결국에 가서는 파괴시킨다. 다른 사람들과 상호작용을 하지 못해 고립되어 있는 이들은 "인간 존재의 여정에서 길을 잃고 헤매는 사람"(66)이 되어 버린다. 딤스데일은 정신적 방황을 겪고 육체적으로 피폐하게 되며 칠링워스는 충동적이며 악마 같은 인간으로 변해간다.

이 두 사람들이 자신의 본모습을 대외적으로 숨김으로써 자아를 파괴하고 그들이 신봉하는 권위에 의해 희생되는데 반해, 자기의 치부를 모든 이들 앞에서 드러낸 헤스터는 사회의 규범이 부여하는 제약을 극복하게 된다. 헤스터만이 자아의 어두운 심연에 빠진 다음 거기에서 헤어 나와 살아남는다. 그녀는 가부장제 사회의 규범을 인정하지 않으면서도 희생당하지 않고 그 사회에서 생존하는 방법을 습득한 것이다. 질서의 주류에 속한 두 남자들이 고통 속에서 사고가 점점 폐쇄적이고 배타적으로 변화되어간 반면 주류에서 벗어나 있는 헤스터는 고통에 의해 강해지며 삶에 대한 비전은 점점 깊고 넓어지게 된다.

그러나 호손은 헤스터의 사고와 행동을 전폭적으로 지지하지는 않는다. 그는 세 인물이 제각기 지지하는 질서, 곧 종교적 질서, 과학적 질서, 그리고 자기 개인만의 질서를 통해 진리의 여러 다양성을 제시한다. 사회가 지지하는 질서와 개인이 지지하는 권리, 그리고 그것들 간의 반목을 보여주면서 하나의 진리가 다른 견해를 지닌 편에서는 얼마나 무의미한가를 보여준다. 이런 서술의 테크닉은 리얼리티에 대한 모든 관점과 해석이 나름대로 의미가 있으면서 동시에 그 어떤 것도 궁극적인 의미를 강요할 수 없다는 사실을 보여준다. 호손은 진리의 파악이 얼마나 모호하며 어려운 일인지를 드러내 개인의 개별성을 무시하고 그 구성원들에게 지배적 가치체계를 획일적으로 강요하는 청교도사회의 모순을 드러낸다. 그러면서 동시에 그 사회가 개인에게 참을 수 없을 정도로 강압적일지라도 공공질서와 완전히 유리된 자아는 사회질서에 위험할 뿐 아니라 그 개인이 온건한 정신 상태를 유지하기 어려울 정도로 심각한 영향을 끼친다는 점을 지적한다.

이 글은 신생 식민지를 살았던 이 세 인물들의 불행한 삶을 통해 미국의 출발선상에 이미 지니고 있던 문제점과 호손이 선택했던 새로운 사회질서를 대변하는 새로운 자아와 그 한계를 살펴보고자 한다.

2. 종교적인 질서

딤스데일은 지배적인 사회질서를 지지하고 유지하는 일을 하는 사람이다. 그러나 그는 지배적 질서를 지키는데 실패한 아버지이며 좌절당한 아들이기도 하다. 그의 내면에는 권위에 대한 두 개의 관점, 즉 아버지의 관점과 아들의 관점 사이의 긴장이 존재한다. 딤스데일은 자기가 신봉하는 사회석인 권위에 무의식적인 회의를 지니면서도 자기 징체성의 근거인 믿음의 체계를 완전히 거부하지 못하는 아들이다. 그는 이 소설이 시작되기 전 자기 교구민과 간통을 저질러 그 사회의 기독교적인 율법을 위반한 목사이다. 하지만 이 글은 종교적, 도덕적 범죄로서 간통에 초점을 맞추는 게 아니라 자신이 지지하는 사회적 규율을 어긴 사실을 다른 이들 앞에서 인정하지 못하는 목사로서 그리고 한 인간으로서 딤스데일의 심리적 딜레마를 어떻게 몰고 가는가에 대해 주목한다.

낮에는 소위 성자처럼 지내고 밤에는 양심이 만들어낸 악마에게 시달리는 딤스데일은 견디기 어려운 이중의 삶을 살아간다. 로버트 슐만(Robert Shulman)은 헤스터와 함께 나눈 경험이 억압적인 사회에서 여린 성격의 딤스데일이 아슬아슬하게 유지하고 있던 균형을 깨뜨렸다고 지적한다.

헤스터와의 체험이 딤스데일이 고수하던 내적 질서의 미묘한 균형을 흔들어 놓았다. 그 후 계속 그는 이중의 생활을 해왔었다. 딤스데일은 자신이 헤스터와 관계를 맺은 사실과 성적인 열정과 좀 더 깊은 내면의 자아를 암시하는 모든 것을 깊숙이 숨겨버렸다. 성자와 같은 그의 겉모습은 내면의 진실과 어긋나 있다. (191)

딤스데일이 내면의 욕구를 솔직히 인정하고 헤스터와의 관계를 공개적으로 인정하고 난 다음 그에 대한 책임을 받아들일 수 있는 사람이었다면 이중의 생활에서 비롯되는 극심한 심적 고통을 겪지 않아도 되었을 것이다. 그러나 자기 내면에 잠재하는 본능적인 자아를 인정하지 못하는 그는 자아의 의미를 종교라는 지배적 질서에서 찾는다. 그렇기 때문에 그에 근거한 정체성을 포기한다면 딤스데일은 자신을 지탱시켜줄 수 있는 것이 남아 있지 않게 된다. 대외적 자아를 버린 다음 있는 그대로의 내면과 대면할 용기가 없는 딤스데일은 위선자가 될 수밖에 없다. 그는 종교의 권위를 지지함으로써 교구민의 칭송에서 자기존재의 안정감을 얻으며 교구민의 정신적인 아버지라는 역할을 잘해낸다. 한 인간으로서 정상적인 욕구를 억압함으로써 그는 사회의 가장 영향력 있는 목사가 되지만 펄이라는 자기 아이의 아버지로서는 비참하게 실패한다. 그 아이를 받아들이는 것은 자신의 대외적 이미지가 훼손되며 전존재의 지반을 상실하기 때문이다. 이런 맥락에서 해롤드 카플란(Harold Kaplan)은 딤스데일의 내면에는 전통적 권위에 의해 강화된 공적 자아와 어긋나는 개인적 자아 사이의 첨예한 갈등이 있다고 한다(132).

종교라는 지배 질서에 대해 거의 절대적인 믿음을 지니고 거기에 복종함에도 불구하고 딤스데일은 본래의 자기를 억누르며 혼란스럽고 방황하는 사람의 모습을 보여준다.

> 이 젊은 목사에게는 타고난 고상한 소양과 학자와 같은 재능에도 불구하고 예민하고 놀란, 반쯤 겁먹은 듯한 태도가 있었다. 자신이 타락했고 인간존재의 노상에서 길을 잃었다고 느끼고 자기 혼자 있을 때에만 편안할 수 있는 사람의 태도 같은 것이었다. 그래서 자신의 의무가 허락하는 한 그는 어두운 골목길을 걸었고 단순하고 아이와 같은 상태로 지냈다. 행사가 있을 때면 신선함과 향기로움과 함께 맑은 이슬 같은 생각을 지니고 사람들 앞에 나섰는데, 많은 사람들은 그 이슬 같은 생각에 대해 마치 천사의 말과 같은 영향을 자신들에게 끼친다고 말하곤 했었다. (72)[1]

딤스데일은 자기 내면의 진실을 충분히 인식하고 있으면서도 용기 있게 대면하지 못한다. 양심의 가책을 느낄 때마다 그는 손상된 개인적 자아에서 대외적 자아를 구해내기 위해 더욱 열정적으로 "신선한 향기, 이슬과 같은 순수한 사고"처럼 들리는 설교를 한다. 그는 교구민들이 자신에 대해 갖는 이미지대로 살려고 노력하지만 그렇게 하면 할수록 그의 고립감은 깊어간다.

"마음의 내부"라는 장은 딤스데일이 내면으로부터 붕괴되어 가는 모습을 보여준다. 그의 파멸은 사회의 요구에 부응하려는 대외적 자아와

---

1) Nathaniel Hawthorne, *The Scarlet Letter: An Authoritative Text, Essays in Criticism and Scholarship*. New York: Norton, 1988. 이후부터는 페이지만 표기함.

그 본래의 사적인 자아를 융합시키는 문제를 해결하지 못하는 데서 비롯된 것이다. 딤스데일은 자기 죄를 기독교적 신화를 통해 규명하며 자신을 단죄한다. 자신의 위선을 벌하기 위해 아무도 보는 사람이 없는 방에서 벌거벗은 몸을 회초리로 피가 나게 때리며 발작적으로 웃는 괴물 같은 존재로 변하게 된다. "가장 깊은 영혼"이 받는 괴로움에 사로잡혀 있는 그에게는 고통 외에 어떤 것도 사실로 느껴지지 않는다. 삶에서 절망 밖에 발견할 수 없는 그는 세계를 천사와 악마의 싸움터로, 자신을 악마의 전리품으로 생각하며 기독교의 기본교리인 용서를 떠올리지 못한다. 자기의 한계를 뛰어넘을 용기가 부족한 그는 진정한 발전이 보이지 않으며 소심하고 겁에 질려 인간의 자연스런 욕망을 부인하며 강철 같이 꽉 조이는 틀 속에 자신을 가두어둔다.

딤스데일이 겪는 혼란스런 심적 상태는 숲에서 헤스터를 만나고 난 다음 마을로 돌아오면서 악화되고 교회라는 대외적인 가치와 본능적인 자아가 더욱 첨예하게 갈등을 일으킨다. 외적 자아와 내적 자아의 충돌은 그의 파멸을 의미한다. 다른 이들의 눈을 피해 만난 자리에서 헤스터가 자기네들이 저지른 죄에 대한 대가는 다 치렀으니 그 식민지를 떠나 다른 곳으로 가자고 설득하자 그녀와 약속을 한다. 그러나 헤스터와 펄을 만난 숲의 체험은 그에게 "냉엄한 진실" 즉 더 이상 내적 자아를 감추고 대외적 질서에 맞추어 살아갈 수 없고 다른 세계로 떠나 새로운 삶을 살자는 헤스터의 제안을 받아들일 수도 없다는 점을 분명하게 깨닫게 해준다. 딤스데일은 마을사람들 앞에서 모든 것을 고백한 뒤 자신이 지지하고 확신하는 권위에 몸을 맡긴다. 지사 당선 축하 연설을 성공적으로 마친 딤스데일은 처형대에 올라 자기의 죄를 마을 사람들 앞에서 모두 고백한 다음 헤스터와 숲에서 했던 약속을 저버린 채 그가 얘기한 "승리에 찬 치욕의 죽음"을 택한다.

3. 과학의 질서

딤스데일과 헤스터가 간통이라는 죄를 저질렀음에도 불구하고 이들 두 사람이 작가와 독자들의 동정을 얻고 있는데 반해 이야기가 시작되기 전까지 아무런 죄를 짓지 않은 칠링워스는 이 세 사람 가운데 "가장 큰 잘못을 저지른 자"(Darrel Abel 546)라는 비난을 받는다. 앞의 두 사람이 마음이 불러일으킨 열정으로 사회 규범을 어겼다면 칠링워스는 자신의 의지가 내린 결정으로 죄를 지지른 사람이기 때문이다. 딤스데일, 헤스터, 칠링워스 모두에게 공통으로 나타나는 고립과 소외가 칠링워스에게 가장 강하고 어둡게 나타나며 고립 상태에서 비롯되는 손상이 가장 크다.

칠링워스는 자신이 의존하던 권위가 더 이상 도움이 되지 않고 혼신을 다해 탐색하던 대상이 사라짐에 따라 존재의 의미를 잃고 허무하게 죽는다. 딤스데일이 종교에서 보호처를 구하는 반면, 그는 지적인 연구와 실증과학을 통해 자아의 지반을 구한다. 이 두 사람은 추상적 사고 체계로 자기 내부의 구체적 삶의 요구를 부인하려 하나 끊임없이 솟아오르는 내면의 자아를 억누르지 못하고 도덕적 율법이나 분석적 사고에 의해 저지되었던 내면의 어두운 자아가 그들 존재를 결국 압도하게 된다. 목사라는 공적 직책에 대한 딤스데일의 지나친 의존이나, 탐색 대상을 집요하게 추적하는 칠링워스의 태도는 그 과도함으로 인해 그들의 온건한 자아의 형성을 방해한다. 그들은 사회적으로 인정받는 제도화된 권위 내에 자신들의 불안한 자아를 수용시키려 하나 억눌려진 감정은 예기치 않게 폭발하며 자신들을 보호해주었던 이기주의가 결국 그들을 파괴시킨다.

실증주의자와 같이 "인간 신체를 탐색"하는 방식을 보여주는 칠링워스의 정신은 시대를 앞서 있다.

이전에 행한 연구로 당시 의학을 광범위하게 알게 된 칠링워스는 사람들에게 자신을 의사라고 소개했고 그것은 식민지 사회에서 반갑게 받아들여졌다. 의학과 외과적 전문기술을 지닌 사람은 식민지에서는 아주 드물었다. 청교도들에게는 자기들과 다른 이민자들이 대서양을 건너가게 했던 종교적 열정에 빠져드는 게 드문 일인 듯 싶었다. 인간 신체에 대한 연구를 하면서 좀 더 고상하고 섬세한 연구자들의 능력은 물질화되고 그래서 그 놀랍고 복잡한 매커니즘 가운데서 인간 존재에 대한 정신적인 관점을 상실하게 되는지도 몰랐다. 그런데 그 놀라운 매커니즘이란 인간 내부의 모든 생명 요소를 아우를 만한 기술을 요하는 문제 같았다. (118)

칠링워스는 인간의 육체를 영혼이 깃든 것으로 보기보다는 "놀라운 장치"로 파악한다. 연금술사에서 실증과학자로 변화되는 르네상스 시대의 과학자의 모습을 보여주는 그는 연구를 위해서는 어떠한 금기도 허용하지 않는 자유로운 태도로 폐쇄적인 청교도사회에서 요주의 인물이 된다. 딤스데일과 같은 집에 거처를 정한 다음 점차 흉하게 변해가는 칠링워스에 대해 사람들은 그 원인을 그가 하는 실험 때문이라고 생각하고 그가 "실험실의 불을 지옥에서 가져왔다"고 추측한다.

칠링워스는 무엇보다 과학에 대한 믿음이 강했으며 그런 강한 믿음이 그를 괴롭히는 자아의 결여를 채워주었다. 목사가 자신의 연구 과제가 되어감에 따라 칠링워스는 점점 더 미신적이고 자기중심적이 되어간다. 과학자의 객관성을 잃고 편협하게 변화되는 모습은 그가 자아에 대한 확신이 없었음을 암시한다. 칠링워스는 과학의 힘으로 자기 인생의 일관성을 부여하고 과학이라는 새로운 권위 뒤에 확신이 결여된 본모습을 감추고 있다.

> "사색적 인간이며 커다란 도서관의 책벌레였던 나―지식에 대한 충족시킬 수 없는 꿈을 채우는데 나의 젊은 시절을 바친 다음 이미 쇠락해가는 내가 당신과 같이 어여쁜 사람과 어떻게 맺어질 수 있었겠소! 태어날 때 기형이었던 내가 어린 소녀의 환상 속에서는 지적 재능으로 육체적 허물을 덮을 수 있을 거라는 착각으로 어떻게 자신을 속일 수 있었을까!" (78)

위와 같은 칠링워스의 한탄은 열등의식이 그를 학문연구에 열중하도록 몰아간 요인이 된 것으로 보인다. 딤스데일의 불안정한 자아가 헤스터와 간통을 저지르게 하고 그 간통에서 비롯되는 죄의식이 내면의 갈등을 가릴 수 있도록 그를 열성적인 종교적 지도자로 내몬 것과 유사하다. 존재의 확인을 위해 다른 이의 사랑이 필요했던 칠링워스는 젊고 어여쁜 헤스터와 결혼을 함으로써 부족한 자아를 메우려 했던 것이다. "차갑고 쓸쓸한 자기 마음에 불을 지펴줄 사람이 필요했다"(79)는 그는 자기 존재의 확인에 절대적으로 필요한 여자를 빼앗아간 젊은 남자에 대한 복수심에 과학적 지식을 복수에 사용하게 된다.

체면을 잃지 않기 위해 그리고 아내의 정부를 찾아내고자 헤스터와의 관계를 동네 사람들에게 비밀로 하지만 칠링워스는 자기가 증오하는 사람들과의 관계를 끊을 수 없다. 자기 정체에 대한 비밀을 지킬 것을 헤스터에게 다짐하면서도 그는 결코 그녀의 곁을 떠나지 않을 것을 맹세한다. 스타인(William Bysshe Stein)의 말대로 헤스터는 칠링워스에게 세상과 연결시켜 주는 고리와 같은 존재이다(106). 감옥에서 만난 헤스터에게 자기가 누구인가를 밝히지 말라고 하면서 칠리워스는 헤스터와 그녀의 정부가 마치 자신의 소유물인 것처럼 단언한다.

> "당신이 나를 남편이라고 불렀던 것을 . . . 발설하지 마시오! 사랑이건 증오이건 간에, 옳은 일이건 그른 일이건 간에. 당신과 당신의 정부는 내 것이요. 당신이 있는 곳 그리고 당신의 정부가 있는 곳이 곧 내 집이오." (80)

딤스데일을 만난 다음 칠링워스는 지식을 객관적인 사실 파악에 사용하는 것이 아니라 목사를 자기 손아귀에 넣으려는데 전적으로 사용한다. 그는 딤스데일의 비밀에 대한 탐색을 자신이 추구해야 하는 목적으로 여긴다. 마을 재판관이나 목사들이 헤스터의 아이 아버지의 정체를 밝혀내지 못하더라도 "자기는 그들과는 다른 감각으로 탐색해갈 것"을 헤스터에게 다짐한다. 사실을 밝혀내는데 과학적 능력을 신뢰하지만 그는 물질이 아닌 인간 마음에 실증적 방식을 적용하는 실수를 저지른다.

"책 속에서 진리를 찾아가듯, 연금술로 금을 찾아가듯이" 딤스데일의 비밀을, '인간 심성의 성역'(The Sanctity of a Human Heart)을 거침없이 파고들어간다. 이처럼 다른 이의 자아를 파괴하는 행동을 칠링워스는 객관적 진리를 발견하는 과학적 방식이라 생각한다.

> 칠링워스는 그 문제가 인간 열정의 문제라든가 자신에게 고통을 가한 잘못이라기보다는 기하학의 공간을 가르는 선이나 숫자와 관련된 문제인 것처럼 자신이 생각하는 바대로 재판관 같은 진지하고 성실한 태도로 진실만을 원한다는 듯이 조사에 착수하였다. (127)

그러나 딤스데일의 가슴 위에 나타난 A자와 같은 형상을 발견하고 기뻐 날뛰는 칠링워스의 모습은 과학자의 냉정한 태도가 아니라 사탄이 영혼 하나를 수중에 넣었을 때의 모습과 같다. 목사의 비밀을 발견한 다음 그는 조금이나마 남아 있던 객관적인 관찰자로서의 역할이 끝이 난다. 목사를 놓아달라는 헤스터의 간청을 칠링워스는 자기에게는 딤스데일을 "용서할 힘이 없다"고 거절한다. 그는 모든 것을 자신의 의지와 지성의 힘이 아닌 운명으로 돌림으로써 과학 탐구의 기본이 되는 자유의지를 포기한다. 이는 그가 딤스데일의 비밀을 탐색하기 전 객관적이고 초연한 학자의 모습과는 거리가 먼 것이다.

딤스데일이 죽은 후 칠링워스는 살아가야 할 모든 근거를 상실한다. 자신을 지탱해주던 권위가 아무런 소용이 없음을 깨닫고 미친 사람처럼 변하게 된다. 결국에 가서 그는 자신을 지탱시켜줄 아무런 권위도 없이 그리고 딤스데일이라는 탐색 대상도 없이 벌거벗은 자신과 부딪치게 된다. 복수에 전념하는 동안 목사만큼이나 자신을 제어할 수 없는 인간이 되어버린 칠링워스는 딤스데일이 세상을 떠난 후 생의 의미를 완전히 상실한다. "복수의 추구와 복수의 체계적인 실행을 자기 인생의 원리"(240)로 삼은 이 불행한 남자는 딤스데일이 자기의 만류를 뿌리치고 모든 사람들에게 죄를 고백하고 숨을 거두어버리자 마치 "뿌리가 뽑힌 잡초가 말라가듯 메말라 시들어 사라져버린다." 칠링워스의 죽음은 인간이 자아에 대한 회의와 불안감을 은폐시켜 주는 외적 대상을 잃었을 때 빠지게 되는 허무와 절망 같은 것이다.

칠링워스와 딤스데일은 내면을 가릴 모든 외적 자아를 상실한 후 있는 그대로의 모습을 자신들이 인정할 수도 없고 다른 사람들 앞에 설 수도 없다. 뿐만 아니라 자기들의 견딜 수 없는 자아의 심연을 인정하지 못한다. 정체성의 근원인 강철처럼 인간을 구속하는 질서와 권위의 틀 그리고 자신의 부족한 자아를 메워줄 수 있는 대상, 이 모두를 잃게 되었을 때 이 두 남자들은 인간에게 가장 확실한 궁극적 심연 즉 죽음으로 추락하게 된다.

4. 새로운 질서

딤스데일과 칠링워스가 그들의 자아를 지탱시켜준 외적인 대상과 질서의 의미를 상실하고 파멸의 길로 간 것에 반해, 헤스터는 모든 것을 잃은 뒤 자신의 현실을 인정하고 새로운 자아를 모색함으로써 자신에게 적대적인 사회에서 살아남는다. 헤스터는 사회가 여자에게 요구하는 한계를 넘어서는 강함과 풍요로움 때문에 사회로부터 고립되어 있다. 사회로부터 추방당한 뒤 공동체의 가장자리 끝에 거주하며 자기 마음을 제외하고 어디에서건 위로나 편안함을 얻을 수 없는 헤스터는 자신과 정직하게 부딪칠 수밖에 없다. 헤스터만이 참을 수 없는 자아의 심연을 목격한 후에도 살아갈 용기가 있으며 경직된 가부장적 질서를 대체할 잠재력이 있는 인물이다. 이 작품이 갖는 위대함이란 헤스터가 지니는 강인함에서 비롯된 것이다(Carpenter 543). 자신에 대한 확신과 새로 열리는 세상에서 구축하게 될 새로운 도덕을 믿었기 때문에 헤스터는 인간적, 사회적 편견에도 불구하고 정신적 위대함을 얻을 수 있다.

신설 공동체가 살아남기 위해 그 구성원들에게 획일적이고 억압적인 질서를 강요하는 사회에서 헤스터에게 살아갈 수 있는 용기와 동기를 부여하고 행동의 폭을 주는 것은 그녀가 한 아이의 어머니라는 사실이다. 가슴에 달고 다니는 A자와 함께 그녀의 딸 펄(Pearl)은 언제 어디서나 항상 헤스터와 함께 있으며 그녀의 전부를 의미한다. "유일하게 사랑받을 수 있는 주홍글자"이며 "그녀를 살아 있게 해주는 보물"인 펄에 대한 사랑이 오랫동안 이웃 사람들과 교류가 없는 고립 상태에 있던 헤스터를 지탱하게 하고 부분적으로나마 감정을 표출하게 해 파멸을 막아준다. 헤스터는 모든 것을 포기하는 비싼 값을 치르고 얻은 아이의 어머니가 되고 A라는 글자에 자기만의 의미를 부여함으로써 가부장적 권위를 해체한다.

"주지사의 저택"에서 벌어진 펄의 후견인 문제는 헤스터에게 가해지는 가부장적 사회의 압박과 그에 대처하는 어머니로서의 갈등이 가장 첨예하게 드러난다. "종교와 법이 거의 동일한" 사회에서 "종교와 통치의 좀 더 엄격한 원리"(110)를 존중하는 사람들은 이 두 모녀의 삶이 서로 간의 사랑 속에서 존재하는 그들의 감정적인 요구를 이해하지 못하는 사람들이다. 헤스터는 지사를 위시한 사회지도자들에게 자신과 딸의 특별한 관계에 대해 강력하게 호소한다. 자신의 주장이 효력이 없자 딤스데일에게 자신의 입장을 변호해달라고 요청한다.

> "나를 위해 얘기를 좀 해주세요! . . . 난 이 아이를 놓아줄 수 없어요! . . . 당신은 알고 있잖아요. 당신은 이 사람들에게는 없는 동정심을 가지고 있으니까요. 당신은 내 마음에 있는 것을, 어머니의 권리가 무엇인지를, 그리고 그 어머니가 아이와 주홍글자만을 가지고 있을 때 그 권리가 얼마나 강력한지를 알잖아요! . . . 그 문제를 똑바로 보세요. 난 절대로 이 아이를 포기할 수 없어요!" (113)

헤스터가 처음 올라간 처형대 위에서 재판관을 비롯한 모든 마을 사람들에게 자기 아이 아버지를 결코 밝히지 않겠다고 단언한 후, 여러 사람들 앞에서 한 유일한 이 말은 자기 생명과 같은 아이를 빼앗기지 않겠다는 강한 의지의 표현이다. 예외를 인정하지 않는 독단적인 교리가 바로 법이 되는 사회가 그 법을 어긴 사람에게 가하는 압력을 드러내는 이 에피소드는 헤스터가 공공의 질서에 저항하는 사실을 보여준다.

헤스터는 본능적으로 자신이 자연의 지지는 받고 있으나 인간들이 만든 율법의 지지는 받지 못한다는 것을 알고 있다.

> 자기의 위치를 마을사람들과 다른 편에, 자연의 동정심이라는 지원만을 받는 외로운 여인 사이의 불공정한 싸움으로 보지 않을 정도로

헤스터는 자기 권리를 충분히 의식하고 있었다. (102)

헤스터의 이런 야성적이고 제어되지 않는 강한 성격이 바로 그녀를 가부장적 사회에 복종하며 살아가는 여자들과 구분 짓게 만든다. 그러나 헤스터는 마녀와 마귀라 불리는 반사회적 세력에 동조하지는 않는다. 함께 숲으로 가자는 히빈스 부인(Mrs. Hibbins)에게 헤스터가 "만약 그들이 아이를 빼앗아간다면 그때는 기꺼이 숲으로 가서 내 이름을 악마의 책에 올리겠어요"라고 한 것처럼 어머니라는 사실이 헤스터를 영원한 저주에서 구해준다. 호손은 헤스터가 펄을 낳지 않았다면 성인이나 순교자, 예언자 혹은 종교의 창시자가 되었을지도 모른다고 하면서, 청교도사회의 근간을 해쳤다는 이유로 죽음을 당했을 수도 있다고 한다. 헤스터가 "아마도 청교도 정착의 토대를 침해했다는 점 때문에 그 시대의 엄격한 징벌로 죽음을 당할 가능성"(159)이 있을 수 있음을 제시한다.

펄의 어머니라는 사실이 헤스터로 하여금 청교도사회에서 추방당한 앤 허친슨(Ann Hutchinson)이나 마녀로 죽음을 당한 히빈스 부인보다 좀 더 현실적인 방식으로 지배적인 질서에 대응하게 만든다. 이렇게 지배적인 질서에 수긍하지 않으면서도 자기 존재의 한계를 받아들일 때 헤스터는 삶을 현실적으로 진척시킬 수 있다. 헤스터와 히빈스 부인은 모든 사람들이 마음속에 지니는 죄에 대한 직감을 지녔으며 사회로부터 소외되어 있다는 공통점이 있으나 사회에 대처하는 태도로 인해 한 여자는 마녀로 처형되고 다른 한 사람은 비록 조건부이기는 하나 마을사람들의 긍정적인 시선을 받게 된다. 헤스터를 받아들이는 곳이 비록 궂은 일이 있는 집이지만 마을사람들은 서서히 그녀의 행동에 긍정적인 의미를 부여하고 더 나아가 그녀에 대해 긍지를 갖게 된다.

> "당신네들은 우리 마을에서 수놓은 배지를 단 여자를 보셨어요? . . .
> 그 사람이 우리의 헤스터에요, 우리 마을의 헤스터란 말이에요. 가
> 난한 사람들에게 친절하고, 아픈 사람들을 도와주고, 고통받는 사람
> 들에게는 위로를 해주는 사람이지요!" (157)

헤스터가 가슴에 달고 다니는 A자는 경멸과 냉소를 불러일으키던 상징
에서 "일종의 성스러움"의 의미를 지니게 된 것이다.

　이런 의미 있는 변화에도 불구하고 헤스터의 풍요롭고 생기발랄한
생명력을 그 글자가 흡수해버림으로써 한 인간으로서 그녀의 자아를 추
상화해버린다. 헤스터는 마을사람들로부터 인간적인 욕구를 지닌 한 여
성으로 인정받지 못해 여전히 홀로 소외되어 있다. 하지만 결혼이라는
인습적인 제도에서 벗어나 있는 헤스터는 가부장제 사회에서 자신의 위
치를 규명하기 위해 노력할 필요가 없으며 펄 외에는 잃을 게 없어 사
회에 타협하며 순응할 필요가 없다. 헤스터는 딤스데일과 칠링워스를
몰아세우는 질서가 야기하는 힘의 투쟁에 참여하지 않는다. 사회의 가
장자리에서 살고 있는 헤스터는 사회와의 마찰로 상처 입지 않는다. 그
녀의 정신세계는 사적인 자아와 대외적 자아 사이의 대립에 의한 상처
도, 위선의 위협도 없다. 왜냐하면 헤스터에게는 이 두 자아가 서로 상
치되지 않기 때문이다.

　"마을 외곽에 뚝 떨어져 자리한" 헤스터의 오두막을 둘러싼 자연 풍
경 즉 숲과 바다는 그녀의 정신상태를 상징한다. 헤스터의 집은 문명사

회와 자연 사이의 완충지대이며 유동적 상태인 그녀의 정신세계를 보여준다. 브로드헤드(Richard Brodhead)가 헤스터의 가장 멋있는 점은 그녀가 삶의 모든 다양한 체험에 개방되어있는 점이라고 했듯이(63) 헤스터는 공동체의 누구와도, 심지어 선원이나 인디언들과도 아무 거리낌 없이 이야기를 나눌 수 있다. 그러나 호손은 인간사회보다는 바다와 숲과 같은 자연에 더 친밀함을 느끼는 헤스터에게 동정적이지만, 자연과 인간적인 것, 그리고 사회 내에서 자기 행동에 책임지는 것 사이에는 차이가 있음을 지적한다.

헤스터가 사회에서 고립을 당하는 원인의 일부는 사회에 있으나 다른 일부는 열정적인 성격에서 비롯되는 그녀의 행동에서 기인한 것이라고 할 수 있다. 작가는 딤스데일이 추종하는 교회라는 제도의 경직되고 독단적인 면과 칠링워스가 의존하는 과학세계가 갖는 냉정함이라는 부정적인 면을 보여주었듯이 헤스터가 나타내는 자유가 갖는 부정적인 면을 제시한다. 헤스터는 혼자서 가끔씩 "여자의 생에 대한 신의 의도는 과연 무엇인가? 여자의 생은 과연 받아들일 만한 가치가 있는 것인가?"라는 의문을 던질 정도로 절망에 빠진다. "수치, 절망, 외로움"이 헤스터를 강하게 만들었으나 바로 그것들이 "그녀에게 많은 것을 잘못 가르쳤다"는 점도 드러낸다. 호손은 "준엄하고 슬픈 진실" 즉 "죄가 인간 영혼에 새겨놓은 상처는 인간의 상황에서는 결코 수정될 수 없다"는 점을 분명히 한다. 인간이 문명이라는 사회질서를 형성해가는 과정과 어긋나고 "사회제도에 대해 인디언만큼이나 존경심을 지니지 않는" 헤스터의 사고가 보여주듯, 사회질서를 잠식시킬 수 있는 헤스터의 개인주의와 자유가 갖는 부정적인 면을 작가는 드러낸다. 호손은 헤스터의 비극이 인간은 행복을 가질 권리가 있다는 가정에 너무 집착한 데서 왔다고 한다. 그러나 동시에 작가는 헤스터가 혼자서 사회적 압력을 이겨낸 체험이 딤스데일이나 칠링워스는 감히 바랄 수 없을 정도로 그녀를 강하게 만들어주었다는 점도 보여준다.

헤스터는 이 자유를 사회구성원으로부터 철저한 외면과 그로 인한 고립이라는 희생을 치르고서 얻었다. 그러나 그녀는 자신의 내적 자아를 충만하게 실현시켰지만 자신이 살아가는 사회구성원들에게는 유령과 같은 존재로 떠돌 뿐이며 자신이 몸담고 있는 사회와 연결되는 고리가 없다.

> 사회적인 모든 교류관계에서 자기가 그 사회에 소속되어 있다고 그녀로 하여금 느끼게 하는 것은 하나도 없었다. 모든 몸짓, 말, 심지어 그녀가 마주치는 사람들의 침묵까지도 그녀가 사회에서 존재하지 않는 듯한 의미를 띄거나 표현을 했다. 그리고 마치 그녀가 다른 영역에 살고 있거나 세상 사람들과는 다른 기관과 감각으로 사람들과 교류하고 있는 것처럼 그녀는 혼자였다. (87-88)

언제든지 그곳을 떠나도 되었던 헤스터가 그 공동체에 남은 가장 큰 이유로 짐작되는 딤스데일과도 어떤 교류를 나눌 수 없다는 점을 헤스터는 통감한다. 7년 만에 마을사람들 몰래 숲에서 만나 펄과 함께 그 식민지를 떠나 다른 곳으로 이주하기로 약속한 다음 날 주지사 선거행렬에서 헤스터는 "목사와 자신이 아무런 진실한 유대관계가 없음을 느낀다." 내면을 깊이 묻어두고 살아가는 "그녀의 얼굴은 마치 가면처럼 얼어붙어 죽은 사람의 얼굴" 같아 누구도 그녀의 표정을 읽을 수 없다.

사회의 압력과 통제에 침묵으로 대응하는 헤스터의 행동은 그녀가 결코 순응할 수 없는 사회의 법과 권위에 동의하지 않으면서도 로저 윌리엄스(Roger Williams)나 앤 허친슨 부인처럼 추방되거나 히빈스 부인처럼 죽음을 당하지 않고 공동체 내에서 생존할 수 있는 방식이다. 이런 침묵은 사회의 권위를 쥐고 있는 자들과 충돌은 피한지만 그들의 법에 굴복하지 않고 자기의 생각을 고수하게 만드는 방도이다. 헤스터는 다른 이들에게 어떠한 요구도 하지 않으며 자기 생각도 강요하지 않는다. 소설 첫 부분의 처형대 장면에서 재판관을 위시해 마을사람들의 집요한 추궁에도 불구하고 아이 아버지의 이름을 밝히기를 거부한 후 침묵을 자신의 규율로 삼고 살아가던 그녀가 칠링워스와 했던 비밀의 약속을 깨뜨리겠다고 경고한 행동이나 딤스데일에게 남편의 정체를 밝히는 것 모두 자기 기준에 준거하여 행동한 것이다.

헤스터는 A라는 글자에 개인적인 의미를 부여함으로써 마을사람들을 침묵하게 만든다. 세월이 지나면서 헤스터의 자선행동에 감동을 받은 마을사람들은 "낡은 상징"에 대해 흥미를 잃기 시작하고 그 글자는 원래의 뜻이 아닌 다른 의미를 띄우게 된다. 마을의 "가장 엄격한 판관"이 헤스터에게 가슴에서 A자를 떼어내도 된다고 허용했을 때에도 그녀는 마치 자기가 그 글자에 새겨 넣은 자아의 의미를 확신하고 자신을 재판한 사람들이 그 글자에 부과한 본래의 의미를 조롱하고 저항하듯 그대로 달고 다닌다. 딜(Joanne Felt Diehl)이 지적한 대로 그 글자는 헤스터를 패배시킨 것이 아니라 그녀에게 힘을 부여했으며 어머니로서의 체험이 수치의 표시를 고립에서 벗어날 수 있는 참여와 자신만의 표지로 변화시킨 것이다(670).

열정적인 여자에서 지혜로운 여자로 변해가는 헤스터는 기존의 종교적 정통성을 구하지 않는다. 남자들이 주도하는 세속의 권위에 절망한 후 헤스터는 자신만의 여성적인 믿음을 가지려고 노력한다. 그녀에게 믿음이란 딤스데일의 것처럼 죄와 고통으로 이루어진 것이 아니라 타인에게 행하는 봉사와 사랑을 의미한다. 그런 의미에서 그녀는 결국 사제와 같은 역할을 하게 된다. 헤스터는 언젠가는 사회의 체제가 변화되리라는 희망으로 불행한 여자들의 고충을 들어주고 남자와 여자가 보다 온건한 관계를 맺을 수 있는 좋은 때가 올 것이라는 확신을 그들에게 심어준다.

> 헤스터는 이 세계가 완전히 성숙하게 되는 미래의 밝은 시대에는, 천국의 시대에는, 남자와 여자의 상호 간의 행복이라는 좀 더 단단한 근거 위에서 온건한 관계를 맺을 수 있도록, 새로운 진실이 밝혀질 거라는 확실한 믿음을 여자들에게 심어주었다. (245)

헤스터는 예전에는 자기 자신이야말로 그 가능성을 가늠해 본 적 있는 변화를 가지고 올 예언자로 생각했으나 서서히 "계시의 사도는 여자임에 틀림없으며"(245) 죄와 고통으로 얼룩진 사람이 아닌 고상하고 아름답고 현명한 여자이며 그녀의 지혜는 기쁨에서 나오게 될 것이라고 생각할 정도로 변화된다.

호손은 헤스터가 생각하는 미래에 관한 낙관적이고 혁명적 사고에 대해, 그리고 외부의 압력을 견뎌내는 그녀의 정신력을 찬양하는 듯하지만 "남자보다 더 대담한" 헤스터의 사고방식을 그녀 마음속에서만 존재하게 만든다. 작가는 여성들의 시련과 고난을 이야기하면서 근본적인 사회구조에 혁명이 일어나지 않는다면 헤스터가 바라는 자아는 성취되지 않을 것임을 암시한다.

> 모든 사회제도가 허물어지고 새로 만들어져야 하며 . . . 남성의 본질 혹은 그 오랜 세월 동안 유전되어 내려오는 습관이 근본적으로 변화되어야 한다. . . . 여자는 자기가 강력하게 변화되지 않는 한 이런 예비적 개혁을 이용할 수 없다. 그런 강력한 변화 속에서 아마 여성의 진실한 삶이 들어 있는 영묘한 본성이 증발해버린 것을 알게 될 것이다. (160)

헤스터의 꿈을 실현시키기 위해 거쳐야 되는 세 단계는 마치 인간성 자체를 맞바꾸는 것과 같아 이런 혁명적 변화는 좀처럼 올 것 같지 않다. 자신에게 적대적인 사회에 맞서는 헤스터의 고통과 용기에 동정적이나 호손은 그녀에게 어떠한 궁극적 승리도 부여하지 않는다. 인간성의 자연스런 표현을 억압하는 청교도적 세계관이 바람직하지 않지만 사회를 벗어나버리는 인간의 정신도 문제가 있음을 지적한다. 딤스데일을 숲에서 만난 헤스터는 자기들의 죄에 대해 이미 대가를 다 치렀다고 주장하며 새로운 세상으로 떠나자고 설득하나 호손은 그녀의 계획을 물거품으로 만든다. 호손은 인간이란 타인과 정치 세력과 주위 환경이라는 상호관계가 맞물리는 상황에서 자기들의 잠재능력을 완성시켜가는 존재라고 생각하는 듯하다. 호손에게 생의 비극적 의미라 함은 이런 관계들이 서로 불가해하게 얽혀 있다는 것과 살아가면서 그 관계의 불가피함에 대해 인간이 인식하게 되는 점을 의미하는 것 같다.

5. 나가는 글

헤스터가 딤스데일이나 칠링워스와 다른 점은 바로 그녀가 이 같은 생의 비극적 인식을 하고 있다는 점이다. 딤스데일과 칠링워스가 세상을 떠난 후 펄과 함께 뉴잉글랜드 식민지에서 조용히 사라졌던 헤스터가 많은 세월이 지난 다음 홀로 뉴잉글랜드로 돌아온다. 그런 다음 과거의 자기 과오를 받아들이고 누구도 요구하지 않는 A자를 다시 가슴에 단다. 그런 다음 헤스터는 이곳에서 도움이 필요한 자에게 도움을 주며 절망에 빠진 자에게 희망을 제시하는 구체적 행동으로 사랑을 펼친다. 헤스터가 뉴잉글랜드 지방으로 다시 돌아온 행동에 대해 어떤 비평가들은 부정적인 시각으로 보고 있으나[2] 이 글은 신세계로 돌아온 헤스터를 "수동적으로 누군가에 의해 끌려 다니는 여인이 아니라 능동적으로 행동하는 사람"(79)이라고 평했던 프라이어(Judith Fryer)의 견해에 동의한다. 우리는 소설 결말 부분에서 헤스터는 자신의 비전이 아무런 결과를 맺지 못하는 사회에서 외롭고 고통당한 사람이라기보다는 오히려 사회가 그녀에게로 흘러 들어가는 듯한 인상을 받게 된다. 이 소설의 끝에

---

2) 니나 베임(Nina Baym)은 헤스터의 귀환을 자아와 사회 간의 타협("Plot in *The Scarlet Letter*" 407)으로 보고 있으며 버코비치(Sacvan Bercobitch)도 미국의 현실과 호손의 타협("The Office of *The Scarlet Letter*", 113)으로 보고 있다.

는 소설이 시작될 때 압도하던 권위주의적인 남성 지도자들은 사라지고 국외자이며 죄인이었던 헤스터만이 남아 있다.

헤스터는 신세계가 사람들이 애초에 기대했던 이상향이 아니며 사회적 질서의 구속력이 구세계의 것보다 훨씬 강하며 개인의 삶에 더 심한 독단적인 강제력을 행사하는 사실을 충분히 체험한 바 있다. 그런 쓰라린 고통을 당했던 헤스터가 돌아올 아무런 이유가 없는 뉴잉글랜드 식민지에 "자유의지로" 와서 A라는 글자가 함축하는 의미를 스스로 수용한다. 그런 결정은 헤스터가 신생사회의 지배적 질서가 갖는 구속력을 초월했음을 보여준다. 뉴잉글랜드로 다시 돌아온 다음의 헤스터는 그곳을 떠나기 전 자기를 벌하고 고립시키는 사회에 대한 적대감에서 비롯된 상처받은 우월감을 버린다. 그리고 젊을 때 자기처럼 사회질서를 위반해 방황하며 고통 받는 여자들을 변화될 미래에 대한 희망으로 위로하며 돕는다. 뉴잉글랜드로 귀환한 헤스터는 젊었을 때 딤스데일에게 숲속에서 열렬히 주장했던 생에 대한 열정보다는 좀 더 온건하고 보편적인 삶에 대한 비전을 얻게 된다. 이제 헤스터의 사랑은 딤스데일과 펄만을 향한 사적인 차원을 넘어서 정의와 진실 그리고 공동체에 대한 헌신으로 폭과 깊이를 더하게 된다. 헤스터의 가장 큰 변화는 개인적으로 성취한 구원의 강렬함을 사회 안에서 드넓고 구체적으로 실현할 수 있는 점진주의자의 관점으로 변화시킨 점일 것이다. 그녀의 승리는 사회 전체에 비추어봤을 때 미미하지만 이것이야말로 진정한 작은 승리라고 할 수 있다.

호손은 신생사회를 선택한 딤스데일, 칠링워스 그리고 헤스터라는 세 인물이 표상하는 서로 다른 질서를 보여주며 이들의 문제점을 짚고 있다. 하나의 진실이 여러 다양한 삶의 구체적인 요구를 억압하는 것을 목격했던 호손은 어느 누구에게도 최종의 힘을 실어주지 않지만 이 소설 맨 마지막에 고통받는 사람들을 실질적인 작은 행동으로 위로하고 돕는 헤스터를 남김으로써 그녀를 구질서를 대치할 수 있는 새로운 질서를 구현하는 인물로 제시한다. 호손은 헤스터라는 강한 여성을 통해 자신의 두 가지 바램, 즉 인간의 가능성에 대한 무한한 믿음과 비전 그리고 사회라는 공동체가 지녀야 하는 질서 의식 간의 미묘한 균형을 어렵게 획득하고 있다.

『칠박공의 집』
상업사회와 예술가

1. 들어가는 글

호손은 『주홍글자』의 원고를 아내 소피아(Sophia Hawthorne)에게 읽어주었을 때 그녀가 두통이 일어난다고 해 자신의 소설이 성공하리라는 것을 확신했지만 이 소설에 대해 많은 비평가들이 지적한 어둡고 우울한 분위기에 대해서는 신경을 쓰지 않을 수가 없었다. 호손은 평범한 독자들에게 『주홍글자』가 너무 어둡고 단조롭다고 생각했다.

소피아와 편집자에게 끼친 『주홍글자』의 효과로 판단해보았을 때 나는 그것이 성공할 수도 있겠다고 판단했다. 하지만 나는 그런 계산을 하지 않았다. . . . 『주홍글자』는 햇빛과 같은 밝은 요소가 부족했다. 사실을 말하자면 그 소설은 기분을 좋게 하는 밝은 빛을 집어넣는 게 불가능하다고 생각할 정도로 확실히 저주받은 이야기였다. (Letter to Bridge, Feb, 4, 1850)

첫 장편소설이 성공은 했으나 호손은 위에서 이야기한 점 때문에 마음이 편하지 않았다. 그래서 그는 다음 작품은 좀 더 유쾌하고 다양한 이야기를 쓰기로 작정했다. 뿐만 아니라 『주홍글자』가 상당한 성공을 거두었지만 호손이 이 장편으로 받은 인세로는 늘어나는 가족을 부양하기에는 부족했다. 당시에 그는 세일럼 세관 감독관이라는 직책에서 물러난 뒤 금전적인 압박을 받는 가장이었다. 호손은 자기가 추구하고자 한 마음의 진실을 밝히는 작업과 보다 많은 독자를 확보하기 위해 그들의 기호에 맞는 글을 써야 하는 현실 사이에서 마음의 갈등을 느끼지 않을 수 없었다.

『주홍글자』에 이어 발표한 『칠박공의 집』은 출판 후 6개월 만에 7,000부 이상이 팔렸고(Turner 229) 비평가들로부터도 상당한 호평을 받았다. 200여 년에 걸쳐 지속 되어 온 두 집안의 갈등이 양가 젊은이들의 결혼으로 해소되고 핀천 가(The Pyncheons)에 내려진 저주가 풀리는 이 소설은 호손의 장편소설 가운데 유일하게 코믹한 작품이라는 평가를 받는다(Von Abele 394). 그러나 베임(Nina Baym) 같은 비평가는 표면의 밝은 분위기는 이면의 음울한 의미와 갈등은 일으키고 있으며, 작가는 유쾌한 분위기로 호손이 자기가 전달하고자 하는 이야기를 가리고 있다고 진단한다(154). 무엇보다 이 소설은 제임스(Henry James)의 지적대로 장편의 서문으로 쓰인 것처럼(97) 이야기가 충분하게 전개되지 못하고 갑작스럽게 결말에 이른 듯한 느낌을 주고 있다. 더군다나 한 인물과 그 아들의 갑작스러운 죽음으로 남은 인물들이 그 사람이 남긴 유산으로 부자가 되고 오랜 세월에 걸친 두 가문의 대립이 한순간에 해소되어 버리는 "너무 가볍게 처리된"(Matthiessen 332) 마무리는 많은 독자들을 설득하지 못하고 있다. 본 아벨은 이런 결말 처리에 대해 너무 서둘렀다는 평을 제기했다(Von Abele 401).

그렇다면 호손은 이 소설을 왜 그렇게 마무리했을까? 그는 과연 이런 결말이 지니는 문제를 몰랐을까? 샤밧(William Chavat)은 호손이 결말의 약점을 간과한 것이 아니라 시장의 요구에서 비롯된 것이라고 진단한다(xx). 자기 소설의 직품성에 신경을 쓰는 직가는 일빈 독자들이 소설에 "햇빛과 그림자"가 혼합된 것을 선호한다는 사실을 염두에 두고 있던 것이다. 『칠박공의 집』의 집필을 다 끝냈을 때 호손은 '대중의 평가'에 많은 관심을 가졌으며 "사람들이 책을 구입하는 한 자기가 계속 일을 할 수 있다"(Letter to Elizabeth Hawthorne, March 11, 1851)는 점을 의식하고 있던 호손은 『주홍글자』의 단조롭고 어두운 분위기가 보다 많은 독자들을 끌어당기는데 장애가 된다는 점을 너무나도 잘 알고 있었다. 샤밧의 지적과 같이 "호손이 이 소설을 마무리하면서 모든 것이 잘 해결되었다는 점을 보여주기 바라는 사람들의 희망에 굴복했을 가능성을 무시할 수 없다"(xxii).

수많은 독자들이 좋아했던 당시 "글 쓰는 여자들(a d___d mob of scribbling women)"(Letter to Ticknor, Jan, 19, 1855)에 대한 호손의 신경질적인 반응에서 짐작할 수 있듯이 『칠박공의 집』에서는 당시 베스트셀러 작가였던 여성작가들이 누린 명성과 수입을 갈망하면서도 동시에 "진실을 말하는 위대한 예술가"를 꿈꾼 작가로서의 갈등을 보여준다. 그가 「세관」("The Custom House")에서 말한 바대로 "독자의 권리와 자신의 권리를 침해하지 않고"(4) 글을 쓴다는 것은 쉬운 일이 아니었으며 금전적인 필요와 개인적인 성취감이 항상 양립되지는 않았다(McWilliams 225).

어느 누구보다도 먼저 호손의 천재성을 갈파했던 멜빌(Herman Melville)이 호손의 단편집 『낡은 목사관의 이끼』(Mosses from an Old Manse)에 대한 평을 발표했을 때 호손은 두 번째 장편을 집필하고 있었으며 당시 그가 거주하던 집은 『백경』(Moby-Dick)을 쓰고 있던 멜빌의 집과 그리 멀지 않았다. 『낡은 목사관의 이끼』에 대한 서평에서 멜빌은 "이 거짓의 세계에서 작가는 속임수를 쓰는 사람이 될 수밖에 없고 자기들의 진정한 의도를 감춤으로써 보통 독자들을 현혹시킬 수밖에 없다"(Melviile 542)고 말한다. 그러나 호손은 이 뛰어난 후배작가의 말을 마음 편히 받아들일 수 없었다. 그러면서도 『칠박공의 집』을 쓰는 과정에서 호손은 자신이 멜빌의 방식을 취하고 있다는 것을 인식하고 마음이 불편했으며 예술가로서의 독립성과 정직성을 시장사회에 적응하기 위해 타협하는 자신에 대해 편안하지 않았다. 이런 갈등이 그가 작품들을 마무리하는 데 영향을 행사했고 특히 두 번째 소설인 『칠박공의 집』의 결말은 작가의 이런 심적인 갈등이 잘 반영되어 있다.

이 글은 인간 마음의 진실을 말하고자 하는 예술가로서의 작가와 보다 많은 독자를 확보하고자 하는 전업 작가로서의 호손이 이 두 가지 바람을 동시에 실현하기 위해 『칠박공의 집』의 결말을 어떻게 처리하고 있는지 그리고 그는 이 결말에 관해 어떻게 생각하고 있는지 살펴보고자 한다.

2. 예술가의 진실

호손은 맨 처음 장에서 이 소설의 등장인물들만큼 중요한 역할을 담당하는 '박공이 일곱 개나 있는 큰 저택'이 세워진 내력을 소개한다. 작가는 이 저택에 관해 전해져 내려오는 저주와 여러 소문들을 이야기하면서 공적인 입장에서는 언급되지 않는 정보들과 주민들의 생각에 대해 전하고 있다. 공적인 의견으로 다루기에는 논쟁의 불씨를 지니고 있는 이 이야기들은 소문과 구전 그리고 대대로 전해오는 우화들로 은밀하게 감추어져 있다. 황무지를 개간해 오두막을 지은 몰(Maule) 집안 소유의 대지에 핀천 대령(Colonel Pyncheon)이 품었던 계획을 이야기하면서 작가는 "이 싸움에 대해서는 어떤 기록도 남아 있지 않다. 이 모든 것에 대해 우리가 아는 것은 주로 입에서 입으로 전해져 내려오는 이야기에 따른 것이다"(7)고 말한다. 마귀(Witch)로 몰려 처형되기 전 매튜 몰(Matthew Maule)이 "하느님이 핀천 대령에게 피를 마시게 할 것이다!"(16)라고 퍼부은 저주와 칠박공의 집이 완성된 날 핀천 대령이 갑작스럽고 이상하게 죽은 사실과 연관을 짓는 점도 기록이 아닌 구전으로 내려오는 이야기이다.

> 구전이란 역사가 빠트린 진실을 전해주는 것이지만 집의 난롯가에서 이야기되는 종종 그 예전 시대의 기발한 횡설수설일 경우가 많았고 지금은 신문에서는 감춰진 것이었다. 구전은 기록과 모든 반대되는 사실의 근원이었다. (17)

"아직도 기억에 남아 있는" 핀천 대령의 장례식 추모사에는 몰이 남긴 저주와 그 저주가 실현된 응징일 것이라는 암시는 전혀 없다. 대령 자손들의 양심의 문제에 대한 비난 역시 "사람들 입에 떠도는 소문"이었을 뿐 "신문기사 거리로 취급되기에는 증거가 너무 희박했다"(20).

작가는 구전과 기록의 차이에 대하여 사적 담론과 공적 담론으로 대별하고 있다. 핀천 집안에 대한 부정적인 비판은 기록보다는 구전으로 전하고 있는데 그 까닭은 "글로 남긴 기록"은 세상을 향해 하는 것이어서 대중의 존경을 받는 인물들을 감히 공개적으로 비난할 수 없기 때문이다. 대중적으로 인정을 받는 인물에 대한 비판을 독자들이 공감하지 않을 거라는 인식이 작가로 하여금 사실을 공식적으로 당당히 밝히는 것을 꺼리게 만든 것이다.

> 그렇게 이루어지는 불가피한 인식으로 많은 진실과 자유가 상실하게 되고 공적인 시선과 먼 미래를 위해 글을 쓰는 펜과 말을 하는 목소리와 그 목소리를 새겨 넣는 조각칼의 차갑고 공식적이고 공허한 말 이외의, 옛사람들에 관해 내려오는 구전들과 사람들이 나름대로 내리는 판단에 근거한 판사에 관한 일상적이고 사적인 소문들이 따로 존재했다. 그것은 공적인 남자에 관해 여성들이 개인적이고 가정적인 관점을 만들어내는데 도움이 되었다. 후대에 영원히 남기려고 만든 동판 인쇄로 된 초상화와 원래 초상화 뒤에서 손에서 손으로 전해 내려오는 연필로 그린 스케치 간의 거대한 차이보다 흥미로운 것은 없었다. (122)

진실과 자유의 상실에 대해 하는 말은 「서문」에서 로만스 작가로서 "관용"과 인간 마음의 진실을 주제로 하겠다고 밝힌 작가와 관계가 있다. 호손은 남성적이고 차가운 공적 예술에 비해 사적인 예술은 여성적이고 교훈적이고 진실하지만 오래 지속되고 구매력이 있는 것은 공적 예술이라는 점을 자각하고 있었다(McWilliams 241). 동판인쇄와 연필 스케치의 차이에 대해 언급하면서 호손이 대중에게 이야기할 때 신중한 태도를 취하는 가장 큰 이유는 잠재 독자들의 마음을 거스르지 않을까 하는 두려움 때문이었다. 구전으로 내려오는 이야기에 내재된 지혜가 감추어지고 사석에서만 전해질 뿐 많은 이들에게 팔리지 않는 이유는 칠박공의 집에 걸린 핀천 대령의 초상화에 걸린 묘사에서 드러난다. 시간의 흐름에 따라 초상화 표면에 있는 색채가 사라지고 인물의 내적인 특색이 점점 뚜렷하게 나타나게 되는 것은 오래된 그림에서는 상당히 흔한 일이다.

> 오래된 그림들은 화가(만약에 그 화가가 요즘 화가들의 고분고분한 태도 같은 것을 가지고 있다면)가 초상화 주인공의 특징을 표현하겠다고 감히 생각하지도 못했을 표정을 지니게 된다. 그러나 우리는 그 그림이 인간 영혼의 추한 진실을 반영하고 있는 것을 즉시 알아차리게 된다. 그런 경우에 화가가 자기가 그리고자 하는 대상이 지니는 내면의 특징에 대해 깊게 인식을 했던 점이 그림의 본질에 새겨지게 되고 시간이 지남에 따라 표면의 색칠이 지워지게 되면서 눈에 보이게 되는 것이다. (59)

다시 말해 현시점에서 진실을 공개적으로 밝히고자 하는 예술가는 자기 작품을 파는 것이 거의 불가능하다는 사실을 깨닫게 된다는 점이다. 구매자가 개인이든 대중이든 간에 상업사회에서 성공하고자 하는 작가는 구매자의 구미에 맞추어야 하는 것이다. 자신이 말하는 진실이 대중으로부터 도외시 당해 생계에 영향을 끼치게 된다면 그는 자신의 하고자 하는 바를 소신대로 표현할 여유가 없을 것이다. 호손은 초상화로서 비유적으로 말하고 있지만 그림에 대한 이런 분석은 그의 글 전체에 적용되고 있다.

3. 예술가의 갈등

이 소설은 칠박공의 집에서 오랜 세월 동안 세상과 관계를 끊고 은둔생활을 하던 노처녀 헵지바 핀천(Henzibah Pyncheon)이 생계를 위해 집 한쪽에 구멍가게를 여는 날 시작된다. 헵지바는 자신의 안락함에는 관심이 없지만 30년간의 감옥생활을 마치고 돌아오는 남동생 클리포드(Clifford Pyncheon)를 위해 돈을 벌기로 어려운 결심을 한 것이다. 동생의 불행에 결정적인 역할을 했다고 의심해온 사촌 제프리(Jaffrey Pyncheon) 판사의 도움을 거부하고 자기 힘으로 동생을 부양하기 위해 헵지바는 증조부가 만들어놓았던 구멍가게를 다시 열 용기를 낸다. 세상과 어떤 교류도 없이 어두침침한 고택에서 두문불출하던 헵지바가 가게를 시작하는 이른 아침에 시작되는 이 소설은 호손의 다른 소설보다 대중과의 관계에 대해 고뇌하는 작가의 마음이 잘 드러난다. 등장인물에게 자신의 속성을 투사하는 작가로 유명한 호손은 이 작품에서도 예외 없이 인물들을 통해 자기의 고민과 희망을 토로한다. 특히 헵지바가 가게를 여는 장(chapter)은 상품의 교환과정에 대해, 물건을 파는 사람과 사는 사람 간의 관계에 대해 직접적으로 이야기한다. 가게를 개점하는 날 가게 카운터 뒤에서 한없이 꾸무럭대는 헵지바에 대해 작가는 동정적이면서도 풍자적으로 그린다. 세상과 대면하는 두려움을 극복하려고 애를 쓰는 헵지바는 화장대 거울에 비친 자기 모습을 보고 한숨을 짓는다. 그리고 마지못해 가게로 나가는 문지방을 넘어선다.

> 헵지바는 자기가 결국 가게로 나가 모습을 드러내며 서야 한다는 것을 잘 알고 있었다. 그러나 다른 예민한 사람들처럼 그녀는 서서히 사람들의 눈에 띄는 것을 견디지 못해 사람들의 놀라는 시선에 번개처럼 즉각적으로 나서는 것을 택했다. (40)

마을사람들과 대면하는 것을 두려워하는 헵지바의 모습은 처형대 위에 수치의 표적 A자를 가슴에 달고 갓난아이와 함께 수백 개의 엄숙한 눈길을 마주하고 섰던 『주홍글자』의 헤스터 프린(Hester Prynne)을 연상시킨다. 많은 사람들 앞에 당당히 맞서는 아름답고 우아한 젊은 헤스터와는 달리 괴상한 터번과 낡은 실크 드레스를 걸친 창백하고 초라한 늙은 헵지바의 모습은 핀천이라는 이름과 칠박공의 집에 갇혀 퇴락을 거듭해온 핀천 가의 현실을 상징한다. 헵지바는 "수치심에 압도당하고 모르는 사람들의 적대적인 눈길이 자기를 바라보는 권리를 가졌다는 것"(46)에 고통스러워한다.

호손은 괴로워하는 헵지바의 모습을 통해 내면의 진실과는 별도로 타인에게 호감을 주는 인상을 만드는 것이 얼마나 중요한지를 역설한다. 헵지바는 마치 바깥으로 난 "진열장의 배치와 흠이 있는 사과를 빛깔 고운 것으로 바꾸어서 진열하는 게 자기 가게의 성패를 좌우할 것 같다"(46-7)는 걱정을 한다. 작가는 심한 근시로 인해 "양미간을 찌푸린 인상이 헵지바를 성미 고약한 노처녀처럼 보이게 만들어 그녀에게 좋지 않은 영향을 끼친다"(34)고 계속 언급한다. 남에게 불쾌한 인상을 주는 찡그린 헵지바의 모습은 사실 심한 근시에서 비롯되었지만 불행히도 사람들은 그 모습이 헵지바의 성격을 그대로 드러낸다고 오해한다. 이웃 사람 딕시(Dixey)가 칠박공의 집에 가게가 생긴 것을 보고 헵지바의 인상이 사나운 점이 장사에 이롭지 못할 거라고 예상한다.

> "잘해 보시오!" 그는 소리쳤다. "전혀 그러지 못할 걸! 내가 보아온 헵지바의 얼굴은 늙은 닉도 놀라게 할 거야. 닉이 헵지바와 거래를 할 정도로 너그러운 마음을 가졌다 한들, 정말이야! 이유가 있든 없든 그 여자는 성격이 못돼 먹어 무섭게 인상을 쓰고 있잖아."(47)

이 말을 우연히 엿듣게 된 헵지바는 "귀부인"에서 "서민"이 되는 것을 무릅쓰고 나름으로는 죽을 힘을 다해 시작한 모험이 헛된 일이 되리라는 예감에 사로잡힌다. 자기 가게 건너편에 "향수를 뿌리고 반짝거리는 능글맞은 미소와 함께 굽실거리면서 물건을 정리하는 수많은 판매원들이 있는 굉장한 시장"(49)이 생겼다는 말에 헵지바는 낡고 어두운 집에 육십이 넘은 노처녀가 잔뜩 찌푸린 얼굴을 하고 앉아 있는 가게를 돌아보고 성공은 '터무니없다'고 시름에 잠긴다. 헵지바가 가게를 연 것을 진심으로 축하하기 위해 가게에 들른 베너 아저씨(Uncle Venner)도 그녀에게 환하게 웃는 얼굴이 사업에 제일 중요하다고 알려준다.

"손님들에게 밝은 얼굴로 대하시고 손님들이 요청하는 것을 건네줄
때 유쾌하게 웃어요! 당신이 오래된 물건들을 사람 좋고 따뜻하고
밝은 미소로 적셔서 건네주면 인상을 찡그리면서 주는 신선한 물건
보다 잘 팔릴 거요!" (66)

가게를 열고 난 뒤 손님들에게 장사하는 것을 괴로워하는 헵지바를 통
해서 호손은 돈을 벌기 위해 대중의 기호에 어필하려는 자신의 어려움
을 토로한다. 일생동안 세상과 단절 속에서 살아온 전력이나 생계를 스
스로 벌어야 하는 필요 때문에 오랜 은둔생활을 깨고 가게를 열어야 하
는 헵지바는 자신을 "미국에서 가장 이름 없는 작가"(*TTT*, xii)라고 칭한
호손 자신과 비슷한 점이 있다. 호손은 헵지바가 팔려는 물건과 자신의
글을 동일시한다. 그녀가 파는 물건은 주로 사과, 옥수수가루, 생강 빵
등으로 먹는 것인데 작가는 「서문」에서 자신의 책을 "대중에게 내놓은
요리"(34)에 비유하고 있다. 헵지바가 가게 문턱에서 더 이상 나가지를
못하고 주저하는 모습을 그리면서 호손 역시 "우리는 이야기 문턱에서
자신감이 없어서 꾸물거리고 있다"(34)고 한다. 호손은 가게를 처음 여
는 날 가게로 들어가지 못하고 멈칫거리면서 힘들어하는 이 노처녀에게
연민과 공감을 느끼지만 동시에 비판을 가하고 있다. 독자와의 관계를
설정하는 것을 힘들어하면서도 "세상과 대화를 하는 것"을 갈망하는 작
가 호손은 가게 카운터 뒤에 앉아 오랜 세월 소식이 없는 영국의 친척
이나 인도로 간 친척이 갑자기 나타나 자신을 구해주는 공상이나 하는
이 노처녀와는 완전히 동일시하지 않는다. 상업사회 속의 대중들의 속
성에 불편하지만 여전히 민주주의를 신봉하는 호손은 헵지바의 귀족적

인 허세에 동조하기보다는 개점을 축하하기 위해 들린 홀그레이브 (Holgrave)가 "인류의 통합된 투쟁"(45)에 조금이나마 기여하는 데에서 기쁨을 찾아야 한다는 주장에 동의한다. 처음으로 물건을 판 거래를 하고 나자 헵지바는 예상하지 못한 성취감을 느끼고 세상에 대한 두려움을 어느 정도 불식시키게 되나 가게 점원으로서 그녀는 성공할 것 같지 않다. 아주 긴 하루였던 개점 첫날이 끝날 무렵 헵지바는 자신이 가게를 성공적으로 운영하지 못할 거라는 예상에 몹시 우울하다.

호손이 내적인 갈등을 겪지 않고 상업사회와 관계를 잘 유지할 수 있을 거라는 신념을 표한 사람은 헵지바가 아니라 시골에서 온 그녀의 사촌 피비(Phoebe Pyncheon)이다. "시골 장에서 좌판을 벌려서 어느 누구보다 장사를 잘해온"(78) 피비는 "타고난 총명함과 현명함"으로 칠박공의 집에 도착한 다음 날부터 재치 있게 장사를 한다. 중산층 가정이 지니는 이데올로기의 지침을 실천하는 모범(Pfister 151)이 되는 피비는 천성적으로 현실적이어서 "자본을 많이 투자하지 않고도 거래를 늘릴 수 있고 이익을 많이 낼 궁리"(79)를 한다. 피비의 미소는 의식적으로 짓는 게 아니라 솔직하게 자기를 표현하여 자연스럽다. 헵지바와는 달리 피비는 "손님에게 밝게 웃는 게" 당연하고 아주 쉬운 일이다. 밝고 싹싹한 성격을 타고난 피비는 태양의 신 피버스(Phoebus)의 여성형인 이름이 암시하듯 어두운 칠박공의 집에 들어 온 "한 줄기 빛"과 같으며 어두워져 가는 이 소설의 결말에 빛을 던지는 존재이다. 이런 점은 피비가 고향을 방문하기 위해 칠박공의 집을 떠난 뒤 그 집에 몰아치던 폭풍우가 그녀가 도착한 다음 말끔하게 개인 것에서도 명백하게 드러난다.

"천사와 같은" 이 아가씨를 통해 호손은 집이라는 것이 즐겁고 보호받는 장소이며 개인적인 성역이라는 중산층의 이상을 체현하고자 한다(Shamir 765). 피비는 이 소설 속에서 끊임없이 생명력을 제공하는 존재이며 그녀가 지니는 빛은 빛이 있어야 작업이 가능한 홀그레이브의 사진이 밝히는 진실과도 연결된다(von Abele 401). 헵지바는 어린 사촌이 자기보다 가게를 월등하게 잘 운영한다는 점을 인정한다. 손님들 역시 헵지바가 가게를 보는 오전보다 피비가 있는 오후에 몰려온다. 호손은 일반 독자들과 자신의 관계를 설정하는데 피비 같은 자연스럽고 밝은 태도를 기대했을 것이다. 그러나 호손은 자기가 짓는 '밝은 웃음'이 피비의 미소처럼 자연스럽지 못한 걸 깨달은 듯하다. "비극적 통찰력이 결여된"(Griffith 387) 피비와는 달리 세상 경험이 훨씬 많은 호손은 매매에 의한 교한관계라는 게 주로 겉 표면에 의존하기 때문에 속일 수 있는 가능성이 있다는 점을 인지한 것이다.

피비의 천성적인 밝은 웃음은 "찌는 듯이 더운 날씨" 같은 인상을 풍기는 제프리 판사(Judge Jaffrey)의 미소와는 대조적이다. 판사는 이 소설에 등장하는 인물 가운데 밝은 외모가 지니는 상품성을 가장 철저하게 인식하고 잘 이용하는 사람이다. 타고난 본래의 표정은 전혀 유쾌하지 않으나 판사는 대중을 이용하기 위해 탁월한 미소를 지어낸다. 그의 쾌활한 태도가 가식적이라는 점을 나타내는 구절은 적대감과 과장된 아이러니가 분명하게 나타난다. 판사가 감옥에서 돌아온 클리포드를 만나려고 처음 시도할 때 그는 헵지바와 피비의 믿음을 얻기 위해 그들을 현혹시키는 웃음을 만면에 띤다. 완강하게 저항하는 헵지바 때문에 클리포드를 만나지 못했던 그는 조상이 남겼다는 동부 땅에 관한 정보를 얻기 위해 또 다시 클리포드를 찾아온다. 제프리 판사가 칠박공의 집으로 들어갈 때 "그의 미소는 그 집안의 음울한 공기를 얼굴의 빛으로 대적하겠다고 마음먹은 듯 점점 강렬해진다"(117). 헵지바에게 다가서면서 그는 "겉으로 보기에 얼굴 가득히 웃는 그의 미소는 어찌나 강렬하고 뜨거운지 포도 넝쿨이 그 열기의 반 정도에만 노출되더라도 자주색으로 변할 것 같았다"(127). 물론 번쩍거리는 판사의 외모는 마음 깊숙이 자리 잡은 어두운 목적을 가릴 뿐이다. 그가 목적하는 바를 이루지 못하고 반대에 부딪쳤을 때 미소 띤 그의 얼굴은 무섭게 일그러진다.

> 헵지바에게 인사를 하고 피비에게는 아버지와 같이 자비로운 태도로 작별인사를 한 판사는 가게에서 나와 미소를 지으면서 거리를 따라갔다. 부자들이 나라의 명예직을 목표로 할 때 그러듯이 그는 자기의 재산과 부유함과 높은 위치에 대해 알고 있는 사람들에게 자유롭고 진정성이 있는 태도로 사람들에게 겸손하게 인사를 건넸다. 그는 자기가 인사를 하는 사람의 구차함에 어울리게 자기의 위엄을 약간 감췄다. 그런 다음 그 스스로가 인식한 자신의 대단한 점들을 거만하게 증명하듯이 확실하게 길을 비키게 하는 수많은 하인들이 앞장을 서는 듯이 걸어 나갔다. 이 특별한 날 오전에 핀천 판사 얼굴에 나타난 친절하고 따뜻함이 너무 과해서(적어도 마을 소문에 의하면) 지나친 햇빛이 일으킨 먼지를 가라앉히기 위해서는 도로에 물을 끼얹는 마차가 또 한 번 지나갈 필요가 있을 정도였다. (130-1)

인사를 건네는 상대방의 소박함에 맞추어 위엄을 드러내는 정도를 가감하는 판사의 모습은 칠박공 집 건너편 큰 시장에서 빙글거리는 웃음을 흘리면서 손님을 끌어들이는 장사꾼들과 비슷하다. 당연하게도 핀천 판사는 대중과의 관계에서 부단히 노력해 그 보답을 받는다. 동생을 헌신적으로 사랑하는 착한 마음씨의 헵지바는 근시로 인한 찡그린 모습 때문에 동생 클리포드조차 그녀를 회피하고 장사를 그르치게 할 정도인데 반해 내면의 진실과는 아무 관련도 없는 "한여름 땡볕" 같은 강한 미소를 짓는 판사는 이 세상에서 그가 바라는 모든 성공을 거둔다. "교회와 주 정부가 뛰어난 인물로 인정하고 그 점에 대해 누구도 부인하지 못하는"(28) 판사는 부자이며 모범시민이며 온갖 세상의 영예를 다 누린다.

「찡그림과 미소」("Scowl and Smile")라는 장에서 호손은 세상 사람들의 안목보다는 좀 더 지각이 있고 깊이 있는 암시를 던진다. 작가는 세상 사람들이 보는 제프리의 공적 자아를 햇빛을 받아 번쩍거리는 궁전에 비유하는데 이런 비유는 제프리 판사가 자신에 대해 가지는 생각이며 이는 다른 이들이 그에 대해 지니는 관점과 역시 별반 다르지 않다. 그러나 작가는 이 훌륭한 건물 어딘가 사람들 눈길이 닿지 않는 곳에 썩어가는 시체가 있을지도 모른다는 말을 하고 있다.

이 장대한 궁궐의 어느 방구석이나 화려한 모자이크 무늬로 된 바닥 아래에 궁궐 전체에 죽음의 냄새를 진동하게 만드는 반쯤 부패한, 썩어가고 있는 시체가 있을지도 모른다. 주민들은 그 냄새를 매일매일 숨 쉬고 있었으니까 그것을 의식하지 못할지도 모르고 방문객들도 모를 것이다. 그들은 주인이 궁궐 곳곳에 유혹적으로 뿌려놓은 강한 향수 냄새만을 맡을 테니까. . . . 때로 현인이 와서 그의 눈앞에서 궁전 전체를 공기 속에 녹여버려서 감추어두었던 비밀의 방과 잊고 있던 문에 걸린 거미줄과 함께 열쇠로 잠가둔 골방만 남겨둔다면. 그때에 우리는 주인의 인물과 행동의 진정한 의미를 알게 될 것

이다. . . . 대리석으로 된 궁전의 겉모습 아래에 불순물로 악취가
나고 피로 물든 썩은 물이 채워진 웅덩이가 바로 그 인간의 비참한
영혼이다. (230)

인간 영혼에 대한 호손의 가식 없는 비전은 "화가가 초상화 주인공에게
보여주려고 꿈도 꾸지 못했던 인물의 특징 . . . 인간 영혼의 추악한 진
실"(59)을 보여주는 핀천 대령의 낡은 초상화처럼 대중의 호감을 사지
못한다. 작가는 인간 영혼의 진실을 있는 그대로 사람들에게 보여줄 수
없다. "인간 마음의 진실"을 보여주려는 작가는 대중들의 호감을 살 수
없기 때문이다.

영혼의 진실을 들추어내는 예술가의 가능성이 보이는 인물은 몰 가
의 자손이면서 은판사진가인 홀그레이브이다(Gilmore, *The Middleway* 121).
홀그레이브는 호손이 종종 '예술가'라고 부른 것처럼 "다양한 표현방법
을 숙달했으며 자신의 작품에 얽매어있지 않는 원형적인 예술가"(Baym
159)이다. 몰 집안사람들은 매튜 몰이 마귀로 처형대 위에서 죽음을 당
하고 핀천 대령에게 모든 것을 박탈당한 순간부터 마술과 가난, 비밀스
러움이라는 특징을 달고 다닌다. 그들은 공식적으로는 "자기네들에게
가해진 잘못에 대해 개인이나 대중들에게 어떤 좋지 못한 감정을 겉으
로는 드러내 보이지 않았다"(25). 몰 집안사람들의 슬픔과 분노는 "집안
난롯가에서나 이야기되었을 뿐이며"(25) 그들의 감정이 행동으로 나타나
거나 공개적으로 표현된 적이 없었다. 여러 세대를 거듭하면서 그들은
과묵한 성격과 그들 스스로에게 부과한 고립으로 다른 보통 사람들과
다른 면을 지니게 되었다. 본래 이름을 감추고 칠박공의 집에 세 들어

있는 지금까지도 홀그레이브는 이와 같은 자기 집안의 전통을 고수하고 있다. 마술을 부리는 게 아닌가 의심받는 그는 기존질서에 대해 급진적으로 반대하는 관점을 지니고 있으며 다른 이들이 접근하지 못하는 자기만의 세계에 살고 있다. 그는 다른 사람들에게 가까이 다가가지 않으며 마치 "정신적인 음식"을 좇는 이처럼 사람들을 "지켜보고 분석하고 거기에서 야기되는 문제를 자신에게 설명하려 한다"(216). 이런 모습은 극 중의 다른 어떤 인물보다도 그를 작가와 비슷한 인물로 만든다. 사람들의 시선에 자신의 진짜 정체를 드러내지 않으면서 모든 이들에게 예의바르게 행동하는 홀그레이브의 태도는 그의 진면모를 드러내기보다는 숨기기를 바라는 작가를 연상시킨다. 그뿐 아니라 피비와 핀천 가족들에게 개혁을 피려하는 사진사의 모습은 이상적인 실험공동체인 브룩 팜(Brook Farm)에서 1년을 보낸 작가를 보여준다.

홀그레이브가 잡지에 투고하기 위해 써놓은 「엘리스 핀천」("Alice Pyncheon") 이야기는 몰 가와 핀천 집안 사이의 갈등을 액자소설의 형식으로 보다 직접적으로 말하고 있다. 「앨리스 핀천」을 통해 호손이 왜 일반적인 독자들에게서 대성공을 거두지 못하는지 그 이유를 설명할 수 있다. 작가는 픽션 형식을 취함으로써 마귀로 몰려 처형당한 매튜 몰(Matthew Maule elder)의 손자이자 목수인 매튜 몰(Matthew Maule younger)에게 칠박공의 집에 대한 소유권과 엘리스에 대한 지배를 공개적으로 주장하도록 허용하고 자신이 사적인 톤으로 완곡하게 이야기해온 사회계층에 대한 유감과 그것이 지니는 심리적인 지배라는 주제를 직접 다루고 있다. 이 이야기는 핀천 대령이 인디언들에게서 매입했다고 전해지는 광대한 동부의 토지에 대한 권리를 주장할 수 있는 서류를 거베스 핀천(Gervase Pyncheon)이 목수 매튜 몰에게서 넘겨받기 위해 "몸을 묶는 사슬보다 천배나 모욕적인 노예상태"로 딸 엘리스를 넘긴다. 모든 것을 빼앗긴 몰 집안이 핀천 가에 대해 갖는 모멸감을 매튜 몰의 최면에 걸려 그에게 꼼짝 못하고 비참하게 생을 마감하는 앨리스의 비극을 통해 잔인하게 복수하는 모습을 보여준다. 몰의 부름에 밤이나 낮이나 꼼짝없이 굴종하는 엘리스의 모습은 "핀천 가의 사람들이 대낮 거리에서는 거만하게 걸어 다니지만 수면이라는 혼란스런 세계에 들어가면 비천한 몰의 노예나 다름없었다"(26)는 이야기처럼 두 집안사람들이 서로에게 얽매어 있는 노예상태와 같다는 사실을 드러낸다.

홀그레이브가 피비에게 보여주는 제프리의 사진은 "어떠한 화가도 감히 그릴 모험을 하지 않고 화가가 감지하려고도 하지 않는 진실을 가진 비밀스런 특징을 보여준다"(91). 사진에 나타나는 판사의 얼굴은 대령의 초상화와 같이 "추악한 영혼의 진면목"을 드러낸다. 홀그레이브의 말처럼 "제프리 대령은 세상 사람들 눈에는 굉장히 유쾌한 얼굴을 하고 자비스럽고 열린 마음과 쾌활한 유머가 넘치는 칭송할만한 특성을 나타내고 있다"(92). 하지만 사진 속 그의 얼굴은 "교활하고 미묘하게 굳어 있고 오만하며 얼음처럼 차다." 물론 사진이 보여주는 이와 같은 진실을 작가는 독자들에게 팔지 못한다. "사진의 주인공이 높은 공직에 있는 사람이고 그런 모습을 사진에 새기려고 하는 것은 훨씬 더 불행을 초래하기"(92) 때문에.

제프리 판사가 대중에게 숨기는 추악한 면을 포착해내는 은판사진사에게 호손은 자기의 많은 부분을 투사하고 있지만 홀그레이브와 작가의 유사성을 강조하는 데에는 무리가 있다. 『눈사람』(*Snow Image*)의「서문」에서 "작가가 전달하고자 하는 본질을 감지하기 위해서는 선하고 악한 모든 인물들을 다 보아야 한다"(Turner 232)고 했듯이 이 소설에서 호손의 의도를 완전히 파악하기 위해서는 모든 등장인물들을 다 살펴봐야 할 것이다. 이 소설을 쓴 작가는 대중의 인기에 전혀 관심이 없는 홀그레이브와 자신을 동일시하기에는 대중의 관심이 절실하게 필요하다. 가족을 부양해야 하고 많은 독자들의 인정을 원하는 호손은 유쾌한 외모가 주는 상업적인 이점을 무시하기 어렵다. 가게 손님들의 호기심에 찬 무례한 시선에 고통스러워하는 헵지바를 동정하고 공감하면서도 작가는 "이 세상의 칭찬하는 목소리"의 칭송을 받고 물질적인 보답을 받는 이는 헵지바가 아니라 그녀의 사촌 제프리 판사같은 인물이라는 점을 현실저으로 인정하고 있다.

몰 가와 핀천 집안의 갈등, 홀그레이브와 제프리의 갈등은 바로 작가 호손의 마음에 존재하는 갈등이다. 일반 독자의 호감을 사기 위해 밝은 미소를 짓는 사교적인 예술가와 팔리지 않을 진실을 비공식적이고 사적인 통로로 전달하는 예술가의 갈등을 반영한다. 이 소설의 결말은 대중에게 받아들여지기 위해 판사와 같은 위선자가 되어야 하는가? 상업적인 성공과 '마음의 진실'의 표현은 양립 가능한가? 호손은 결국 어떤 작가인가? 같은 질문을 던지고 있다.

4. 나가는 글

호손은 이 소설을 몰 가와 핀천 가를 화해시켜 대중의 관심에 부합하면서도 "마음의 진실"을 담아내는 작품으로 마무리하고 싶어 한다. 작가는 일반 독자들처럼 『주홍글자』에 '유쾌한 빛'이 부족한 게 신경이 쓰였고 『주홍글자』의 인기가 서문 격인 「세관」("The Custom House") 덕분이라고 생각했다. 「세관」에서 호손은 『주홍글자』에 대해 자기의 느낌을 토로하고 있다.

> 내 눈에는 그 작품은 엄숙하고 어두운 면을 가지고 있다. 상쾌한 햇빛으로 밝아지지 않으며 자연과 인생의 모든 장면을 부드럽게 할 사랑스럽고 익숙한 영향으로 덜어낼 수 없는 어두운 면을 지니고 있다. 그래서 분명하게 모든 장면을 부드럽게 해야 한다. (33)

독자들을 즐겁게 해주기에는 서두부터 결말까지 어두운 첫 장편소설 『주홍글자』와는 달리 두 번째 소설에서 작가는 '상쾌한 햇살'을 자유롭게 사용해 습관적인 어둠을 걷어냄으로써 상업적으로 성공을 거두고자 한다. 작가는 홀그레이브와 피비와의 사랑을 통해 몰 가와 핀천 집안의 화해를 유도하고 제프리와 그의 아들을 갑작스럽게 사망하게 만든다. 판사의 많은 재산을 물려받게 된 헵지바와 클리포드 그리고 피비, 피비와 결혼을 약속한 홀그레이브는 베너 아저씨와 함께 칠박공의 집을 떠나 판사의 넓은 저택으로 이사한다. 숨겨진 사적 공간에서 진실을 규명하던 많은 구전 이야기들을 "밝은 대낮"으로 끌어내고 홀그레이브의 어두운 통찰력과 피비의 밝은 미소를 양립하게 만든다.

홀그레이브와 피비 이 두 젊은이는 각기 자기 집안의 특징을 버리고 미래를 함께 하기로 약속한다. 은판사진사 홀그레이브는 몰 가의 사람들이 대대로 지니고 있던 파괴적인 최면술을 피비에게 행사하지 않으며 과거로부터 이어 온 전통과 제도에 대해 존경심을 가지게 된다. 피비는 어두운 칠박공의 집에 살면서 밝은 햇살 같은 소녀의 특성이 사라지고 "좀 더 여성답고 깊은 눈매의 마음의 깊이를 짐작하게 만드는 변화"(297)를 보여준다. 엘리스의 영혼을 사로잡아 노예처럼 만들어 그녀를 비참한 죽음으로 몰고 간 매튜 몰과 엘리스의 비극적 생을 말해주는 「엘리스 핀천」 이야기와는 달리 이 소설은 결말에서 일반 대중의 구매력과 마음의 진실을 융합하는 방법을 찾아낸다. 이런 호손의 의도대로 이 작품은 발표 당시 위플(Whipple)이 "『칠박공의 집』에는 유머와 패러독스가 결합되고 작가의 천재적 개성이 다양하게 각인되어 있다"(356)고 한 리뷰처럼 긍정적인 반응을 얻었다. 호손의 부인 소피아 역시 어머니에게 쓴 편지(Jan 27, 1851)에서 이 소설에 대해 아주 만족하고 있다고 썼다.

> 이 소설의 결말에는 말할 수 없는 은총과 아름다움이 있어요. 이야기 시작에 있는 엄숙한 비극에 영원한 빛과 다정한 가정의 사랑스러움과 만족을 던지고 있어요. (Turner 225)

그렇다면 호손은 자신이 의도한 바를 다 이루고 만족했을까? 그가 주장한 것처럼 이 소설이 『주홍글자』보다 "적절하고 쓰기가 자연스러웠다면" 왜 그는 이 작품을 마무리하는데 어려움이 있다고 토로했을까? 샤밧에 따르면 호손은 이 소설의 집필을 1850년 늦은 여름에 시작했을 것으로 짐작되며 적어도 11월까지는 끝내기를 희망했었다. 그의 소설 발행인 틱너(Tickner), 리즈(Reeds), 필즈(Fields)는 10월에 『문학 세계』(Literary World)

라는 잡지에 "『주홍글자』를 쓴 작가의 새로운 로맨스"라고 광고를 냈다. 그리고 발행인들은 11월 1일에는 완성된 원고가 자기들 손에 들어올 거라고 자신했었다. 그런데 호손은 11월 29일 필즈(James T. Fields)에게 "작품이 끝으로 갈수록 아주 어두워져갑니다만 거기에 햇살을 부어넣으려고 굉장히 노력하고 있습니다"라고 하면서 특히 결말이 문제라는 편지를 보냈다. 10일 뒤에 보낸 편지는 그의 작업이 예상보다 힘들다는 점을 증명하고 있다.

> 나는 지금 하고 있는 일을 벌써 이전에 마무리를 지었기를 희망했고 기도하고 있습니다. 맹렬히 써왔던 것을 완전히 정지할 정도로 나는 지난 며칠 동안 '절망의 구덩이'에 빠져 있습니다. 작가에게는 당황스럽게 자기가 해왔던 것을 판단할 수 없고 다음에 무엇을 해야 할지 모르는 지점들이 종종 있습니다. (Dec 9, 1850)

「서문」에 쓰인 날짜 2주 전인 1월 12일에 호손은 필즈에게 "지붕에 여전히 망치질을 하고 있고 미완성인 몇 가지들에 관한 작업을 하고 있습니다"라고 쓰고 있다. 이런 끝마무리 작업은 인쇄업자에게 원고를 보내는 마지막 순간까지 계속되었다.

이뿐 아니라 소설 마지막 장 몇 군데에는 호손이 행복한 결말 처리에 관해 마음이 편하지 않았다는 것을 보여준다. 헵지바와 클리포드가 급하게 집을 떠난 저녁부터 피비가 고향에서 돌아온 다음 날 아침 사이 홀그레이브는 급격히 변화된다. 죽은 판사가 거실에 있는 집에서 사진사는 피비에게 사랑을 고백하고 지금까지 그가 고수해온 급진주의를 포기한다. 홀그레이브는 급진주의적 사고와 예술을 포기하며 교외의 대 저택에 사는 신사의 생활을 선택한다. 그는 죽은 제프리가 앉아 있는 응접실에서 새로운 자기를 선택하는 대신 이전의 자신을 포기한다(Baym 165-6).

그러나 사실 홀그레이브는 "한계가 있는 평범한 삶"으로 들어가는 것을 주저한다. 그는 제프리 판사의 죽음이라는 "끔직한 비밀"을 세상에 밝히기를 머뭇거리는데 그 이유가 일관성이 없다. 그는 클리포드가 집을 갑자기 떠난 행동이 판사의 죽음과 관련이 있는 게 아닌가 하는 오해를 사게 될까 걱정한다. 하지만 다른 한 편으로는 "수상한 상황에서 죽은 것이 아닌"(304) 판사의 죽음이 클리포드를 종신형으로 몰아넣었던 클리포드 숙부의 갑작스런 죽음과 비슷해 클리포드의 혐의를 깨끗이 벗게 해줄 수도 있다면서도 빨리 결정을 내리지 못한다. 피비는 이런 홀그레이브의 태도를 이해하지 못한다. 피비는 "우리 마음에 그것을 담아놓는 것은 무서운 일이에요. 클리포드는 죄가 없어요. 하느님께서 그것을 밝혀주실 거예요! 문을 열고 진실을 보도록 이웃을 불러요"(305)라고 호소한다. 홀그레이브가 판사의 죽음을 사람들에게 알리는 걸 주저하는 더 심각한 이유가 있다. 호손이 소설 서두에서 "커다란 사람 마음 자체"(27)와 같다고 한 칠박공의 집에 앉아 있는 제프리의 시체는 구석방에 무서운 비밀을 숨긴 화려하고 당당한 궁전을 연상시킨다. "적막한 방에 앉아 있는 주검이 있고 사람이 떠나버린 낡고 우울한 집은 많은 인간들의 마음의 상징"(295)이라는 사실을 "슬프고 뛰어난 안목을 가진 선지자"처럼 이 사진사는 간파한다.

호손이 말하고자 하는 예술의 진실인 이것은 대중에게 팔리지 않는 개인적인 것이다. 작가는 그것을 밝은 대낮의 세계에 대중에게 밝히는 동시에 홀그레이브를 보수적인 인물로 변화시켜 피비와 결혼하게 만들고 홀그레이브의 정체성을 상실하게 만든다. 보수주의자로서 급격하게 변화되는 홀그레이브는 사적이고 진실한 구전의 이야기를 전달하는 예술가라는 소명을 포기하게 된다. 이런 그의 모습은 일관성 있는 서술을 희생시키면서 행복한 결말을 억지로 만들어내는 작가와 비슷하다.

마지막 장에서 작가는 표면 이야기가 내면의 이야기와 어긋나고 있다는 점을 완곡하게 암시함으로써 자신이 의도했던 것, 즉 상업적 성공과 인간 마음의 진실을 포착하려는 바람을 둘 다 얻고자 한다. 호손은 판사가 죽은 날 아침 태풍이 지나가고 햇살이 화창해 "그 집의 과거가 화려하고 행복했을 거라고 생각하게 만들었지만 호감이 가는 건물의 외관을 거의 믿을 수가 없었다"(285)고 하면서 칠박공의 집이 거짓된 인상을 만들어낸다고 말한다. 조금 뒤에 휴대용 오르간 주자가 칠박공의 집 앞에서 연주를 하기 위해 멈췄을 때 작가는 계속 그 점에 대하여 언급한다. "집의 외관뿐 아니라 내부 깊은 곳을 아는 우리로서는 그 집 입구에서 가벼운 유행곡이 연주되는 것에 기이한 느낌이 들었다"(295). 호손은 독자에게 표면과 그 아래 깊이 숨겨져 있는 내면의 의미 사이의 괴리를 알아차리는 역설적인 책읽기를 요구한다(Dillingham 458).

집의 외면과 내부의 부조화에 대한 주장은 마지막 홀그레이브에게서도 울려나온다. 두 집안사람들이 판사의 시골 저택으로 옮겨갈 준비를 할 때 사진사는 판사가 목재가 아닌 석재로 집을 짓지 않은 이유를 궁금해 한다.

그렇다면 모든 세대의 가족이 내부를 자신의 취향과 편리함에 맞게 내부를 고칠 수도 있었을 것이다. 외부는 세월이 흘러 맨 처음의 아름다움에 장중함으로 보탤 수도 있을 것이다. 그렇게 하면 내가 현재의 행복에 필수적이라고 생각하는 영속성의 인상을 줄 수도 있을지도 모른다. (314-5)

개혁과 전통 사이의 화해를 나타내는 홀그레이브의 이 말은 한편으로는 집이 지니는 속임수의 책략을 말하면서 「서문」에서 이야기를 쓰는 것을 집짓기에 비유한 호손이 예술에 대해 한 진술이라고 할 수 있다. 그러나 "집이란 20년에 한 번씩 허물어뜨리는 게 낫다. 낡은 칠박공의 집은 불쾌하고 혐오스런 과거를 나타낸다"(184)고 열변을 토했던 홀그레이브가 분명한 동기 없이 완전한 보수주의자로 변화된 점은 설득력이 약하다. 사진사의 갑작스러운 변화에 놀라워하는 피비에게 그는 "계면쩍은 미소"를 짓는다.

　여러 직업을 전전하며 "계속 외면을 바꾸면서도 자기 정체성을 고수하고 깊은 내면을 건드리지 않았던"(177) 홀그레이브가 피비를 놀라게 할 정도로 철저하게 보수적인 인물로 바뀐 것은 급작스럽다. 어떤 비평가들은 엘리스의 이야기를 들려줄 때 최면에 빠져든 피비에게 매튜 몰과는 달리 파괴적인 위력을 행사하지 않는 홀그레이브의 모습에서 이미 두 사람의 사랑이 세심하게 준비되어 있다고 주장하나(Wagenknecht 108, Brodhead 85) 19세기 상업사회를 사는 홀그레이브가 피비와 결혼하는 가장 큰 동기는 "새로운 세대는 상당한 재정적인 이득을 만들어낸다"(Lawrence 104)고 한 지적처럼 피비가 물려받게 될 많은 유산의 영향력이 아닐까 하는 의심을 하게 한다.

피비와의 결혼으로 얻게 될 제프리가 상징하는 부르주아의 위력이 몰의 힘을 영원히 무력하게 만든다. 그러나 동시에 제프리의 유산이 핀천의 저주를 영원히 계속하게 만들지도 모른다는 암시도 던지고 있다 (Marks 347). 홀그레이브는 판사의 죽음과 피비와의 결혼으로 몰이라는 이름을 다시 찾지만 자신의 정체성은 사라지고 핀천 가의 일원이 되는 듯하다. 피비와 함께 홀그레이브가 칠박공의 집을 떠나는 것은 그 집이 함축하는 모든 추악한 과거와의 관계나 갈등에 결별을 고한다고 볼 수 있을지 모른다. 그런데 이 사람들이 이사를 들어가는 집은 예전 핀천 대령의 현대판이라고 할 수 있는 제프리 판사의 저택이고 그 저택은 시체가 숨겨져 있는 궁전과 같은 집을 연상시킨다. 칠박공의 집에서 이사를 나가는 사람들이 제프리의 집으로 들어가 거주한다는 것은 "인간 조건은 본질적으로 변화되지 않는다는 사실을 암시한다"(Waggoner 412).

결국 호손은 작가란 독자를 속일 수밖에 없는 "사기꾼 예술가"라는 멜빌의 의견에 동의한다. 분명히 그는 자신이 상업사회에 굴복하는 것을 정당화하기 위해 그것을 받아들이기를 원했을 것이다. 그러나 이 소설의 전개 과정은 이런 전략을 쉽게 수용하지 않으며 호손은 자신이 한 타협에 마음이 편하지 않다. 피비의 "천성적인 밝음"과 대조적으로 호손이 독자에게 보여주는 "따뜻하고 밝은 미소"는 자연스럽지 못하다. 필즈에게 말했듯이 호손은 어두워지는 결말에 햇살을 부어넣으려 했지만 그 과정에서 작가는 부자연스럽고 강렬한 웃음을 던지는 제프리 판사를 닮고 있다. 이 소설의 결말 부분은 "검고 우울한 번개 구름"같은 원래 모습을 위장하려고 지나치게 밝은 웃음을 뿌리는 판사의 행동과 비슷하다. 호손이 말하는 소설 세계는 비밀이 숨겨진 건물 같은 인물, 즉 제프리 판사와 평행을 이룬다. 무섭게 찡그린 헵지바의 얼굴이 손님을 내몰거라고 한 딕시의 의견을 염두에 둔 듯 호손은 "집안에 숨겨진 무서운 비밀"(291)을 가릴 수 있는 강렬한 햇살 같은 결말을 만들어낸다. 「핀천 지사」("Governor Pyncheon")에서 제프리의 주검을 놓고 지나치게 냉소적으로 조롱하며 판사가 이득과 세속적 명예를 추구하고 위선적인 행동을 했던 것에 분노하는 화자의 태도에서 호손의 자책을 읽을 수 있다. 시장의 독자들에게 "밝은 얼굴을 해야 되는" 압박감에 호손은 자기 소설에서 그가 가장 혐오하는 인물처럼 되어버린 것이다.

헵지바가 제프리에게 "칠박공의 집은 상업적인 투자대상"(36)이라고 빈정댔듯이 이 소설의 결말은 작가가 이 작품을 상업적인 투자대상으로 간주한 의도를 뒷받침한다. 두 집안이 화해하고 제프리의 거대한 유산과 함께 제프리의 집으로 이사를 들어가는 핀천 가 사람들과 홀그레이브를 보고 딕시가 "상당히 좋은 비즈니스"(319)라고 한 말처럼 호손은 이소설을 행복한 결말을 만들어 대중과의 거래에서 좋은 비즈니스를 하고자 했다. 그러나 이런 마무리는 "신데렐라 이야기의 결말만큼이나 비관적"(Dillingham 458)이며 상업성만이 중요시되는 사회에 대한 부정적인 느낌을 배제할 수 없다. 작가는 상품 제작자로 그리고 문학작품은 상품으로 타락시키는 결과를 초래했다.

자신의 글로 가족이 편안하게 생활할 수 있는 재정적인 안정과 보다 많은 독자들을 얻기 위해 호손은 예술가의 정직성과 거리가 있는 문학의 집을 지었다. 호손은 당대 보통 독자들의 요구에 맞추려 했지만 책이 주는 수입으로는 가족을 부양하기 어렵다는 것을 알았을 때 헵지바가 "이 가게는 지금의 경제적 여건에 근본적으로 기여하지도 못하고 도덕과 종교적 관점에서 실패로 입증"(56)된 것을 깨닫고 느낀 비참한 기분을 체험했는지도 모른다. 『칠박공의 집』에서 우리는 상업사회에서 전업 작가라는 현실과 인간 영혼의 진실, 삶의 진수를 포착하려는 예술가의 입장 사이의 반목과 갈등을 볼 수 있다. 이런 갈등이 그의 창작 에너지를 점점 이완시키게 되어 주옥같은 단편들과 『주홍글자』에서 보여주었던 고도의 집중이 요구되는 창작활동을 이후 장편에서는 점차 찾아보기 어렵게 만들었는지도 모른다.

「엘리스 돈의 청원」과 『칠박공의 집』
미국 고딕소설과 대안적 역사

1. 들어가는 글

고딕소설은 모든 문학 장르 가운데 가장 규명하기 어려운 분야일 것이다. 고딕 장르의 문제점에 관해 많은 비평가들이 지적해왔지만 여전히 많은 작가들이 매료된 장르이기도 하다. 일탈적인 여러 요소들로 인해 비판받아 왔으나 그 출발은 르네상스까지 올라가며 현대의 베스트셀러까지 걸쳐있다. 그뿐 아니라 19세기 중반을 넘어가면 다른 장르와 따로 구분이 어려울 정도로 융합되어 있는 것을 볼 수 있다.

고딕소설이 본격적으로 발전하게 된 것은 18세기 후반이 문화적 지적 기류와 관련되어 있다. 당시 영국의 정치적인 흐름은 혁명의 폭풍이 휘몰아치던 프랑스와 거리를 두게 했고 게르만족과 그 문화적 뿌리에 연결된 국가적인 신화를 만들어내고 중세 유적과 설화에 관심을 가지게 만들었다. 이런 시대를 배경으로 발전한 고딕소설은 감상주의, 과거에 대한 향수, 역사에 관한 자의식, 인간의 극단적인 감정, 정신 이상, 폭력, 최면술, 폭력적인 힘에 대한 대중들의 열광과 같은 문제들을 담아냈다. 또한 그 장르는 귀족 제도나 교회와 같은 전통적인 사회구조에 대한 의문 제기, 대중의 폭력에 대한 갈망, 교육의 영향, 정상과 비정상의 구분, 도덕적 판단에 대해 질문을 던지는 것으로 변화되어왔다.

　　고딕소설은 이와 같은 특징들을 공포라는 감정으로 이야기를 이끌어가면서 인물들과 독자들이 느끼는 공포의 원인과 특성 그리고 결과를 검토한다. 이런 내용 전개에는 무엇인가를 탐색하는 이야기 형식(quest narrative)이 가장 적당하다. 고전적인 탐색 이야기가 부패한 세계가 정화되고 다시 생명력을 얻는 주인공이 다시 살아난 사회에 성공적으로 통합해 들어가는 것으로 결말을 맺는다면 고딕소설은 탐색과정에서 주인공의 사회적, 성적 역할과 이미지가 완전히 해체되며 유산을 박탈당하고 최악의 경우에는 감정적인 마비나 죽음으로 마무리를 하는 경향이 있다. 이런 면에서 보자면 고딕소설은 부정적이고 악마적인 탐색 이야기라고 할 수 있다.

　　그로스는 고딕소설은 영국소설의 전통 내에 대중적인 문학 양식으로 성립되었다고 주장한다(Gross 2). 독일의 초자연적이고 환상적인 이야기는 고딕소설이 문학적으로 형성되는데 주요한 역할을 했으나 영국에서 장르로서 확립이 되었다. 그로스에 따르면 고딕이야기는 여성과 동성애자 그리고 아일랜드인이나 미국인과 같은 식민지인들의 산물이며 고딕소설의 탄생에서 이런 '주변적' 집단의 존재가 이 장르를 영국소설의 '위대한 전통'에 대응하는 대안적인 표현으로서 주목하게 만들었다는 것이다(3). 여기에서 한 걸음 더 나아가 펀터(Punter)는 이런 주변적인 특징이 고딕소설을 주류문화와의 관계를 기생물과 숙주와 같은 관계로, 주류를 전복하는 것으로 만들었다고 주장한다(1993 3). 그렇지만 숙주와 기생물과의 관계라는 것이 일방적이라기보다는 기생물이 숙주를 지원하고 숙주가 기생물을 지원하는 양방향으로 작용한다는 점이다. 마치 햇볕이 내리쬐는 이성적이고 합리적인 양지의 사회가 비이성적이고 유령 같은 욕망이 펼쳐지는 음지의 세상이 있음으로써 존재할 수 있는 것과 같은 이치라고 할 수 있다.

2. 미국의 고딕소설

영국의 고딕소설이 주류와 분리된 대안적인 장르로 간주된 것과는 다르게 미국소설은 고딕소설의 전통 안에서 형성되었다고 말할 수 있다. 미국소설의 출발점으로 간주되는 『윌랜드』(*Wieland: or, The Transformation: An American Tale*)를 쓴 찰스 브록덴 브라운(Charles Brockden Brown), 나사니엘 호손(Nathaniel Hawthorne), 허먼 멜빌(Herman Melville), 윌리엄 포크너(William Faulkner)와 같은 미국 정전을 형성한 주요작가들이 고딕소설의 전통 안에서 창작활동을 했다는 점에서도 고딕소설은 미국소설의 중심에 위치한다. 영국의 고딕소설이 머나먼 과거와 이탈리아, 스페인 같은 외국을 배경으로 하였다면 미국의 고딕소설은 현재의 시간과 미국이라는 장소에서 사건이 진행된다. 영국은 스티븐슨(Robert Louis Stevenson)의 『지킬 박사와 하이드 씨』(*Strange Case of Dr. Jekyll and Mr. Hyde* 1886)나 스토커(Bram Stoker)의 『드라큘라』(*Dracula* 1897) 같은 19세기 후반에 나온 고딕소설에서야 빅토리아 시대의 런던을 배경으로 하고 있지만 미국의 경우 브록덴 브라운의 필라델피아나 호손의 세일럼처럼 미국도시의 어두운 세계를 무대로 한다.

따라서 미국의 고딕소설은 미국을 무대로 가족과 역사를 통해 개인의 정체성 탐구에 관심을 가지고 있다. 고딕소설이 주로 가족의 이야기를 다루는 이유는 가족은 인간의 만남 가운데 가장 확실하고 가까운 관계를 맺는 장으로 가장 지고하고 자연스런 감정이 소통되는 제도이다. 뿐만 아니라 개인의 정체성이 형성되고 가장 내밀한 감정과 진실한 행위가 드러나는 곳으로 생각되기 때문이다. 결과적으로 속임수와 잔인한 행위가 가정 안에서 발생하는 것보다 인간의 감성을 뒤흔드는 것은 없기 때문에 가족 내에서 발생하는 끔찍한 사건이야말로 가장 충격적이고 무서운 경험이 된다.

고딕소설은 복수, 정의, 무엇보다도 판단 자체가 문제가 되는 상황을 다룬다. 이런 작품들의 관점은 일종의 악마적인 역사, 주류에서 벗어난 고딕적인 열정을 옹호하는 집단을 의식하게 되는 미국적인 체험에 대한 비전을 보여준다. 이들 작품에서는 과거의 무게가 현재에 억압적인 힘을 행사하고 이야기 속 인물들은 과거의 죄나 저주의 결과에 고통을 당하거나 어두운 과거의 삶을 되풀이한다. 현재를 사는 인물들이 과거의 인물이나 사건에서 벗어나지 못하며 죄와 광기의 세계로 빠져들어 간다. 이런 점에서 비평가들은 고딕소설이라는 장르를 18세기 정치와 종교적인 반동에서 비롯된 오이디푸스적인 공포를 나타내는 것으로 생각했다(Punter 1980). 미국 독립혁명과 프랑스 혁명이 몰고 온 왕에 대한 반란은 아버지의 권위에 억압당한 두려움을 자극했고 아버지를 감히 전복시켰다는 환희는 그만큼의 강렬한 두려움과 수치 그리고 죄의식과 대면하게 만들었다. 무엇인가에 강렬히 끌리면서도 동시에 거부감을 느끼는 이런 이중적인 감정은 고딕소설에 흔히 등장한다. 이렇듯 혁명과 혁명적인 인물들에 대해 양가적으로 해석할 수 있는 관점은 고딕소설을 순수하게 정치적인 의미로서 체제 전복적으로 읽을 가능성을 부인하게 만든다.

19세기 미국 비평가들에 의해 고딕 장르는 외국에서 수입된 바람직하지 못한 풍조로 간주되었으나 20세기 비평가들은 고딕을 "어두운 로맨스"(Dark Romance)라는 이름으로 19세기 미국문학의 중요한 장르로 만드는 문학사를 다시 썼으며, 미국문학은 "미국의 로맨스"(American Romance)라는 기치 아래 존재하게 되었다. 트릴링(Lionel Trilling)은 「도덕, 관습, 그리고 소설」("Morals, Manners, and the Novel")에서 영국소설이 사회와 관습에 초점을 맞춘 것에 반해 미국작가들은 사회적 현실에서 벗어나 사회로부터의 도피, 개인적인 주장, 저항아, 사회 부적응자, 추방자들에 관해 썼다고 주장했다(206). 체이스(Richard Chase)는 트릴링의 주장에서 한발 더 나아가 미국의 로맨스-소설(American Roamce-Novel)은 영국소설의 특징인 통제되고 사실적인 묘사를 통해서가 아닌 멜로드라마와 과장법, 일관성이 결여된 플롯과 인물, 욕망 그리고 도피에 대해 강조한다고 지적했다(ix). 물론 이 같은 주장은 많은 비평가들에 의해 로맨스와 소설의 차이가 거의 없다는 주장으로 반박 당했다(Baym, McWilliams). 펀터는 "고딕소설은 모든 소설의 패러다임"(1999, i)이라고 확대 해석했으며 브래드필드(Scott Bradfield)를 비롯한 몇몇 비평가들은 "어두운 로맨스"와 고딕소설을 19세기와 20세기 미국문학을 논하는데 구분 없이 사용했다.

이 같은 논쟁에서 보여주듯이 미국소설의 중요한 흐름을 차지하는 고딕소설은 당시 양산된 멜로드라마가 보여주는 손쉬운 이원적인 도덕이나 독자 자신과 동일시 할 수 있는 감상적인 세계를 제공하지 않는다. 엘머(Jonathan Elmer)에 따르면 고딕소설은 독자가 멜로드라마나 감상소설에 등장하는 주인공과 동일화할 수 있는 순간을 제거하고 공포와 끔직한 환각이 불러일으키는 그로테스크한 장면들을 연출한다고 주장한다(15). 대중문화의 감상적이고 인습적인 특징들에 상응하여 변화되어 오면서 고딕소설은 감상소설을 패러디한다. 『윌랜드』와 멜빌의 『피엘』(Pierre or, The Ambiguities)이 그런 특징을 보이고 『칠박공의 집』(The House of the Seven Gables: A Romance)은 두 장르를 포용하면서도 동일한 거리를 유지한다.

고딕소설과 감상소설의 가장 중요한 차이는 화자와 작가의 위치라고 할 수 있다. 고딕소설은 표면과 내면의 긴장이 독자에게 작품의 진정한 의미를 찾도록 유도하는 반면 감상소설은 독자의 가치체계와 현실적 체험이 정당하고 가치 있다는 확신을 주면서 독자를 기분 좋고 안락하게 만들어준다. 감상소설의 화자는 독자를 화자 자신과 동일한 신의 위치에 두고 하느님과 같은 자비로움으로 인물들을 판단할 수 있는 권한을 부여하나 고딕소설의 화자는 예측불허이며 믿을 수 없는 목소리이다. 고딕소설의 독자는 진실에 대한 주장과 주관적인 이야기를 스스로 헤아려야 한다. 이런 점에서 고딕소설은 청취자 - 독자 - 시민의 주목과 신뢰를 얻기 위해 경쟁하는 여러 목소리들이 경합하는 신생 공화국의 정치적인 모델과 유사하다고 볼 수 있다. 이런 점에서 고딕소설은 서로 다른 문화, 역사 그리고 표현방식의 문제를 탐색하는 데 유용하게 사용된다.

3. 대안의 역사

고딕소설은 18세기 영국의 중세에 대한 열광에서 발생한 이래 역사와 역사적 문제와 밀접하게 연결되어 왔다. 대부분의 고딕소설이 과거를 배경으로 하고 있고 많은 사람들이 그 점을 고딕소설의 필수 요건이라고 생각했다. 뉴잉글랜드의 역사에 일관되게 깊이 천착해온 호손은 그의 작품에서 고딕적인 수법을 과거와 현재를 연결하고 현재를 되돌아보기 위해 과거를 불러오는 전략으로 사용하였다.

1835년 호손이 발표한 「엘리스 돈의 청원」("Alice Doane's Appeal")은 뉴잉글랜드 지방에서 구전되어 오던 설화가 현대적인 단편으로 전환되는 것을 보여준다. 그리고 그가 16년 뒤 발표한 『칠박공의 집』은 다양한 고딕소설의 수법을 차용하고 있다. 설화, 미신, 복수, 저주, 골상학, 초상화, 최면술, 위선, 액자 이야기와 같은 수법이 사용된다. 이 두 작품은 모두 한 장소에서 발생한 과거 사건을 다루고 있으며 세일럼에서 행해진 마녀/마귀 재판이 중요한 실마리가 되고 있다. 그뿐 아니라 두 작품 모두 액자 이야기와 내부 이야기가 서로 긴밀하게 연결되고 있다는 점에서 공통점이 있다. 뉴잉글랜드 식민지 건설 당시의 과거가 19세기

호손이 살던 시대의 사람들에게 어떻게 수용되고 영향을 행사하는지를
제시하는 이 작품들은 호손이 고딕소설의 수법을 사용해 과거와 현재를
연결하는 방식의 일관성과 동시에 변용을 보여준다.

호손은 『칠박공의 집』 서문에서 자신이 세일럼에 사는 특정한 가족
의 역사를 쓰는 게 아니라는 점을 독자에게 상기시키고 있다. 그 점을
분명하게 밝히는 이유는 그 전에 발표한 『주홍글자』의 역사성이 당시
독자들에게 너무나 진지하게 받아들여진 데 있고 또 하나는 고딕소설
자체가 역사적이고 전기적인 해석을 유도하는 경향이 있기 때문이다.
때로 고딕소설에서 쓰이는 역사적 진리라는 수사 전략은 이야기하는 것
을 문자 그대로 믿게 할 정도로 설득력이 있어서 허구적 이야기와 역사
가 분리되지 않고 서로 얽혀 들어간다. 이런 점에서 고딕소설만큼 작가
의 정체성과 개인적인 관점이 개입되는 장르는 없으며 호손만큼 미국적
인 맥락에서 심리적이고 전기적인 미스터리를 만들어내는 작가도 드물
것이다.

이 두 작품에서 공통되게 다루어지는 뉴잉글랜드 지방의 청교주의
(Puritanism)는 국가건설의 기초가 되어 19세기 미국에 이념적인 문제를
제기한다. 청교도는 당시 미국인들이 가진 유일한 과거라고 할 수 있기
때문이다. 자기들에게 "유용한 과거"(Usable Past)가 필요했던 미국인들에
게 청교주의는 '위대한 미국'의 건설에 걸맞은 건국신화로 형성되어갔
다. 초기 청교도들은 엄격한 원칙과 남성적인 신앙, 적대적인 자연에서
살아남아 공동체를 만드는 능력, 도덕의 엄한 법규를 준수하는 결단력,
종교에 대한 헌신으로 후손들로부터 존경을 받을 수 있었다. 그러나 다
른 한편으로는 영국에서의 종교적 박해를 피해온 그들이 자신들의 신앙

과 다른 기독교의 분파를 신봉하는 퀘이커교도나 다른 종파들을 가혹하게 박해했으며 자신들의 도덕률을 어긴 자들에 대해서는 혹독한 벌을 내린 교조적이고 독단적인 사람들이었다. 그들이 추구한 완벽함에 대한 신념과 개혁의 열정은 그들이 중시하는 원죄(Original Sin)와 타고난 타락(Innate Depravity)이라는 교리와는 너무 거리가 먼 것이었다. 어떤 행동과 동기가 한편에서는 진지하고 신심 깊은 실천행위로 간주되지만 다른 편에서는 불관용과 살인적인 광신으로 생각될 수 있다는 사실은 최초의 미국의 고딕소설로 평가되는 브록덴 브라운의『월랜드』에서 찾을 수 있다.『월랜드』의 주인공 월랜드가 가족 모두를 살해한 동기가 하느님이 자기에게 명령했다고 주장한 것처럼 가족을 천국으로 보내주기 위한 것인지 아니면 단순한 광기의 발자인지 명료하게 판단할 수 없다는 점에서 이미 그 예를 찾아볼 수 있다. 청교도들의 과거가 서로 모순되는 의미를 만들어내고 완전히 이해할 수 없다는 사실은 이들에 관한 역사가 19세기 초에 이르면 미국의 역사 안에서 고딕화 되었다는 것을 의미한다.

호손이 청교도를 다루는 태도는 이념적인 양가성을 함축한다. 「주지사 집의 전설」("Legends of Province-House"), 「호우의 가장 행렬」("Howe's Masquerade"), 「늙은 영웅」("The Gray Champion")에 등장하는 청교도들은 고결하며 두려움이 없고 단호한 태도를 지닌 경건한 사람들이다. 그러나 「엘리스 돈의 청원」, 「유순한 아이」("The Gentle Boy"), 「중심가」("The Main Street"),『주홍글자』에 등장하는 청교도들은 공동체에 위협을 가하는 세력에 대해서는 가차 없이 잔인하고 억압적인 면을 드러낸다.『칠박공의 집』에서는 청교도사회의 지도자가 사적인 이익을 위해 종교적인 신념까지 이용하는 것을 보여준다.

호손은 다른 어떤 역사에 대해서보다 17세기 청교도들이 저지른 세일럼의 마녀재판에 대해 공포와 저주를 그려낸다. 마녀재판을 이야기하면서 작가는 역사를 움직이는 동력으로서의 인간 심리에 대한 관심을 보여준다. 호손은 당대인들과는 다르게 마녀재판을 종교적 신념이나 경건함에서 비롯되었다고 생각하지 않고 개인의 이익과 원한이 얽힌 결과로 본다. 마녀재판이 역사적으로 특정한 상황이 아니고 사회적 심리적 역학에 의해 만들어졌다는 관점은 공포를 증폭시킨다. 마녀재판이 광신도가 자기의 신념을 추종하는 데서 발생했을 가능성이 있는 만큼 그것은 가족과 이웃을 배반하는 이야기가 되고 그렇다면 그런 사건은 언제든지 일어날 개연성이 있기 때문이다. 그것은 당시 많은 사람들이 세일럼 마녀재판과 처형을 합리적인 사람들이 행하는 합리적인 행동으로 간주했던 것(Thomas 156)과는 전혀 다른 태도였다.

호손은 뉴잉글랜드 과거를 작품에서 다루면서 고딕적인 방식을 차용한다. 고딕소설은 역사와 과거를 소재로 사용하면서 역사가 불러일으키는 윤리적이고 인식론적인 문제에 관심을 갖는다. 시대에 대한 판단과 오류에 대한 교정 가능성이 주된 관심사인 점에서 이 장르는 역사성을 지우는 경향이 있다. 그것은 역사를 미완으로 즉각적으로 다룬다. 고딕소설은 하나의 이야기에 대해 두 개의 입장이 빚어내는 긴장을 보여주며 서로 모순되는 인식체계를 다룬다. 고딕소설이 역사적 주제를 선택하거나 역사가 중요한 역할을 하면 그 해석은 공적인 기록과 비공식적이거나 대안적인 역사로 나눠지게 되고 비공식적인 기록이란 여자나 농부 그리고 동네 사람들과 같은 사회적 약자의 입을 통해 전해지는 설화나 초자연적인 사건뿐 아니라 집안에서 하는 사적인 이야기를 가리킨다.

대안의 역사는 공적 평가 뒤에 가려져 공적 역사 기준으로는 파악할 수 없는 인물의 가정과 성(sex)과 사적인 행동에 대해 전하고 있다. 그런 비공식적인 역사는 소문, 추측, 이웃 간의 이야기로 그것은 작품 안에서는 사실로 그려지지 않으나 사실과 같은 기능을 한다. 고딕소설에서 초자연적인 현상, 즉 유령이나 유령이 나오는 집, 감정을 나타내는 초상화, 저주받은 땅 등은 그 자체로서 목적이 있는 것이 아니라 과거에 저질러진 범죄나 부당한 행위, 그리고 망각해서는 안 될 역사적인 사건을 가리키는데 사용되는 것이다. 이러한 것들은 기호이기 때문에 이야기에서 그것들이 실제로 존재하느냐 이니면 단지 마음속이나 그 지방의 구전문화에만 존재하느냐는 별 차이가 없다. 그래서 유령은 종종 억울하게 죽은 사람들이 떠도는 영혼을 의미하며 그 유령들은 사람들에게 무언가 자기 이야기를 전달한다. 호손의 작품에서 과거에 대한 대안적인 해석은 "굴뚝 모퉁이의 역사," 설화, 동네에 구전으로 전해오는 이야기들이다. 역사나 과거에 대한 가장 중요한 사실은 역사책이나 설화 같은 매개가 되는 자료를 통하지 않으면 현재는 알 수 없다는 것이다. 호손은 자신이 제시하는 과거에 관한 두 개의 이야기 가운데 독자 스스로 과거와 현재를 판단할 것을 기대한다.

이 글은 두 가지 역사가 기억하는 것에 관한 관심을 고딕소설이라는 틀에 넣은 「엘리스 돈의 청원」과 『칠박공의 집』을 나란히 검토함으로써 호손은 과연 미국역사에 대해서 그리고 그 역사를 읽는 독자들에 대해 어떤 메시지를 전달하고 싶었는지 알아보고자 한다.

4. 「엘리스 돈의 청원」: 역사의식의 도출

많은 고딕 이야기처럼 이 단편은 액자 이야기와 내부 이야기로 이루어져 있다. 틀이 되는 이야기는 역사적인 관심에 대한 논픽션 스케치 같은 이야기이고 내부 이야기는 액자 이야기의 화자가 쓴 고딕 단편(Gothic tale)이다. 근친상간, 형제살인, 권력에 미친 악마, 귀신들과 같이 상투적인 고딕 소재가 다루어지는 내부 이야기를 지닌 이 단편에 대해 웨고너(Hyatt Waggoner)는 브록덴 브라운의 소설 『윌랜드』처럼 "간극이 있으며 일관성이 결여되어 있고 설명 없이 장면과 행동이 전환된다"(vii)고 꼬집는다. 웨고너는 호손이 이 단편을 단편집 『두 번 하는 이야기』(*Twice-Told Tales*)에 수록하지 않은 것은 "이 작품이 환상에 대한 자신의 집착을 드러내기 때문에 그로서는 당황스러웠을 것"(vii)이라고 주장한다. 그러나 그로스(Gross)는 "이 단편은 유럽의 고딕소설 수법에 대한 호손의 생각을 직접적으로 보여주는 작품"(55)이라고 긍정적으로 평을 하고 있다.

이 단편의 구조를 먼저 살펴보면 이야기를 시작하기 위한 도입단계, 내부 이야기에 나오는 엘리스 돈에 관한 이야기, 세일럼의 마녀 처형에 대한 화자의 이야기, 그리고 거기에서 의미를 끌어내는 마무리 부분으로 되어 있다. 내부 이야기는 레나드 돈(Leonard Doane)과 엘리스 돈 그리고 엘리스를 좋아하는 월터 브롬(Walter Brome)의 삼각관계가 축을 이룬다. 악마의 수작으로 레나드는 엘리스를 살해하게 되는데 후에 월터 브롬은 자기 부모가 인디언들에게 살해되면서 오래 전에 헤어진 레나드와 쌍둥이 형제라는 것을 알게 된다. 악마의 힘으로 혼령들이 모인 공동묘지에서 엘리스의 혼령은 월터 브롬에게 청원을 하고 브롬은 그녀의 청에 그녀의 모든 오점을 씻어준다는 줄거리이다.

　이 단편이 지니는 두 이야기를 연결하는 액자 이야기를 하는 화자는 갤로우스 힐(Gallows Hill)에서 발생한 치욕의 역사를 다시 재고하기 위해 자기가 어떻게 두 처녀를 그곳으로 안내해 근친상간의 욕망과 살해를 다룬 미스터리 이야기를 읽어주게 되었는지를 도입부에서 밝히고 있다. 그는 그 처녀들을 비롯해 지역사람들이 역사에 대해 얼마나 무지한가에 대해 탄식하면서 역사에 관한 지식을 과시하며 "그 지역의 역사적 영향을 종종 찾아보았다"고 한다. 그런 다음 화자인 청년은 가지고 온 원고를 꺼내 "과거의 사건이 이 글을 쓰게 만든 동기가 되었다고 하면서 혼신을 다해 썼으나 지금은 그 열정이 느껴지지 않는다"(282)고 토로한다. 원고를 불에 태워버릴 생각을 겨우 참았다고 하면서 두 아가씨가 자기 이야기를 듣겠다고 하기 전에는 "자기 글을 읽어주지 않겠다"(282)는 말을 한다. 이 말에서 작가는 그동안 자기 작품이 대중들에게 무시당해왔다는 점을 암시하고 있는 듯하다.

　화자는 내부 이야기 전체를 하지 않고 중심 내용만을 간단히 요약한 다음 직접 예가 되는 구절만을 예시한다. 하지만 그는 두 처녀의 반응에 대해서는 민감하게 의식하고 있다. 가끔씩 이야기를 쉬고 처녀들의 표정을 살피며 "그들이 빛나는 눈을 자기에게 고정시키고 입술을 벌린 채"(284) 이야기에 귀를 기울이는 것을 기뻐한다. 이야기 결말 무렵에서 화자는 "단순한 개요를 제외하고는 감히 나머지 장면을 말하지 않았다"(291)고 하며 마지막 장면에 대한 묘사와 함께 내부 이야기를 끝낸다. 화자가 이렇게 내부 이야기의 마지막 장면을 세세하게 다 하지 않는 것은 이야기를 듣고 있는 처녀들과 독자들에게 충격을 가하거나 혼란스럽게 만드는 이야기의 위력을 믿고 있다는 점을 암시한다.

이야기를 끝내면서 청년은 내부 이야기에 나오는 마귀 무덤이 실제로 여기 근처이고 이 언덕을 뒤덮고 있는 거망옻나무가 마귀의 해골에서 솟았다고 하자 처녀들은 침묵을 깬다. 잡초가 마귀의 무덤에서 나왔다고 함으로써 작가는 화자의 설화적인 이야기를 실제 장소와 연결시키고 있으나 이 연결고리는 고딕이야기라는 점을 고려하드라도 너무도 갑작스럽다. 잠시 긴장했던 처녀들은 그런 마귀는 존재하지도 않았다는 것을 깨닫고 웃음을 터트린다.

이렇게 화자 청년이 자기 이야기에 대한 믿을만한 근거를 극한까지 밀어붙이는 이야기를 한 다음 다른 이야기를 하는 것은 본격적인 이야기를 하기 위해 이전 이야기를 가볍게 넘기는 고딕 장르에서는 흔히 등장하는 수법이다. 이런 식으로 고딕소설은 앞서 했던 이야기의 인위성을 인정하면서 그 이야기가 다음에 다가올 위험에 대한 경고라는 점을 나타낸다. 『오트랜토의 성』(*The Castle of Otranto: "A Gothic Story"*)이 그 좋은 예인데 주인공 맨프래드(Manfred)는 주변에서 보는 초자연적인 여러 징조들을 무시하지만 결국에는 그런 징조가 암시한 예고대로 자기가 억지로 차지한 왕좌를 결국 원래 받기로 되어 있던 후계자에게 넘겨줄 수밖에 없게 된다.

이야기를 들려준 청년이 처녀들의 웃음에 실쭉하는 것은 그의 역설적인 위치를 보여준다. 호손은 19세기 당시의 처녀들이 마귀 이야기를 심각하게 받아들일 것으로 기대하지도 않았을 것이다. 실리적인 신교도 미국인들이 이전 시대의 미신에 대해 비웃는다는 것은 이상한 일이 아

니기 때문이다. 그렇다면 작가는 왜 이야기를 삽입했을까? 이 내부 이
야기는 알 수 없는 죽음으로 시작되고 살인자가 자기 죄를 고백하고 오
빠가 여동생에 대해서 근친상간적인 욕망을 지녔으며 강력한 힘을 지니
고 있는 악마가 등장하고 감추어진 가족관계, 공동묘지에 모인 유령들
의 심판 등 전형적인 고딕소설의 틀을 지니고 있다.

내부 이야기는 그 지방에서 전해 내려온 설화이다. 고딕소설에서 초
자연적인 현상은 기억에서 사라진 과거의 잘못을 현재에 나타내는 표지
기능을 한다는 점에 대해서는 앞서 언급했다. 역사적인 사건이 내부 이
야기 속에서 마귀의 출현과 살인자에 대한 재판에 관한 전설로 대치되
지만 마귀와 거망옻나무의 설화는 '교수대가 있던 언덕'(Gallow's Hill)이
라는 의미를 지닌 장소에 역사적인 의미를 부여한다. 전설 같은 내부
이야기는 개인적인 동기와 악귀의 장난으로 비롯된 살인과 유령을 다룸
으로써 그 장소에서 일어났던 실제 사건에 대해 일종의 기념사와 같은
역할을 한다. 옻나무가 내부 이야기에 등장하는 마귀의 존재를 상기시
키는 역할을 하듯 전설이 당시 사람들에게 유령과 같은 역할을 하는 것
이다.

어떤 장소와 그곳에서 발생한 과거 사건에 대한 기억, 사람들이 세
운 기념물과 역사적 사건의 관계가 이 단편의 중요한 주제 가운데 하나
이다. 갤로우스 힐이라는 이 장소, 세일럼 바로 외곽에 위치한 이곳은
설화 속의 과거, 즉 마귀와 엘리스 돈의 이야기, 그리고 액자 이야기가
제시하는 세일럼의 마녀재판과 처형이 일어난 '진짜' 역사적 사건과 교
차되는 지점이다. 19세기 당시의 미국인들이 자기 나라를 조국의 위대
함에 관한 역사 서술을 기다리는 '깨끗하게 빈 페이지' 같다고 했던 인

식과는 다르게 호손은 미국의 역사가 이미 쓰인 내용 위에 겹쳐서 적어 넣은 낡은 양피지와 같다고 주장한다. 그는 미국의 역사를 「중심가」 ("Main Street")나 「낡은 목사관」("The Old Manse")에서 주장한 영국과의 전쟁을 기념하기 위해 세워진 자기 집 주변의 화강암 첨탑과 다르지 않다고 생각한다.

이 첨탑에 대한 호손의 입장은 「엘리스 돈의 청원」의 결론과는 다르다. 이 단편의 서술자 청년과는 달리 「낡은 목사관」에서 호손은 "역사적으로 유명한 이 장소에서 자신은 역사가 불러일으키기를 원한 상상을 결코 하지 못했다"(10)고 토로한다. 공적 역사가 하고자 했던 것과는 반대로 호손은 이 장소가 생각나게 한 이야기는 구전되어오는 것이라고 친구인 로웰(James Lowell) 시인에게 말한 바 있다. 이는 나무를 자르던 어린 병사가 치명적인 부상을 입은 영국군을 보고 놀라 도끼로 영국병사의 머리를 날려버린 다음 일생동안 "지워지지 않은 핏자국"(10) 때문에 괴로움을 당한 일화이다. 그런 이야기는 구전된 것이라 사실이 아닐수도 있으나 공적인 역사 기록보다 미국 독립전쟁에 관해 더 많은 의미를 전달할 수 있다. 그 에피소드는 전투가 벌어졌던 장소를 기념하기위해 세운 공적 조형물보다 전쟁의 비극적인 역설을 보여주며 동시에 역사가 지성의 산물이라기보다는 상상의 산물임을 말해준다.

「엘리스 돈의 청원」의 화자가 설화를 불러오기 위해 사용한 테크닉과 역사에서 말하는 마녀재판을 받기 위해 갤로우스 힐로 올라오는 행렬을 상상을 통해 불러오는 전략이 동일하다는 점을 주목할 필요가 있다. 화자는 이런 시도를 "자기가 마귀인 것처럼 독자에게 유령과 같은 빛을 던지는"(293) 일이라고 한다. 그는 마녀재판을 받기 위해 언덕을 올라오는 저주받은 자들의 행렬을 상상 속에서 불러오는 과정을 통해 "감정과 상상이 부여하는 웅변으로 그는 옛날 것을 소환하고 곁에 있는 사람에게 수많은 옛사람들을 상상해보라"(293)고 권한다.

이는 소재가 허구이건 역사이건 간에 서술의 기술은 같다는 점을 말한다. 역사가들은 자기네들이 사실에 충실한 기록을 하고 국가가 발전하는 고귀한 이야기를 만들어낸다고 생각한다. 이것이 바로 「엘리스 돈의 청원」의 화자가 암시하고자 하는 점이다.

> 최근에 역사가는 그 이야기를 하면서 우리 조상의 잘못을 바람직한 방향으로 연결하고 치욕스런 그 언덕을 옛이야기와 도덕을 이끌어날 수 있는 더 나은 지혜가 작동하는 명예로운 운동으로 바꿈으로써, 그 주제를 자기 이름이 살아 있게 만드는 방식으로 다루었다. (280)

역사가가 '치욕'을 자신의 기념비로 변화시킨다는 말에는 경멸이 내포되어 있다. "이야기를 하는 동안 도덕을 이끌어내는 더 나은 지혜"라는 표현은 역사적 사건이 우리에게 전달하는 도덕이 물레에서 실을 자아내듯 용이하다는 의미로 지적인 면에서나 도덕적인 면에서 경박스럽게 들린다. 자기가 다루는 역사적인 정황을 깊은 사고와 윤리적인 핵심으로 전환하고자 하는 작가로서는 이런 류의 도덕적 역사에 대해 분노를 느끼지 않을 수 없었을 것이다.

거대한 국가적 사건을 기록하는 역사는 승리자, 살아남은 자, 역사기록자를 강조할 수밖에 없고 전투가 치러졌던 장소에 화강암으로 된 첨탑을 세우는 역사이다. 공적 역사에서 외면당했던 사실에 감정을 집어넣어 호손이 구해내고자 한 것은 전쟁과 같은 상황에서 승리를 거둔 자에 대한 비꼬기이며 「낡은 목사관」이 들려주는 이야기 즉 소년의 도끼에 목숨을 잃은 영국 병사나 그 병사를 죽이고 일생동안 죄의식에 사로잡혀 산 어린 소년과 같은 역사의 희생자들과 공감대를 형성하는 일이다.

이 단편의 화자는 이야기를 듣는/읽는 사람들이 시간체험을 하게 만들어 마녀사냥의 희생자들에 관한 공감을 일으킨다. 그 이야기는 과거에 일어난 교수형을 현재에 살아나게 하는데 그 행동의 의미가 완전히 끝난 일이 아니기 때문에 더 끔찍하다. 화자는 자신과 처녀들이 처형대가 있던 곳에 접근하는 장면을 묘사하면서 "처형당한 사람들의 그림자 같은 것들이 우리가 서 있는 언덕 꼭대기를 돌 때까지 우리 발자국을 따라왔다"(294)고 한다. 그리고 나서 화자는 처녀들의 상상 속에 실제 처형장면이 생생하게 남아 있도록 말을 중단한다. 그가 의도한 대로 처녀들은 상상력을 활발하게 작동해 화자 청년의 팔을 붙들고 울음을 터트린다. 그런 다음 화자는 "이제 그 과거는 할 수 있는 일을 다 했다"(294)고 결론 내린다. 화자는 아주 오래전의 사건들이 마치 현재에 일어난 듯 처녀들로 하여금 과거의 잘못에 대한 공포를 체험하게 만든다. 그러나 이를 완성하는 것은 과거 그 자체가 아닌 그 지방의 역사를 생생하게 살려낸 이야기이다. 화자는 마술사처럼 그것들을 기억하기 위해 그리고 그들이 받을 도덕적이고 역사적인 심판을 불러일으키기 위해 시간적으로 멀리 떨어진 사건을 현재를 사는 사람들이 느끼도록 이야기한 것이다.

이 단편의 구성은 엘리스와 오빠들에 관한 이야기는 그것을 들은 처녀들이 믿을 수 없다는 듯 큰 소리로 웃는 것으로 끝이 나고 역사에 관한 부분에 대해서는 눈물을 흘리는 것으로 이루어져 있다. 엘리스의 이야기가 독자에게 충격을 주기 위해 만들어졌다면 역사 이야기는 화자가 공포감과 더 깊은 슬픔을 자아내기 위해 상상에 뛰어든 것이다.

그 처녀들은 무엇인가 일어날 것 같은 공포에 울음을 터트린다. 화자 청년은 당시 사람들을 역사의식이 부족하다고 비판하는 것으로 시작해 역사의식을 만들어내려는 시도로 끝을 맺는다. 역사에 관한 이야기는 사회가 "마음에 호소하는 상상력을 불러일으킬 수 있는 공적 기념물을 조성할 필요를 인정할 정도"(295)로 변화될 때까지는 진정한 결말을 이뤄내지 못한다.

5. 『칠박공의 집』: 대안적 역사의 제시

대를 이어가는 죄와 복수라는 전형적인 고딕소설의 소재가 이 소설의 중요한 문제 가운데 하나이다. 호손은 광범위한 사회적 파노라마를 소개하거나 대도시에서의 다양한 활동을 다루기보다는 "우리의 뉴잉글랜드의 소읍"에서 계층 간의 갈등을 보여주면서 나라의 정체성과 공화국의 유산에 관한 논의를 노동계층의 몰과 지배계층인 핀천이라는 두 집안의 갈등으로 축소한다. 호손은 미국이라는 나라의 건설과 경제에 근간을 이룬 노예문제나 땅을 빼앗기고 죽어간 원주민의 문제를 언급하지 않고 백인 몰에게 가해진 부당함에 초점을 맞춘다. 작가는 이 소설에서 약탈과 불법으로 이어진 미국의 긴 역사를 한 마을의 주변적인 인물과 중심인물 간의 대립으로 제시하고 이 작품의 중심무대가 되는 칠박공의 집은 국가의 기초를 닦는데 자행된 불법을 상기시키는 상징으로 부각된다(Streeby 461).

이 소설이 시작되기 전의 이야기는 집이 서 있는 땅에 대한 합법적인 소유권에 관한 싸움과 구전과 같이 기록으로 남아 있지 않은 이야기에만 존재하는 두 집안 간의 갈등에 관한 것이다. 기록에 없는 사적인 이야기는 특권 계층인 사람에게 유리하도록 쟁의를 해결하기 위해 매슈 몰(Old Matthew Maule)이라는 땅 주인이 마귀로 몰려 처형을 당했다는 것을 암시한다. 몰의 대지를 법의 이름으로 자기 것이라고 주장한 사람이 바로 몰을 마귀라고 가장 강하게 몰아붙인 사람이었기 때문이다. 공적 기록과 구전되는 이야기가 공통으로 말하는 것은 몰이 죽기 직전 처형대에서 "하느님이 그에게 피를 마시게 할 것이다"(8)고 핀천 대령(Colonel Pyncheon)에게 퍼부은 저주이다. 전설에 의하면 마치 핀천 조상이 저질렀던 잘못을 보상하는 것처럼 몰의 자손들이 꿈속에서 핀천 가의 자손들을 지배할 수 있는 신비한 마력을 지녔다고 한다.

땅을 둘러싼 두 집안의 갈등을 통해 호손은 두 가지 방식으로 재산을 제시한다. 하나는 법적인 수단, 대지 허용권(land grant)이나 매매로 얻어지는 재산과 다른 하나는 노동으로 얻어지는 재산이다. 몰 가족은 땅에 대한 권리를 "원시림을 개간한" 노동에 두었지만 이런 주장은 19세기 중반의 미국에서는 근거가 희박하다. 당시 미국에서는 재산을 "자연적인" 소유에 대한 어떠한 주장과는 상관없이 매매했다(Martin 132).

빼앗긴 땅과 피로 얼룩진 범죄를 말해주는 사건 경위는 고딕소설의 전형적인 수법이다. 고딕소설의 전형적인 플롯은 자리를 빼앗긴 상속자와 탐욕과 욕망에서 비롯된 범죄에 초점을 맞추고 그 범죄에 보복을 가해 원래의 상태를 복구한다. 복수의 문제는 이 시기의 모든 고딕소설에 등장하며 오늘날에도 고딕소설을 다른 장르와 구분시키는 가장 중요한 근거가 된다. 하지만 복수의 문제는 간단하지 않다. 그 이유는 첫째, 판단의 어려움 즉 주어진 상황으로부터 먼 과거에 발생한 범죄를 판단하는 문제 그리고 그 범죄를 또 다른 범죄로 보복하는 행동에 대한 합법성을 판단하는 문제가 존재하기 때문이다. 두 번째는 원래의 범죄를 전달하는 기록이나 구전의 진실성과 신뢰성에 대한 문제이다. 때로는 역사에 의심쩍은 점이 있을 가능성이 존재할 수 있기도 하고 때로는 역사에는 기록이 남아 있지 않고 소문이나 설화만이 그것에 대해 말하고 있을 따름이다.

범죄에 대한 복수에는 항상 긴장감과 의심이 들어 있다. 복수가 완전히 이루어졌다 하더라도 독자나 구경꾼들에게는 긴장이 남아 있다. 범죄의 사실, 행위자의 동기, 잔인한 범죄에 복수를 가하는 정의에 대한 의구심이 남아 있기 때문이다. 이는 같은 시대에 나온 멜로드라마와 고딕소설을 구분할 수 있는 가장 중요한 기준이기도 하다. 멜로드라마에서는 악당의 악한 행동과 희생자들의 선한 점은 어느 누구도 악당의 죽음에 대해 다른 생각을 할 여지가 없을 정도로 분명하게 드러난다. 예를 들어 로슨(Susanna Rowson)의 『샬롯 템플』(*Charlotte, A Tale of Truth*)에서 라뤼 부인(Madam LaRue)의 죽음에 대해 어떤 사람도 슬퍼하지 않는다. 적어도 악한 라뤼 부인에게 합당한 조치가 취해졌다고 생각한다. 하지만 고딕소설에서는 불투명한 결론에 개입되는 의문과 미심쩍은 상황들이 존재한다.

이 소설의 공적 기록은 몰을 합법적으로 마귀로 취급한다. 그럼에도 불구하고 몰의 죽음을 둘러싸고 구전되는 이야기는 독자로 하여금 몰의 처형을 둘러싼 법의 집행과 재산상의 변동과 함께 그의 죽음에 관련된 복잡한 정황들을 추측하게 만든다. 우리는 과거 매슈 몰에게 핀천 대령이 저지른 범죄에서 비롯되어 아직까지 끝나지 않는 일이 현재 일어나는 사건들과 맞물려 있음을 알게 된다. 대물림되는 죄라는 눈에 보이지 않는 '빚'이 몰의 가족을 핀천 가족에 대해 영원한 도덕적 채권자로 만들어준다. 몰의 손자 매튜 몰(Young Matthew Maule)이 엘리스 핀천(Alice Pyncheon)을 간접적으로 죽음으로 몰아가는 과정을 이야기로 만든 홀그레이브의 이야기는 핀천 가족이 진 빚을 전부는 아니라 할지라도 일부는 변제한 것처럼 보인다. 엘리스의 영혼을 지배하는 손자 매슈 몰의 위력은 엘리스의 조상 핀천 대령에 대한 것이라기보다는 엘리스가 자기를 경멸한 것처럼 보인 행동에 대한 보복에서 비롯된 것이다. 몰의 자손 홀그레이브가 칠박공의 집에 거주하고 있다는 점은 예삿일이 아니다. 이런 사실은 마치 그가 복수를 염두에 두고 있는 듯이 보이지만 이런 잠재적인 플롯은 햇빛 속의 안개처럼 사라져버린다. 서술자는 다만 홀그레이브가 쓴 이야기를 통해 몰의 가족이 복수를 하도록 만들고 있을 뿐이다.

이렇게 되면 결국 이 소설은 복수의 이야기라고 하기 어렵다. 복수는 복수를 실행하는 사람을 필요로 하나 이 작품에는 실제 상황에서 복수를 집행하는 사람이 없다. 홀그레이브가 최면을 통해 피비(Phoebe Pyncheon)의 영혼을 지배하지 않겠다고 마음먹을 때 이 소설이 제시하는 구원의 상태에 가장 가깝게 다가갔다고 할 수 있다. 좀 더 구체적으로 이야기하면 화자는 복수를 하는 행위나 사건 발생 이전의 상태로 돌아갈 수 있는 점을 인정하지 않는다. 돌이킬 수 없을 정도로 파괴된 클리포드(Clifford Pyncheon)의 인생에 대해 이야기하는 부분에서 화자는 "그렇게 오랫동안 부당함을 겪은 다음에는 보상받을 수 있는 길은 없다"(313)고 길게 설명을 하고 있다.

> 거대한 실수는 그것이 한때 행해졌거나 계속 지속되거나 간에 인간의 삶에서 정말로 올바르게 고쳐지지 않는다는 것이 진실이다(그것은 아주 슬픈 진실이지만 좀 더 높은 희망을 암시한다). 시간의 흐름, 상황의 지속되는 우여곡절과 필연적으로 오는 시의적절치 못한 죽음은 그것을 불가능하게 한다. 만약 오랜 시간이 흐른 다음에는 옳은 것이 우리 능력 안에 있는 것처럼 보이더라도 우리는 그것을 바르게 고정시킬 공간을 찾지 못한다. 좀 더 나은 치유책은 고통을 받은 자가 자기가 받은 치유할 수 없는 상처를 자신 뒤에 두고 떠나는 것이다. (313)

복수를 포기하는 것은 이 작품이 고딕소설에서 감상소설로 전환하고 있는 것을 짐작할 수 있다. 앞의 인용문에서 인간세계가 아닌 "좀 더 높은 세계에서는" 일이 결국에 가서 바로 잡아질 것이라는 말은 고딕소설과 감상소설의 도덕적인 의미가 동일하다는 의미로 들린다. 감상소설에서는 사랑의 신이 고통당한 자를 돌보고 착한 이를 포상하고 악한 자를 응징한다는 위안을 지지한다면 고딕 세계에서는 심판의 날이라는 것을 염두에 두고 있다. 호손은 인간 정의의 무위성을 인정하는 것만큼이나 하느님의 정의에 대해서도 심각하게 강조하는 것 같지 않다. 엘리스의 영혼이 하늘로 올라갔다는 소설의 마지막 구절이나 몰 가와 핀천 집안

이 사랑으로 화해했다는 결말은 호손의 시대에도 설득력이 크지 않았을 것이다. 이는 『톰 아저씨의 오두막』(*Uncle Tom's Cabin; or, Life Among the Lowly*)의 어린 에바(Little Eva)의 죽음처럼 구원의 죽음이라는 감상적인 장치로서의 죽음에 대해 호손이 거리를 두려고 했던 점을 나타낸다.

다른 한편으로 화자는 핀천 판사의 고딕적인 죽음을 패러디한다. 칠 박공의 집을 지은 핀천 대령을 저택이 완공되는 날 죽음으로 몰아갔고 후손들을 사망하게 만든, 가계에 유전적으로 내려오는 심장병으로 숨을 거둔 판사(Jaffrey Pyncheon)의 죽음에는 복수의 요소가 들어 있다. 왜냐하면 그가 죽는 시간이 바로 사촌 클리포드에게 죄를 뒤집어씌워 감옥에서 몇 십 년을 보내게 했던 당사자인 그가 다시 클리포드에게 치명적인 해악을 끼치려고 했던 순간이기 때문이다. 화자가 핀천 판사가 그날 그를 주지사로 추대할 모임 약속을 지키지 못하는 것을 비난하고 판사의 평판을 들먹이며 그의 죽음을 냉정하게 놀리듯이 그리는 태도는 고딕소설에서 흔한 죽음의 양상을 상기시킨다. 더군다나 판사가 죽은 방에 핀천 가의 모든 죽은 영혼들이 돌아와 달빛 아래 춤을 추는 장면에는 고딕적인 분위기가 짙게 풍긴다. 하지만 핀천 판사는 자신의 모략으로 일생을 감옥에서 보낸 클리포드나 조상의 복수를 강행하려는 홀그레이브의 손에 죽은 게 아니라 자연사한 것이다. 호손은 이런 방식으로 응징과 복수에 관한 고딕적인 의지를 좌절시키고 조롱한다. 고딕소설에서 감상소설로 전환하면서도 호손은 감상소설이라는 이 장르에 대해서도 동일한 거리를 유지한다.

고딕소설의 전략 가운데 하나는 사회적인 제도나 인습을 유령이나 초자연적인 현상으로 대체하면서 미신과 무지에 대한 인습적인 의미를 전복한다. 이것들 가운데 가장 흔한 것은 제도화된 종교와 귀족제도의 전복이다. 영국 고딕소설은 전통적인 사회계층의 구분이나 차별을 공격함으로써 혁명적인 장르라는 명성을 얻었다. 미신의 의미를 전복하는 본질은 계급과 계층이 미신이나 초자연적인 현상처럼 눈에 보이지 않고 물리적인 현실의 근거가 없음에도 불구하고 사람들을 정신적으로 노예로 만든다는 점이다. 이는 혁명적인 담론에서는 흔한 기법이다. 이런 담론에서는 사회계층의 위계를 미신과 동일시하고 미신과 사회계층의 위계를 이성의 힘으로 제거하기를 요구한다. 이와 같은 담론은 호손이 이야기하고자 하는 리얼리티와 환상, 실체와 비실체 간의 상호관계를 구체적으로 보여주는 데 유용하다.

실체와 비실체 간의 긴장은 이 소설 도입부터 시작된다. 앞서 이야기한 것처럼 땅에 대해 몰이 주장하는 권리는 대지를 먼저 차지해 개간하여 사용하고 있는 권리인 반면 핀천 대령의 권리는 법에 의거하는데 법적 권리란 임의적이고 정치적인 체제에 달려 있다. 다른 말로 호손은 법과 정치, 사회의 리얼리티가 물신 숭배, 마술, 미신만큼이나 '리얼하지 않다'는 것을 암시한다. 이 소설의 화자는 여러 번에 걸쳐 핀천 판사의 주장대로 인디언에게 받은 땅문서만 손에 넣을 수 있다면 그 땅이 구세계의 백작의 영지 정도는 될 거라는 말을 하는데 이 백작령이란 표현은 공화정의 원칙을 신봉하는 19세기 미국의 독자들에게는 현실성도 없고 그 의미 역시 긍정적으로 들리지 않았을 것이다. 다만 "동부에 있는 측량되지 않는 거대한 땅" 문서는 식민지시대 미국인들이 원주민들에게 유럽적인 의미의 재산권을 부과했다는 점과 미국대륙 전체에 걸쳐 원주민들의 땅을 백인 미국인들이 약탈했다는 사실을 강조할 뿐이다(Martin 132).

소설 초입에서 화자는 몰 집안사람들이 칠박공의 집이 자기네들의 땅에 세워졌다는 것을 망각하고 있을 가능성에 대해 이렇게 암시한다.

> 확립된 지위와 거대한 소유권 문제에 있어서, 그것들의 현존 자체가 존재할 권리를 주는 것처럼 보이는 거대하고 안정적이고 거부할 수 없을 정도로 위압적인 것들이 있다. 가난하고 구차한 사람에게는 마음속에서도 그것에 대해 질문을 던질 도덕적인 힘도 없을 정도로 아주 눈에 확 뜨이는 모조품이 있다. 예전부터 내려오던 수많은 편견이 없어진 후에도 사정은 같았는데 독립혁명 이전에는 훨씬 더 그랬다. (25)

화자가 부와 권력, 사회계층의 개념을 '오래된 편견'에 연결시키는 점은 고딕소설의 전략이다. 호손은 가난한 사람들이 계층 간의 위계를 내면화시키는 양상을 설명하는 맥락 속에 이 기법을 사용한다. 다른 말로 하면 호손은 사회계층의 위계가 제도에 유용하고 권력과 부를 보호하는 목적에 사용되는 경우에 존재하는 이데올로기의 위력을 설명한다.

화자는 칠박공의 집과 같은 자산을 설명하기 위해 "겉모습"의 의미에 주목한다. 호손의 많은 단편들처럼 이 소설은 겉과 내면 간의 복잡한 힘이 상호작용하는 양상을 보여준다. 그것은 표면의 삶에 대한 진지한 평가뿐 아니라 표면이 은폐하는 깊은 내면에 대한 평가를 요구한다. 이 원동력이 핀천 판사의 실용적이고 탐욕스런 성격을 논하는 부분에서 양면의 속성이 잘 드러난다.

> 핀천 판사와 같은 남자들의 행동반경은 인생의 외면적인 현상에 있

다. 그들은 황금이나 토지부동산, 신탁재산과 고액의 보수 그리고 공적인 명예와 같은 크고 장중하며 단단하게 보이는 비현실성을 포착하고 정렬하며 도용하는데 굉장한 능력을 지닌다. (229)

겉으로 드러나는 업적과 공적 명성은 "거대하고 장엄한 건물"과 비유된다. 이 건물은 그것을 소유한 사람과 구분이 되지 않는다. "이런 소재로 사람은 크고 장대한 건물을 짓는다. 다른 사람의 눈으로나 관점으로도 그 건물은 거기에 거주하는 사람의 성격과 다르지 않다"(229).

여기에서 호손은 고딕소설의 가장 특징적인 수법 하나를 소개한다. 즉 장대한 저택의 벽장에 시체를 감추어둘 수 있다는 점이다. 다시 말하면 대단한 명성을 가진 대부분의 사람들은 비밀스런 범죄나 사악한 성격을 감출 가능성이 있는데 외양의 속임수 특히 얼굴의 속임수를 주목하라는 것이다.

아, 나지막하고 흐릿한 구석에, 지하층에 있는 자물쇠가 잠겨있고 빗장이 걸렸는데 열쇠는 어딘가로 던져버린 좁은 벽장, 혹은 대리석으로 된 화려한 모자이크 무늬가 있는 바닥 아래 썩은 물구덩이 속에 반쯤 썩었거나 여전히 썩어가고 있는 궁궐 전체에 죽음의 냄새를 진동하게 만드는 시체가 있을 수 있다! (229-30)

이 구절 자체가 부패된 시체를 눈으로 확인하기 전에 그것을 덮어야 할 덮개 역할을 한다. 냄새를 강조하는 것은 눈에 보이지 않는 시체가 떠도는 영혼처럼 이 집안 어디엔가 있다는 것을 암시한다. 화자는 이 집주인이 죽음의 냄새를 향수나 다른 냄새로 가리려고 한다는 것을 말한

다음 "때로 슬프도록 현명한 사람의 시선 앞에서 모든 건물이 사라지고 감추어진 다락과 사람들이 잊어버리고 있던 문에 질러놓은 빗장 위에 거미줄이 얽혀 있는 열쇠가 잠긴 벽장 그리고 포장도로 아래의 구멍 아래에 시체가 보인다"(230)고 결론 내린다.

이 말은 핀천 판사가 잃어버렸던 땅문서에 관한 언급이기도하고 역사의 기억이라는 문제를 축약시켜 말하는 것이기도 하다. 시체가 숨겨진 벽장이나 냄새의 메타포는 심리적으로 무의식 속에 새겨진 범죄에 대한 인식으로, 신학적으로는 우월한 힘에 대한 도덕적인 척도로, 마지막으로는 인종 문제로 해석할 수 있다. 다시 말해 소문, 전설, 설화를 통해 깨닫게 되는 공동체의 기억으로 읽을 수 있는 점에서 고딕소설의 핵심에 이르게 한다. 다시 말해 역사에 관한 두 가지 해석이라는 문제에 해당되는 것이다.

화자는 전체 플롯을 움직이는 두 이야기에 긴장과 불화를 조성한다. 하나의 인물과 사건에 대한 서로 상충되는 두 개의 이야기는 그들에 대한 동기나 상황에 관련이 있다. 핀천 대령이 땅을 차지하기 위해 몰이 죄가 없다는 것을 알면서도 죽음으로 몰고 갔는가에 대한 질문은 대령이 탐욕스럽고 몰염치한 위선자였는지 아니면 단지 혈기왕성하고 뜻을 굽히지 않는 청교도였는지와 같은 대령의 인간됨됨이에 대한 질문이다. 제프리 핀천 판사와 그의 조상인 핀천 대령의 모습이 닮았다는 점을 말하는 구절에서 화자는 그들의 공적 기록이나 평판에는 어떤 오점도 없었다는 점을 밝힌다.

핀천 대령의 묘석에는 굉장한 미사여구로 기록되어 있다. 역사에서 그가 차지하는 자리처럼 그의 인품이 일관되고 정의로웠다고 기술하고 있다. 오늘날의 핀천 판사에 관해서도 목사나 법적인 비평가와 묘석을 새기는 사람, 지방 정치에 관한 역사가도 기독교인으로서의 그의 신실함과 인간으로서의 존경스러움, 판사로서의 고결함에 반하는 이야기를 한마디도 하지 않았다. 그러나 묘석에 새기는 끌이 남긴 이런 차갑고 공적이고 공허한 말과 미래와 대중의 시선을 위해 글을 쓰는 펜과 말하는 목소리 (이런 것들은 불가피하게 그렇게 의식을 함으로써 진실과 자유를 상당히 잃어버리게 되는데) 외에 그 조상에 관한 구전 이야기가 전해져왔었고 판사에 관해 각자 개인들의 판단에 따라 자기들의 일기에 적어 넣는 소문들이 있었다. (121-2)

이런 구절에서 화자가 보여주는 공적 역사에 대해 보이는 냉소적 태도는 「낡은 목사관」에서 화자가 국가가 찬양하는 전쟁터의 공적 기념물을 기록하면서 보인 무관심한 화자를 연상시킨다.

굴뚝 모퉁이에서 전승되는 이야기는 역사가 빠뜨린 진실을 밝혀내기도 하지만 종종 예전에 난롯가에서 얘기되던 것처럼 그 시대의 엉뚱한 헛소리일 수 있다. 그런 것은 요즘 신문에는 나오지 않는다. 구전이란 서로 상충되는 모든 주장에서 비롯된다. (17)

화자는 "공적인 인물에 대해 여자들의 의견이나 사적이고 가정에서 보는 관점으로 보는 것이 때로는 유익하다"(122)고 말하고는 있으나 굴뚝 모퉁이의 이야기를 "엉뚱한 헛소리"라고 하는 말에서 짐작할 수 있듯이 사적인 공간에서 하는 이야기는 법적으로는 효력이 없고 합법적인 수단을 동원해 공적인 영역에 영향을 행사할 수도 없음을 분명히 한다. 여자나 하인, 가난한 사람들은 공적 영역에서는 정치적 사회적인 발언권이 없기 때문에 그들이 알고 있는 사실은 제도권에서는 무시당한다. 이는 신뢰성의 문제가 아니라 당시 법정에서 실제로 이들의 목소리는 인정받지 못했다. 이런 것들이 만들어내는 문제, 즉 고딕소설이 허구의 역사라는 문제는 죄, 광기, 감금과 같은 문제가 내포되어 있다. 예를 들어 고딕이야기에 흔하게 나오는 장면은 사적으로는 악하지만 공적으로는 존경받는 인물이 자신의 비밀을 세상에 알리려는 희생자나 목격자를 위협하는 것이다. 이런 문제는 이 소설의 클라이맥스에서도 발생한다. 핀천 판사가 땅문서의 소재를 밝히지 않으면 클리포드를 정신병원에 감금시켜버린다고 위협할 때 일어난다. 클리포드가 정신이상이 아니라는 사실을 판사는 알고 있지만 클리포드를 정신병원에 보낼 수 있는 능력이 자기에게 있다는 것을 클리포드의 누나 헵지바(Henzibah Pyncheon)에게 경고하는 것이다. 판사의 그런 주장에 대해 헵지바가 클리포드를 옹호하는 의견은 공적 공간에서는 전혀 영향력을 행사하지 못하리라는 점을 판사와 헵지바 모두 잘 알고 있다.

여기에서 우리는 호손이 문제가 많은 공적 역사를 대체할 수 있는 대안의 역사를 분명하게 밝히지 않고 있다는 점을 기억할 필요가 있다. 우리가 핀천 가문에 관해 전해오는 이야기를 사실로 받아들인다면 우리는 환상적이고 불가능하게 보이는 현상 역시 받아들여야 한다. 서술자는 그가 말하는 모든 구전되는 이야기를 우리가 믿어야 한다고 말하지는 않는다. 다만 그것은 수사적으로나 심리적인 의미에서 이야기에 재미있는 빛과 그림자를 던지는 점 외에는 절대적인 의미나 실행력이 없다. 무엇보다도 범죄와 의심스런 사건 주변에 떠도는 다양한 여러 이야기는 질문이나 의문을 제기하는 기능을 한다. 화자는 메타포로서 같은 이야기를 하고 있다.

> 우리가 지금 말하고 있는 사건 같이 주변에서 발생하는 이런 류의 이야기를 강조하는 것은 어리석다. 지금 경우처럼, 마치 오래 전에 쓰러져서 묻힌 나무가 땅에서 썩어가는 것을 알려주는 버섯 같은, 오랜 세월에 걸쳐 지속되는 이런 종류의 이야기에 대해 강조하는 것은 바보 같다는 점이다. 우리 역할이란 그런 이야기들에 대해 부지사가 핀천 대령의 목구멍에서 보았다고 하는 뼈다귀 손에 관한 설화에 대해 가지는 정도의 미미한 신빙성을 허용하는 것이다. (16)

설화나 구전되는 이야기와 과거와의 관계는 썩은 나무와 거기에서 자라는 버섯과의 관계 같다는 것이다. 실제 사건이 시간의 베일 뒤에 사라진 다음 버섯이라는 메타포는 지금은 없어진 나무의 존재를 희미하게 상기시키지만 그 버섯과 총체적인 관계가 없기 때문에 적절한 비유라고 할 수 있다. 이 메타포에 의하면 버섯이란 존재는 과거에 무언가가 죽었고 그 자리에서 썩었다는 사실만을 유추하게 할 뿐이다.

　몰(Old Mathew Maule)의 죽음에 대한 구전과 함께 또 하나의 전설 같은 이야기가 나오는데 그것은 홀그레이브가 피비에게 읽어주는 이야기이다. 이 이야기는 핀천 가와 몰 가가 얽힌 역사와 연결되어 있다. 이 이야기 내용은 이 소설 내용을 전복적으로 반영한다. 목수이면서 최면술사는 손자 몰(Young Matthew Maule)은 엘리스를 자기 마음대로 조종하기 위해 마치 홀그레이브가 피비에게 최면을 걸듯이 최면을 건다. 엘리스와 피비는 최면술을 건 남자들의 노예가 된다. 최면에 걸린다는 것은 정신적으로 노예상태가 됨으로써 자신이라는 근본적인 자산을 상실하듯 자아를 박탈당하는 것이다. 여기에서 매슈 몰과 홀그레이브 두 사람만이 최면을 걸 수 있는 능력을 지녔다는 점은 중요하다. 그러나 "홀그레이브와 같은 성격은 몰이 엘리스에게 했던 것처럼 다른 이의 영혼을 지배하는 것에 큰 유혹을 느끼지 않는다"(220). 최면술사가 무대감독처럼 대상의 행동을 통제하는 것은 고딕소설에서 사용하는 아주 흔한 범죄이다. 이런 악당은 관찰하는 대상에게 어떤 동정심도 느끼지 않으면서 단지 호기심으로 그들의 사생활을 침범하는 걸 즐긴다. 홀그레이브는 이런 부류에서 부드럽게 약화된 인물이라고 할 수 있다. 그가 칠박공의 집에 세들어 사는 이유 역시 그런 악마적인 호기심의 발로라고 할 수 있다.

> "누군가를 도와주거나 방해하는 것은 내가 좋아하는 일이 아니지만 거의 이백 년 동안 당신과 내가 밟고 있는 땅 위에서 천천히 진행되는 드라마를 나 자신에게 분석하고 설명하고 이해하고자 바라보는 것은 좋아하지요." (216)

홀그레이브는 이 집에 사는 사람들에게 유치한 악의나 잔인한 무관심은 품고 있지 않지만 "마치 이 집을 극장으로 여기고 헵지바와 클리포드의 인생이 흥미를 돋우기 위해 진행되는 비극"(217)인 것처럼 바라보고 있다. 피비는 이런 홀그레이브의 행동이 옳지 않은 것을 지적한다. 하지만 홀그레이브가 실질적으로 통제력을 발휘하는 공간은 이 집에 사는 사람들이 아니라 자신이 쓴 이야기이고 그 이야기에서 자기 조상으로 하여금 오만한 엘리스에게 복수하도록 만든다. 홀그레이브, 악마, 그리고 작가 사이의 유사성은 우연이 아니다. 작가는 인간성에 대한 관심과 그들이 쓰는 이야기 속의 인물들에 대해 통제력을 갖는다는 점에서 악마들과 종종 비교된다. 홀그레이브가 호손이 차용하는 구전설화를 모방한 이야기를 지은 사람이라는 사실은 이들 두 사람간의 평행을 만들어낸다. 이것이 우리와 관계가 있는 이유는 홀그레이브가 역사와 과거라는 주제에 관해 의미 있는 말을 하기 때문이다. 홀그레이브가 말하는 과거에 대한 태도, 즉 집을 부수고 다시 짓는다는 재생과 개혁에 대한 태도는 토마스 제퍼슨(Thomas Jefferson)이 했던 말을 상기시킨다. 제퍼슨은 제임스 메디슨(James Medison)에게 쓴 편지에서 법과 제도는 "제정한 지 19년 뒤에는 자연스럽게 소멸되어야 한다"면서 메디슨에게 이런 원칙이 반영되는 법을 제정할 것을 희망했다(Cunliff 재인용 56). 이와 같은 홀그레이브의 의견에 대해 화자는 아버지 같은 공감을 표하기는 하지만 동의하지는 않는다.

　　이끼가 자라고 썩은 과거는 파괴되어야 하고 죽은 제도는 치워버려
　　야 하고 죽은 시체는 묻어버리고 모든 것이 새로 시작되어야 한다.
　　. . . 중요한 점에 관해서 . . . 예술가는 확실히 옳다. 홀그레이브의
　　실수는 이 시대가 다른 어떤 과거나 미래 시대보다 군데군데 기워서
　　서서히 새롭게 하기보다는 오래된 누더기 옷을 완전히 새로운 의상
　　으로 바꾸는 것을 볼 운명이라고 생각하고, 자신이 그것을 위해서나
　　혹은 반대해서 싸우거나 간에 그것을 끝까지 관전하는 게 중요하다
　　고 상상하는 데 있다. (180)

이 말은 역사적인 변화와 문제를 다루면서 사회에 대한 직접적인 행동이나 개입에 관해 깊게 생각해보기를 희망하는 입장을 보여준다. 호손이 이 소설이나 다른 작품에서 보여주는 여성의 위치에 대한 호의적이고 진보적인 입장에도 불구하고 이 지점에서 보이는 역사에 관한 정태적인 경향은 깊은 보수성을 보여준다. 이런 구절이 보이는 톤을 통해 이 작품이 고딕소설보다는 감상소설이 지닌 확실함과 교훈주의로 전환되는 경향을 찾아볼 수 있다.

그럼에도 불구하고 이 소설을 전체적으로 살펴볼 때 호손은 고딕소설과 감상소설이라는 두 장르가 이념적으로 형성되는 것을 피한다. 호손은 종교적인 근거나 여성의 목소리를 강조하지 않으면서 감상소설을 이용한다. 역사의 공적 입장에 대한 대안으로서 "여성의 이야기"나 대안적 역사, 구전, 설화를 언급하고 있으나 작가는 그런 이야기에 신뢰성을 실어주지는 않는다. 고딕소설에서 초자연적인 현상은 기억을 저장하고 정의를 실행하게 만들지만 이 소설에서 독자를 위해 역사적인 과거를 이용하는 사람은 화자와 엘리스의 이야기를 하는 홀그레이브이다. 홀그레이브가 하는 이야기에 나오는 손자 매슈 몰과 홀그레이브 자신과의 공통점은 의미심장하다. 왜냐하면 홀그레이브가 하는 이야기에는 마귀로 처형된 몰(Old Matthew Maule)의 손자(Young Matthew)가 최면술이라는 마술을 행하기 때문이다. 다른 말로 하자면 이야기를 하는 행위는 고딕소설에 등장하는 마술의 현대적인 해석이기 때문이다. 이것이 홀그레이브의 이야기가 두 집안 간의 수백 년 묵은 갈등을 다시 한번 상기시키는 이유를 설명한다. 자기 이야기를 들으며 최면에 빠져드는 피비에게 그 위력을 홀그레이브가 스스로 포기하는 것은 역사적인 마술의 위력과 단절하는 것을 의미한다.

메타 내러티브의 측면에서 호손의 글은 수사로서의 마술적인 힘을 주장한다. 작가의 작품은 일종의 마술을 만드는 힘, 즉 사람에게 영향을 끼치고 움직이게 만드는 능력에서 거의 초자연적인 힘으로 생각된다. 그러나 홀그레이브가 피비에게 최면술을 사용하지 않은 것처럼 호손도 사람들은 정치적이거나 사회적인 행동으로 움직이게 만드는 것을 거부한다. 그는 몰 집안사람들이 핀천 가에 가하는 복수로 이어질 수 있는 고딕소설의 플롯을 판사의 죽음에 대해 화자의 악의적이고 조롱 섞인 묘사로 해소시키고 두 집안 자손들이 결혼하는 것으로 화해를 끌어낸다. 이 젊은이들이 판사의 죽음으로 물려받게 된 그의 집으로 이사하면서 어두운 과거를 떠올리게 만드는 칠박공의 집을 떠나는 것으로 소설을 끝맺는다.

6. 나가는 글

「엘리스 돈의 청원」에서 호손은 고딕소설의 수법으로 역사에 둔감해진 독자들에게 충격을 가해 공적 역사가 외면한 이면의 역사 한 페이지의 의미를 전체적으로 조망하게 만든다. 호손은 비극적 역사로부터 진정한 구원은 과거에 대해 일부만 해석하는 거짓된 태도에서 벗어나 전체적으로 과거를 대면하고 그 의미를 가감 없이 수용하는 데서 가능하다는 것을 피력한다. "마녀재판이 행해진 갤로우스 힐에 어두운 다른 기념비를, 인간의 마음이 죄를 지을 수 있는 약점을 지니고 있는 한 과

거의 잘못을 기억하고 무너뜨려서는 안 되는 기념비"("Alice" 295)를 세울
수 있을 때 역사적인 구원이 가능하다는 것이다.

　이 단편을 발표한 지 16년이 지난 뒤『칠박공의 집』에서 작가는 뉴
잉글랜드 지방의 고도 세일럼에 있는 일곱 개의 박공이 있는 쇠락한 고
택을 둘러싸고 일어나는 두 집안의 갈등으로 다시 한번 미국역사의 문
제를 다루고 있다. 호손은 법이라는 명목으로 땅을 빼앗은 핀천 집안과
땅을 빼앗기면서 마귀로 몰려 죽음을 당한 몰 가 사이의 이백여 년에
걸친 갈등을 통해 과거의 무게가 현재를 어떻게 변화시키고 왜곡하는
지, 그리고 그 무겁고 잘못된 과거로부터 탈출은 어떻게 가능한지를 모
색한다.「엘리스 돈의 청원」에서 세일럼에서 행해진 마녀재판의 의미에
대해 그 이야기를 듣는 처녀들로 하여금 생생하게 체험하게 해서 눈물
을 흘리게 만든 호손은 이 장편소설에서는 마녀재판에서 죄 없는 사람
을 마귀로 몰아 처형시킨 가해자 집안의 처녀와 억울하게 마귀로 처형
된 피해자 집안의 청년이 사랑에 빠지게 해 결혼으로 갈등의 종지부를
찍는다. 호손은 긴 시간에 걸친 두 집안의 갈등을 통해 약탈과 불법이
있었던 미국역사의 진면목을 드러내고자 했으면서도 동시에 역사의 치
부를 이제는 덮고, 소설 속 주인공들이 칠박공의 집을 떠날 때 그들을
비추던 "환한 햇빛 속에서" 새로운 삶을 시작할 것으로 짐작하게 만드는
결말을 제시한다.

　앞의 단편에서 호손은 미국인들이 외면한 역사를 불러내 다시 생각
해볼 것을 강조하고 있지만 16년 뒤의 그는 잘못을 저지른 핀천 가를
철저한 몰락의 길로 몰고 가는 대신 몰 가의 청년과 핀천 가의 처녀가
맺어지는 행복한 결말을 선택한다. 작가는『칠박공의 집』의 도입부를

고딕소설의 기법으로 시작했으면서도 그 마무리는 모든 문제가 해결되는 감상소설로 전환하고 있다. 이 결말은 많은 비평가들에 의해 문제가 있다는 비판(Marks 347, Waggoner 412)을 받은 것처럼 홀그레이브의 갑작스러운 변화나 갑작스런 결말이 자연스럽지 못하다.

『칠박공의 집』을 발표할 당시의 호손은 「엘리스의 돈의 청원」을 발표할 때와는 달리 『주홍글자』로 작가로서 성공을 거두었지만 더 많은 수입이 필요한 전업 작가였다. 호손은 이 작품을 고딕소설이 들추어내는 미국역사의 어두운 면을 그대로 드러내 독자로 하여금 정면으로 대면하게 만드는 결말을 원하지 않았다. 그런 마무리는 이 작품을 시작할 당시의 그의 의도와도 맞지 않았고 부담 또한 컸을 것이다. 호손은 어두운 분위기의『주홍글자』에 비해 밝은 작품을 쓰기 원했고 보다 많은 독자를 확보함으로써 재정적으로 안정된 작가가 되기를 원했었다. 그런 이유에서 공적 역사의 의미를 완전하게 전복시킬 가능성이 있는 고딕소설에서 행복한 결말을 유도하는 감상소설로 방향 전환을 고려했을 것으로 짐작된다. 작가는 전형적인 감상소설 같은 마무리를 하고 있으나 감상소설의 전략에 대해서도 고딕소설의 기법에 대해 가졌던 만큼의 거리를 유지하고 있다. 그는 이 두 장르를 이용하면서도 완전히 한쪽으로 기울어지지 않고 적당한 거리를 고수한다. 홀그레이브가 피비에게 최면술의 위력을 포기한 다음, 피비의 자유의지에 의해 그녀의 사랑을 얻은 것처럼 호손은 어떤 장르의 도움 없이 자신이 전하고자 한 메시지를 현명하게 스스로 헤아려주는 것을 독자의 몫으로 남기고 있다.

『블라이드데일 로맨스』
새로운 사회의 탐색과 현실

I. 들어가는 글

　리비스(Q. D. Leavis)가 지적하고 있듯이 미국작가들 작품에 공통적으로 나타나는 주제 가운데 하나는 유토피아에 관한 주제이다(xiii). 미국 건국이념의 바탕이라고 할 수 있는 유토피아적 공동체의 설립이라는 주제를 거의 모든 작품에서 꾸준히 다루고 있는 작가를 꼽을 때 누구보다 먼저 호손을 이야기하지 않을 수 없다. 에머슨(Ralph Waldo Emerson)을 비롯한 일단의 작가들이 자긍심을 가지고 신생공화국 미국의 우월성을 증명하고자 했다면 호손은 당시 미국인들이 자랑스럽게 생각했던 자국의 이면도 함께 성찰해보고자 했다. 급변하는 자기 나라가 과연 "신이 지금과 같은 행복과 영광으로 이끌어준 나라"(Bancroft I 267)인가 하며 진지한 반성을 제기했던 호손은 당시 많은 미국인들이 믿고 있던 바대로 인간은 진정으로 과거와 단절하고 새로운 삶을 개척할 수 있는가? 자신이 속해 있는 기존의 사회가치를 전면 부정하고 자기만의 고유 가치를 설정해 그것에 따라 산다는 것이 가능한 일인가? 또 그런 시도를 하는 인간들의 마음에는 어떤 갈등이 빚어지고 있는가? 하는 문제를 짚어보고자 했다.

그의 첫 장편 『주홍글자』(*The Scarlet Letter*)는 개인이 사회의 지배적인 규범을 어겼을 때 겪게 되는 고통과 소외의 문제를 사회질서를 형성해가는 17세기 뉴잉글랜드의 신생사회를 배경으로 이야기한다. 사회의 지배계층의 대변인이라 할 수 있는 딤스데일(Arthur Dimmesdale) 목사와 그의 사생아를 낳은 헤스터(Hester Prynne) 그리고 그녀의 남편 칠링워스(Roger Chillingworth)의 삶과 죽음을 통해 사회적 질서와 개인의 욕망 사이의 충돌을 좀 더 공적 차원에서 직접적으로 다루고 있다. 새로운 공동체의 시도라는 비슷한 주제를 다루고 있는 『블라이드데일 로맨스』는 브룩 팜(Brook Farm)이라는 이상적 공동체에 참여했던 작가 자신의 실제 체험을 바탕으로 하고 있다. 그는 이 작품에서 기존 사회를 떠나 이상적인 사회 설립에 참여한 인물들이 품었던 꿈의 좌절과 갈등, 그리고 비극을 커버데일(Miles Coverdale)이라는 화자를 내세워 12년이 지난 후 그 공동체의 추억을 회상함으로써 좀 더 사적인 차원에서 다룬다.

조상이 이룩한 업적과 현재의 삶을 자랑스러워하는 사회에 사는 인물들이 그 사회에 안주하지 못하고 현재의 주류사회와 격리된 또 다른 이상사회를 건설하겠다는 시도를 다루는 이 소설은 "처녀지"에 새로운 가나안을 설립하겠다는 그들 조상의 시도가 실패로 돌아갔다는 점을 근저에 내포하고 있다(Kaul 198). 또한 이 작품에서 호손은 청교도 조상뿐 아니라 당시 자신이 살던 시기에 광범위하게 행해지던 미국의 사회개혁 운동이 제시한 도덕적인 문제와 개혁운동에 대한 많은 사람들의 환상과 그리고 그들의 환상을 사실처럼 그려내는 대중소설의 허황된 세계의 실상을 파헤치고자 했다(Reynolds 129).

이 글은 호손이 미국을 배경으로 자신이 사는 당대만을 다룬 유일한 장편인 『블라이드데일 로맨스』를 통해 언제 어디서건 새로운 삶이 가능하며 새로운 자아를 설정할 수 있다고 믿었던 미국인들의 신념이 얼마나 실현성이 희박했는지, 그리고 모든 악이 제거된 유토피아적 사회의 설립이 가능하다고 생각한 당시 통념에 대헤 작기기 지녔던 회의적 반성의 목소리도 함께 찾아보고자 한다. 이 과정을 통해 새로운 사회를 건설하려는 시도의 성공과 실패라는 문제를 인간관계와 남녀 간의 관계 설정이라는 주제와 연결해 살펴보는 호손의 접근 방식을 따라가며 그가 완곡하게 피력하는 새로운 사회는 과연 무엇을 통해 어떻게 이루어질 수 있는지를 살펴볼 것이다.

2. 새로운 가능성의 제시

당시 사회의 전형적인 도회적 인물인 커버데일은 새로운 삶, 새로운 자아를 발견하기 위해 4월에 내리는 눈을 맞으며 블라이드데일 계곡에 자리 잡은 실험 공동체를 향해 떠난다. 커버데일은 「젊은 굿맨 브라운」

("Young Goodman Brown")의 굿맨 브라운이나 「나의 친척 몰리뉴 대령」 ("My Kinsman, Major Molineux")의 로빈(Robin Molineux)처럼 새로운 자아를 모색하고 좀 더 나은 생활을 위해 출발한 것이다. 블라이드데일로 출발하기 전 그는 보스톤의 "안락한 거실"에서 아침에는 독서를 즐기고 오후에는 유쾌한 산보를 했으며 저녁에는 당구클럽이나 음악회, 또는 극장이나 파티에서 시간을 보내던 사람이다. 그는 이런 생활에는 열정도 없고 예술은 나른한 소일거리에 지나지 못한다는 사실을 인식하고 있다. 그래서 자신의 재능을 시험하고 지루한 일상에서 자기를 해방시키고자 틀에 박힌 감옥 같은 보스톤을 뒤로 하고 떠난다.

커버데일이 찾아온 블라이드데일 공동체는 보스톤과는 정반대로 정신을 억누르는 모든 속박에서 벗어나, 노동과 사랑으로 이루어진 이상적인 사회의 건설을 목표로 하는 진보적인 사회이다. 커버데일과 그 일행 블라이드데일에 도착했을 때 그들을 맞아준 이는 제노비아이다. 커버데일이 전하는 블라이드데일에 관한 보고서는 제노비아의 등장으로 시작해 그녀의 죽음으로 끝이 난다. 이 소설은 제노비아를 둘러싼 인물들 간의 갈등과 그 갈등에 적극적으로 개입하지 못하고 다만 호기심과 질투어린 복잡한 눈길로 지켜보며 나름대로 판단을 내리는 커버데일의 시각에서 전개된다. 이 화자는 마지막 장 「고백」("The Confession")에서 뒤늦게 제노비아의 이복 여동생 프리실라(Priscila)에 대해 "그녀를 사랑했었다"고 고백하고 있으나 그의 고백은 거의 설득력이 없어 보인다. 그 전에 커버데일이 프리실라에게 보였던 관심은 가난하고 연약한 여자에게 보인 위선적인 관심 이상으로 보기 어려우며, 기껏해야 "열정이 없는 자기 모습을 수동적이고 무기력한 프리실라에게서 발견한"(Brodhead

1989, 283) 정도이다. 사실 많은 비평가들이 지적했던 바대로 커버데일은 프리실라보다 제노비아에게 강하게 끌리고 있다(Rahv 377, Dryden 104). "어두운 숙녀"(Dark Lady)에게 매력을 느끼면서도 궁극적으로는 그들의 손을 들어주지 않는 호손의 양가적인 태도는 제노비아에 대해서도 예외는 아니다. 어두운 여성들의 아름다운 육체와 강인한 정신력을 높이 사면서도 동시에 그들이 지니는 사회에 대한 반 순응적인 태도에 비판적인 작가의 시각은 어느 작품보다도 『대리석 목양신』(*The Marble Faun*)의 미리엄(Miriam)과 제노비아를 다루는 태도에서 두드러진다. 그러나 "호손이 만든 인물 가운데 가장 완전한 인물에 근접하다"(108)고 했던 헨리 제임스(Henry James)의 평가처럼 제노비아는 미리엄보다는 좀 더 현실감이 있으며 믿을만한 인물로 등장하고 있다.

자칭 "시시한 시인"이라는 커버데일이 블라이드데일에서 얻고자 한 것은 자신에게 항상 부족하다고 인정한 열정, 즉 창조적 에너지원과의 만남이고 그 접촉을 통해 새로운 자아를 구축하고자 한 갈망이다(Millington 90). 그런 에너지원은 모든 자발적이고 창조적인 활동의 근원이다. 커버데일은 이런 자발적 충동의 화신이라고 할 수 있는 제노비아와 같은 여자를 찾고 있었는지도 모른다. 이것이 바로 커버데일의 일행이 블라이드데일 골짜기에 도착했을 때 제노비아가 맨 처음 그들을 맞아주는 이유가 될 것이다. 필립 라브(Philip Rahv)의 주장대로 제노비아는 커버데일에게 위협적인 "어두운 여성"도, 두려우면서도 매력적인 모호한 체험의 상징도 아닌 다만 멋있는 여성일 뿐이다(Rahv 376). 커버데일 역시 그 점을 이렇게 인정하고 있다.

사람들은 제노비아에게서 뿜어져 나오는 어떤 기운을 느꼈다, 마치
그녀가 갓 만들어졌을 때, 그의 창조주가 '자 보아라, 여기에 여자가
있다'고 하면서 그녀를 여기 있는 아담에게 데리고 왔을 때 느끼게
되는 그런 기운 말이다. 내가 말하는 것은 특별한 부드러움, 겸손함,
부끄러움과 같은 그런 개념이 아니라, 어떤 따뜻함과 풍요로운 성격
과 같은 개념을 말하는 것이다. (17)

커버데일이 '시시한 시인'이 아닌 '중요한 시인'이 되기 위해서는 제노비
아와 같은 여자를 있는 그대로 받아들일 수 있어야 하며 그는 프리실라
가 아닌 제노비아에 관해 시를 써야 한다. 호손은 이 소설에서도 역시
다른 작품에서와 같이 남성들의 해방과 성취는 그들이 여성에 대한 온
전한 이해와 동등한 관계 설립을 통해서만이 가능하다는 점을 피력하고
있다(Baym 355). 남성이 자유로워지는 데에는 여성을 있는 그대로 이해
하고 수용해야 하는 사실과 관련되어 있다. 커버데일의 가장 큰 문제는
인간성의 한 요소인 열정을 받아들이지 못하는 점이다. 예술은 열정적인
행위이며 정열을 찬양한다. 이런 진실을 수용하지 못하는 그는 성숙한
예술을 이룩하지 못하며 새로운 자아 역시 성취하지 못하고 유아적인
인간으로 남게 된다. 이런 그에게 시를 쓰는 행위는 그의 전 존재를 걸
고 하는 열렬한 행동이 아니라 여가 활동 이상의 것이 되지 못하는 미미
한 행동이다. 시를 쓰는 힘의 근원이 에로스와 관련되어 있다는 점을 인
정할 때 그는 비로소 그렇게 원하면서도 쓰지 못하는 시를 쓸 수 있다.
그러나 커버데일은 그런 사실을 수용하지 못한다. 그런 점이 분명하게
드러나는 마지막 장의 프리실라에 대한 사랑 고백에 이르기까지 이 소

설은 커버데일에게 이 같은 능력이 결여되어있다는 점을 보여준다. 『주홍 글자』의 딤스데일과 칠링워스, 「모반」("The Birthmark")의 에일머(Aylmer), 「라파치니 박사의 딸」("Rappaccini's Daughter")의 라파치니 박사와 지오바니(Giovanni)같은 남자들은 여자들을 타고난 그대로 자연스럽게 수용할 수 있나 없나에 대한 시험을 당하는데 그 남자들은 예외 없이 모두 실패한다. 그들은 자신들이 만들어놓은 틀 안에 여성을 집어넣으려고 하다가 자기들이 희생되거나 그 여자들을 희생시키는 결과를 초래한다.

커버데일과 제노비아의 관계는 그들이 처음 만난 부엌 난로 가에서 시작된다. 이 농가 부엌의 난로에는 불이 밝게 타고 있지만 오래 가지 못한다. 농부 포스터(Silas Foster)의 말대로 장작이 아니라 잔가지를 태우고 있어서 불은 곧 사그라져버린다. 이것은 변화에 대해 밝은 희망을 가지고 시작했으나 오래 가지 못할 이 공동체의 운명을 예견하고 있는 듯하다. 커버데일과 제노비아가 홀링스워스(Hollinsworth)를 기다리고 있을 때 홀링스워스는 프리실라와 함께 부엌에 들어선다. 이 두 사람은 제노비아의 죽음에 직접적인 영향을 행사함으로써 블라이드데일 골짜기의 불을 영원히 꺼뜨리는 사람들이다. 제노비아는 이들을 보고 자신의 운명을 점치는 듯 이런 말을 하고 있다.

눈보라가 치는 밤 깜짝 놀라게 하는 노크를 하면서 정확하게 자정을 알리는 시계 소리와 함께 들어온 칠흑 같은 밤과 같은 모습의 홀링스워스와 그림자 같은 눈사람 처녀. 그 처녀는 얼음처럼 차가운 웅덩이에서 내 발 아래에서 녹아들어 젖은 실내화를 남기는 죽음을 내게 가져다 줄 거예요! (31)

3. 기존 질서의 확고함

홀링스워스와 프리실라가 블라이스데일의 숙소로 처음 들어올 때 두 사람은 눈으로 덮인 두터운 망토로 감싸고 있는데 이들의 겉옷은 그들의 모습을 가리는 동시에 그들이 감추고 있는 정체를 드러내기도 한다. 브로드헤드는 호손이 이 작품에서 인물 외관을 통해 그 인물들의 속성을 제시하고 있는 점을 지적하고 있는데(1976, 94) 이들 역시 예외가 아니다. 프리실라가 두르고 있는 망토는 그녀의 빈약한 체구를 나타내는 것 외에 그녀의 모든 것을 가리고 있다. 프리실라의 모습은 제노비아와 정반대이다. 활짝 핀 꽃처럼 생기가 넘치는 제노비아에 비해 프리실라는 "흙이 충분하지 못한 곳에서 햇볕을 전혀 받지 못하고 자란 꽃"(26)처럼 빈약하기 이를 데 없다.

눈 덮인 코트를 입은 홀링스워스는 "불과 얼음"의 이미지가 같이 섞여 있는 듯하다. 홀링스워스를 가리키는 "북극곰," "철의 인간", "불과 얼음의 이미지"와 같은 모든 특징은 자신이 몰두하는 일 외에는 관심도 없고 용납하지도 않는 차갑고 굳어버린 그의 면모를 부각시킨다. 블라이드데일 골짜기에 오기 전 그가 대장장이였다는 점이나 외모에서 풍기는 철의 이미지는 엔디컷("Endicott of Red Cross") 같은 청교도 심판관의 모습을 연상시킨다. 철의 인간이 표방하는 박애주의는 어딘지 어울리지 않으며 좋지 않은 앞날을 예상하게 만든다.

홀링스워스가 이 공동체에 참여한 이유가 무엇인가? 화자인 커버데일은 여기에 홀링스워스가 온 까닭에 대해 처음에는 사회에서 추방당한 자라고 느낀 홀링스워스가 자기와 비슷한 사회 이탈자들 사이에서 마음의 위로를 얻기 위해서일 거라고 짐작한다. 그러나 그는 곧 홀링스워스가 블라이드데일의 땅을 자기가 원하는 용도에 사용하고 제노비아의 재산으로 자신의 계획을 실행하고자 왔다는 사실을 알게 된다. 홀링스워스가 블라이드데일의 대지 위에 죄인들을 위한 교정 학교를 건설하려는 계획은 인간과 자연의 건강한 관계를 맺고자 이곳을 찾은 사람들의 생각을 무시하고 죄인들을 수용하기 위한 거대한 건물을 짓는다는 의미이다. 견고한 건물을 세우려는 그의 생각은 이 공동체에 모여든 사람들이 떠나왔던 기존 사회, 즉 "녹이 슨 철로 이루어진 사회"를 표상하는 건축물을 이 자연 속에 세우겠다는 뜻이다. 여기에 모여든 사람들이 "다양한 믿음과 의견을 지니고 있고 사람이 상상할 수 있는 어떠한 화제에 대해서도 관대한 사람들"(58)이며 어떤 삶의 방식이라도 수용하려는 개방된 생각을 지니는 반 순응주의자(anti-conformist)들이라고 할 때 홀링스워스는 이들에게 자기가 주장하는 하나의 목표만을 제시하고 받아들일 것을 강요한다. 자신의 계획에 동참해줄 것을 간곡하게 설득하는 홀링스워스에게 커버데일이 그의 계획에 동참하지는 않겠으나 친구로 남겠다고 했을 때 "나의 편이 되던지 . . . 아니면 나의 적이 되어야 한다. 당신에게 제 3의 선택이란 없다"(125)고 한 말은 그의 됨됨이를 선명하게 드러낸다.

홀링스워스가 제노비아와 프리실라 가운데서 하나를 선택한 결정은 이 소설의 플롯에 가장 중요한 전환점을 이루는 동시에 그의 인물됨을 분명하게 보여준다. 처음에 제노비아에게 접근해 함께 계획을 세우던 그가 뒷날 프리실라에게 구혼한 것은 프리실라를 웨스터벨트(Westervelt)에게 넘겨준 제노비아의 비도덕성에 염증을 느꼈거나 그의 양심이 회복

된 것이 아니라 제노비아가 받을 거라고 예상한 유산이 프리실라에게 넘어갔기 때문이었다. 그의 이런 행동은 그가 다른 사람들과 사랑으로 관계를 맺는 것이 아니라 물질과 돈과 권력에 의해 관계를 맺는 인간임을 보여준다. 홀링스워스가 프리실라를 선택한 이유와 후에 그가 제노비아를 비난하는 도덕적 정당성 사이의 어긋남이나 인간의 순수한 열정을 자신의 목적에 이용하는 행동의 부도덕성을 깨닫지 못하는 사실은 홀링스워스로 상징되는 인습적 사회의 도덕성에 대한 신랄한 비판이라고 할 수 있다. 당시 개혁운동의 분열이나 천박함 그리고 경직성이 홀링스워스라는 인물로 표상되고 있다(Reynolds 128).

4. 기존 질서의 선택

올드 무디(Old Moodie)의 형이 남긴 유산이 제노비아가 아니라 프리실라에게 상속되는 것은 여러 가지 중요한 의미가 함축되어 있다. 소설 전체를 통해 제노비아는 부유하고 화려하게 나오지만 실제 그녀는 유행이 지난 소박한 옷을 입고서도 "여왕 같이" 화려하고 성적인 매력이 있으며 당당하게 보인다. 이런 제노비아의 모습은 가난에 찌들어 거의 기형처럼 보이는 창백한 프리실라와는 대조적이다. 프리실라는 지갑을 만드는 '재봉사'(seamstress)거나 최면술의 시연을 돕는 '베일을 쓴 여자'(Veiled Lady)이건 간에 그녀는 항상 경제적인 시스템과 연관되어 있으며 사회에 예속되어 있다.

이와 같이 대조적인 모습은 커버데일이 보스톤의 하숙집에서 이 두 여자를 보았을 때 좀 더 분명하게 나타난다. 도시에서의 제노비아는 브룩 팜에서의 온실 생화 같은 모습이 아니라 보석으로 만든 꽃 모양의 머리핀처럼 인공적이고 창백하게 보인 반면 창백했던 프리실라는 생기가 돌며 아름다워 보인다. 커버데일이 "이제야 그녀의 아름다움을 볼 수 있다. . . . 그녀는 꽃처럼 아름답다"(156)고 감탄할 정도로 프리실라가 어여쁘게 제시된다. 이런 프리실라의 모습에는 그녀가 자연 속이 아닌 도회지의 인공적인 취향에 어울리는 꽃과 같은 존재라는 의미가 깔려 있다. 이와 같이 변화된 프리실라의 모습에는 거지 소녀가 귀부인으로 변화되는 동화 같은 환상에 대한 조롱이다. 누추하고 초라한 빈민가의 소녀가 평소 꿈꾸어오던 화려한 귀부인으로 변화되는 모습은 그녀가 결국 예전처럼 남성에게 복종하는 상태로 복귀한다는 사실을 감춘다 (Levy 12). 뿐만 아니라 거의 이 지점에서 프리실라와 제노비아는 그들의 사회적인 관계와 홀링스워스와의 관계 그리고 그들 아버지가 남긴 유산과의 관계가 뒤바뀌게 된다.

돈이 사회체제와 밀접하게 연결되어 있는 만큼 돈은 사회의 인습에 저항하는 제노비아의 것이 아니라 인습에 순종적인 프리실라의 소유이다. 올드 무디가 제노비아에게 주려 했던 유산을 프리실라에게 모두 돌리게 된 데에는 제노비아가 프리실라를 동생으로 잘 돌보지 않았다는 게 가장 큰 이유이다. 작가는 여기에서 이복자매 가운데 가난하게 성장한 연약한 동생에게 재산이 돌아가게 함으로써 사회적 정의를 이룩하는 듯이 보이나 좀 더 깊이 들여다보면 제노비아가 프리실라를 받아들인다는 것은, 제노비아가 거부했던 사회가 만들어놓은 여성을 수용한다는 의미이기도 하다. 결국 제노비아는 사회가 가하는 요구와 타협하지 않앉기 때문에 재산을 잃은 것이다. 올드 무디 역시 그가 가리고 있는 한쪽 눈이 암시하듯 제노비아와 프리실라에게 유산을 동등하게 분배한다는 생각을 하지 못한다. 돈의 모티브는 이 두 여자 사이의 대조적인 면을 강조하는 중요한 역할을 한다. 제노비아가 자연 속의 영원한 여성상을 보여주고 있다면 프리실라는 역사 내에 존재하는 여자이며 남성이 부여한 여성의 사회적 역할에 의해 왜곡되어 육체가 거부된 여자이다. 프리실라는 자유의지가 없고 순종적이며 타인들에 의해 이용당하는 열등한 인물이나 여전히 남성들의 보호를 받고 이상화되는 인물이다.

프리실라는 그녀를 사회적 억압의 희생자로 볼 것이냐 아니면 그런 억압에 필요한 매개자로 보느냐 하는 관점을 분명하게 설정하기 어려운 곤혹스런 인물이다. 왜냐하면 프리실라를 어떻게 생각하느냐에 따라 그녀를 보는 관점이 완전히 달라지기 때문이다. 희생자로서의 프리실라는 동정과 연민의 대상이지만 억압의 매개자로서는 두려움과 불신을 조성하는 인물이다. 재봉사 프리실라는 연약하고 친밀한 존재로 그려진다. 지갑 만드는 일 외의 모든 일에 서툰 프리실라가 밭일을 한다는 것은 상상할 수도 없다. 발육이 덜 된 어린애처럼 비틀거리며 달려가는 프리실라의 모습은 누구라도 기꺼이 도와주고 싶은 마음을 일으킨다. 그녀는 호손의 다른 작품에 등장하는 '금발머리 처녀'(Blonde Maiden)들처럼 작가의 동정과 공감을 얻는 듯하나, 그들과의 공통점은 찾아보기 어렵다. 『일곱 박공의 집』(*The House of Seven Gables*)에서 낡고 어두운 저택을 환하게 만드는 빛과 같은 피비(Phoebe Pyncheon)의 밝고 건강한 시골 아가씨의 면모도, 『목양신 조각』(*The Marble Faun: Or, The Romance of Monte Beni*)의 힐다(Hilda)처럼 뉴잉글랜드 처녀의 순수한 고집스러움도 없다. 프리실라는 언니 제노비아의 죽음에 대해서도 별로 슬퍼하지 않고 홀링스워스의 사랑을 얻는 것에 만족한 "마음이 좁은" 인물이다. 프리실라가 육체적으로 정신적으로 약한 것은 이용당하고 약탈당하면서 살아온 그녀의 인생에서 야기된 것이다. 그녀는 어딘지 비정상적으로 그려지나 그녀의 빈약한 모습은 수줍고 부드러운 태도에 대한 긍정적인 시선이 강조됨으로써 균형을 이룬다. 커버데일은 프리실라에 관해 많은 것을 기억해내려고 애를 쓰지만 그녀는 그의 상상 속의 어두운 그림자에 불과하며 그가 꾸며야 하는 빈 공간이다. 프리실라는 커버데일이 쓰는 '미지근한' 시의 주제로 적당한 인물이다. 섬약함을 이상화시키고자 하는 시적 충동은 유약한 시를 만들어내고 그런 시는 약함을 이상적인 자질로 변화시킨다. '점잖은 체하는 시인'인 커버데일은 의존적이고 자유의지가 없는 여성을 사랑한다고 공표함으로써 자신이 결별하고자 한 보수적이고 인습적인 보스턴의 현 상태를 그대로 유지한다. 그리고 그는 결국 그 사회로 다시 회귀한다.

남자에게 아무런 저항 없이 의존하는 프리실라 같은 여성은 남녀 모두에게 바람직하지 않다. 프리실라는 19세기 미국사회에서 여성의 위치가 노예상태와 다를 바 없다는 사실을 보여준다. 제노비아가 세상이 변하여 "여자가 자기 마음의 깊이와 지성의 빛을 세상이 인정하도록 만드는"(112) 때가 올 거라고 했을 때 홀링스워스는 격분한다.

남자는 여자 없이는 비참하지요; 그러나 여자는, 남자 없이는, 여성이 인정하는 원리에 의하면 상상이 할 수 없을 정도의 괴물이 될 거요! . . . 만약 페티코트를 입은 괴물들이 염두에 둔 그런 목적을 얻는

기회가 생긴다면, 나는 여성들을 그들에게 적합한 울타리 안으로 채
찍질해 몰아넣는 데에 그리고 남성들에게 그들 주권의 확실한 증거
인 육체적인 완력을 사용하도록 요구할 것이요! (114)

여성들에게 군림하는 남성상을 드러내는 증거로써 여자를 완력으로 다
스려야 한다는 홀링스워스의 이 말은 과격하고 경직된 그의 성격을 드
러낼 뿐 아니라 그가 지향하는 사회가 미국의 건국이념이 목표로 하는
평등한 관계가 아니라 약자는 강자에게 복종해야 하는 관계로 이루어져
있음을 말하고 있다. 커버데일은 홀링스워스의 의견에 동의하지 않고
"여성 지배자"(113)에 기꺼이 복종하겠다고 한다. 그러나 그가 얘기하는
여성이 자기보다 약한 존재이기에 선심 쓰듯 자기 위에 올려놓고 복종
하겠다는 아이디어 역시 남성우월주의의 또 다른 표현임을 커버데일은
깨닫지 못하고 있다. 커버데일은 여성 편을 드는 듯한 자기주장이 제노
비아와 프리실라에게 무시당하자 화를 낸다. 홀링스워스의 주장에 반박
하지 않고 "남성이 남성답고 신과 같이 되라 그러면 여자는 당신이 말
하는 존재가 될 테니까"(113)라는 제노비아의 대답을 많은 비평가들은
커버데일의 짐작처럼 그녀가 홀링스워스에게 굴복하는 것으로 생각하
지만(Kaul 201) 베임은 남자가 여자를 자유로운 정신과 의지를 가진 존
재로 생각하지 않고 남자와 동등한 존재로 받아들이지 않는다면 남성은
"남성답지도, 신과 같지도 않다"는 것을 이 소설의 남자들은 인식하지
못하고 있다고 주장한다(Baym 263).
　　"유순한 기식자"이며 "남성들이 여성을 수 세기에 걸쳐 길들여 만들
어낸 여자"(113)인 프리실라는 화를 내는 홀링스워스에게 "전적인 동의

와 아무 의심도 없는 믿음의 눈길"(113)을 보낸다. 홀링스워스의 말을 전적으로 수긍하는 프리실라의 모습은 그녀와 홀링스워스는 하나의 짝을 이루는 같은 종류의 인간들이며 그들이 블라이드데일에 함께 왔던 것처럼 떠날 때도 같이 갈 것을 짐작하게 한다. 그러나 프리실라는 홀링스워스를 사모하기는 하나 아내나 친구 같은 대등한 관계를 맺을 수 없다. 홀링스워스가 프리실라를 웨스터벨트에게서 구해주지만 이는 그녀의 비극에 종지부를 찍는 것이 아니라 그녀의 비극을 심화시킬 뿐이다 (Levy 12). 프리실라는 홀링스워스의 여동생 같은 존재에서 종국에는 제노비아의 죽음에 괴로워하며 기개가 꺾여 버린 홀링스워스를 돌보는 보모로 바뀌었을 뿐이다. 그녀가 생활능력이 없는 아버지 올드 무디를 돌봤던 것처럼. 어떤 형태이든 동등하지 않고 주종 관계인 프리실라와 홀링스워스는 여성을 무시하는 남성은 자기 역시 격하되는 것 같다는 제노비아의 말에 타당성을 부여한다.

> 남자는 자기가 사랑하는 사람을 향해 허리를 굽힘으로써 자신을 낮출 수 없다면 자족하지 못하지요. 여성의 권리를 부인하는 남성은 그가 여성의 이해관계를 완전히 무시하기보다는 자신의 이해관계를 점점 더 보지 못하게 되는 것을 드러내게 되지요. (113)

이런 문제들이 '베일 쓴 여자'(Veiled Lady) 이야기에서는 좀 더 내밀하고 위험한 수준에서 다시 논의된다. 웨스터벨트가 부리는 최면술의 대상으로 무대 위에 등장하는 프리실라는 여러 겹의 흰 베일을 쓰고 있다. 19세기에 베일의 의미는 영적 존재로서 여성을 표상할 때 많이 사용하는 장치였으나 프리실라가 보이지 않는 것을 투시하는 능력을 가진 존재임을 보여주는 순간은 사실 웨스터벨트가 그녀를 착취하고 있으며 그녀 영혼이 부정당하는 순간이다. 웨스터벨트가 하는 이런 쇼는 물질화되어 가는 서구사회에서 영혼이란 돈으로 계산되는 것 외에 별 의미가 없다는 점을 보여준다(Bales 504). 올드 무디가 프리실라가 손재주를 이용해 만든 지갑을 팔아 돈을 벌었다면 협잡꾼 웨스터벨트는 그녀의 영혼을 이용해 돈을 번다. 프리실라의 베일과 빈약한 몸집, 그리고 그림자 이미지는 "녹아드는 눈"이라는 메타포와 함께 여성의 영혼을 이상화함으로써 육체가 부인 당해 그림자 같은 존재로 여성을 변모시키는 것을 상징한다. 웨스터벨트 역시 이 점을 지적하고 있다.

> 프리실라는 뉴잉글랜드 지방에서 드물지 않은 섬세하고 신경이 예민한 어린 처녀 가운데 한 사람이지요. 나는 그 처녀들이 몸의 기관을 서서히 정련시킴으로서 우리가 찾게 되는 존재가 되어 갔다고 생각합니다. 어떤 철학자들은 그런 당신네 여성들 가운데서 그것을 영적이라고 이름 붙여서 이런 신체적인 체질을 찬양하였지요. (89)

육체를 부인하는 것은 육체가 불러일으키는 감정을 부인하는 것이고 이는 정상적인 성(sexuality)을 부인하는 것이다(Brodhead 1989, 274). 커버데일이 웨스터벨트를 숲에서 처음 만나는데 호손 문학에 나타나는 장소 배치의 상징으로 짐작해보면 숲은 마음과 영혼의 깊은 곳을 가리킨다. 커버데일의 심리적 측면에서 웨스터벨트는 커버데일이 지니는 성에 대한 냉소주의와 공포심을 표상하는 인물이며 자연에 뿌리를 내린 건강한 삶을 부인하는 사회 전략이 내면화된 존재라고 할 수 있다. 커버데일은

"웨스터벨트에게서 자신의 일부를 보기 때문에 더욱 혐오한다"(95).

굿맨 브라운(Goodman Brown)을 숲에서 안내한 남자가 브라운의 조상을 연상시킨 것처럼 19세기의 악마라고 할 수 있는 웨스터벨트의 외모가 도회지의 커버데일 모습을 그대로 재현하기 때문에 커버데일은 그에게 더욱 혐오감을 느낀다. 베일과 악마적인 인물이 연관이 있다는 사실은 베일을 쓴 여성이 남자들이 만들어놓은 환상임을 보여주며 그 환상은 진정한 여성으로부터 사람들을 멀어지게 만든다. 그렇지만 굿맨 브라운의 악마가 선과 악이 존재하는 숲의 의식에 브라운을 데리고 가 인간의 진면모를 보도록 했던 것처럼 웨스터벨트는 선과 악의 충동을 동시에 지니고 있고 생명력이 넘치는 제노비아가 프리실라보다 "훨씬 더 나은 여성"(89)이라는 사실을 커버데일에게 알려준다. 그러나 굿맨 브라운처럼 커버데일 역시 웨스터벨트의 말을 이해하지 못한다.

제노비아가 블라이드데일 사람들에게 들려주는 「은색 베일의 이야기」 ("The Legend of the Silvery Veil")에서 시어도어(Theodore)는 베일 쓴 여자에게서 두 가지 제안을 받는다. 베일을 들어 올리지 말고 자기에게 키스해 자신을 해방시켜 주거나 키스하지 않고 베일을 들어 올려 "악의 운명"에 빠지도록 해달라는 제안이다. 시어도어는 "신성한 믿음"과 "조롱 섞인 회의와 나른한 호기심"(105) 둘 가운데 선택해야 한다. 그의 선택은 이 소설의 모든 인물들에게 주어진 선택, 다시 말하면 타인을 아무 조건 없이 신뢰하며 사랑하는 마음으로 그들을 자유롭게 해주든가 아니면 자신의 목적에 타인을 종속시키는 이기적인 의도 사이에서 선택해야 한다는 것을 반영하고 있다. 베일 쓴 여자의 제안에 시어도어는 그녀에 대해 온갖 끔찍한 상상을 하며 그녀를 믿지 못해 베일 사이로 그녀를 훔쳐봄으로써 두 개 제안 모두를 거부해 그녀를 해방시켜 줄 기회를 놓친다. 베일 속의 여자는 슬퍼하며 어디론가 사라져 버리고 그녀의 기억이 악몽처럼 시어도어의 일생을 따라다니며 그는 점점 실체를 상실해간다. 시어도어의 행동은 앞서 이야기했던 바대로 이 소설에 등장하는 모든 남성들이 했던 행동과 그들의 미래를 보여준다. 베일 쓴 여자가 한 제안은 호손이 사랑이라고 정의한 "위험을 기꺼이 감수하는 상호교류"(Millington 574)이다. 다른 이들의 인생에 깊이 개입하는 데서 비롯되는 고통이나 위험은 감수하지 않으면서, 타인의 가슴 속 비밀을 끝없는 호기심으로 들여다보는 커버데일이나 인간에 대한 연민이나 사랑보다 자기과업이 더 중요한 홀링스워스 그리고 남의 영혼까지도 자기 목적에 거리낌 없이 이용하는 웨스터벨트 모두 다 시어도어와 공통점이 있다. 이들의 인생이 공허하다는 점에서도 비슷하다.

　제노비아가 들려주는 에피소드가 일차적으로 프리실라의 앞날을 이야기하는 듯하지만 멀리 보면 제노비아의 운명을 예견하게 한다. 그녀 주변의 남자들, 즉 웨스터벨트, 홀링스워스, 커버데일은 제노비아의 '진정한 여성성'에 답해야 하며, 과거의 상처를 안고 있는 그녀를 아무 조건 없이 있는 그대로 받아들여야만 한다. 커버데일은 제노비아의 비극에 대해 웨스터벨트와 홀링스워스를 비난하나 그 역시 비난에서 자유롭지 않다. 베일 뒤의 여자가 누구건 간에 그녀는 영혼과 함께 살과 피를 가진 육체적 존재로 인식되어야 한다. 인생은 영혼만이 아니라 육체에 의해 실현되어진다. 프리실라는 남자들이 씌어놓은 이상형에 감금되어 있고 제노비아는 그 이상형에서 이탈했기 때문에 처벌받는다. 이런 이상형은 인간을 죽은 거나 마찬가지 상태로 살게 하며 살아 있는 인간이 아닌 베일 쓴 여자같이 실체가 없는 환영으로 영원히 변화시킨다.

블라이드데일의 프리실라는 제노비아에게는 위험한 존재이다. 제노비아는 그것을 느끼고 거리를 유지하고자 한다. 이것을 실행하는 제노비아의 책략이란 자신의 풍요로운 여성성과 프리실라의 육체적 빈약함을 대비시키는 것이다. 그러나 이 전략은 성공하지 못한다. 제노비아가 상대방의 정체를 드러낼수록 남성들의 개입을 유도하기 때문이다. 프리실라와 제노비아가 비교될 때 프리실라가 빈약하고 처량하게 보일지라도 제노비아와의 싸움에는 경쟁력이 있다. 남자들은 자신들에게 의존하는 노예와 같은 프리실라를 보호하는데 최선을 다할 것이다. 그들은 모두 프리실라의 편이며 제노비아는 다만 자신을 남자들에게서 떼놓는 데만 성공했을 뿐이다.

블라이드데일 공동체의 상황은 점점 더 극단으로 치달아 커버데일이 보스톤에서 이 공동체로 다시 돌아왔을 때는 반목이 있던 예전 순간들마저도 조화로웠다고 생각될 정도로 악화되어 있다. 가장행렬 파티가 끝나고 다시 "엘리엇의 바위"에 제노비아, 홀링스워스, 프리실라 그리고 커버데일까지 모두 모였을 때 제노비아는 커버데일이 오기 전 자기를 마치 청교도 재판관처럼 비판한 홀링스워스에게 반론을 시작한다. 호손은 중요한 순간에 커버데일이 반시간 늦게 도착하게 만듦으로써 그 내용이 무엇인지 분명하게 밝히지는 않으나 홀링스워스가 과연 제노비아를 비난할 자격이 있는지 의심스럽다. 그러나 홀링스워스의 비난은 그녀에게는 치명적이다. 제노비아는 남성들이 주도하는 세계에서는 설 자리가 없다.

제노비아의 죽음은 '축복의 계곡'이라는 의미의 블라이드데일 골짜기를 죽음의 계곡으로 만들고 남은 사람들의 여생을 황폐하게 만든다. 낡은 인습의 껍질에서 벗어나기 위해 그들 모두에게 필요했던 존재가 사라져 버림으로써 그들은 거듭날 기회를 영원히 놓쳐버린다. 홀링스워스와 프리실라의 결합은 『일곱 박공의 집』의 홀그레이브(Holgrave Maule)와 피비의 결혼이 깔고 있는 적대적인 양가가 화해를 하고 새 출발을 할 전망이 없다(McWilliams 122, Millington 559). 홀링스워스와 프리실라의 결혼은 프리실라에게 사랑의 고백을 할까 말까 망설이면서 "아무것도 아니다, 아무것도, 아무것도"(255)라고 했던 커버데일의 말처럼 어떠한 결실도 맺지 못한다. 커버데일은 자기에게 텅 빈 미래만이 남아 있다는 점을 의식하면서 보스톤으로 돌아간다. 그가 처음 블라이드데일 공동체에 왔을 때 소망했던 새로운 인간으로 새로운 노래를 부르는 시인이 아니라 상처받은 인간으로 이곳을 떠나는 것이다. 그의 탐색은 결국 실패로 끝난다.

커버데일은 강하게 끌렸던 제노비아에게 다가가지 못하고 그녀의 비밀을 캐는 데만 온 마음을 쏟았으며 자기 계획에 동참해달라는 홀링스워스의 제안도 받아들이지 못한다. 커버데일은 자기에게 아무 요구도 하지 않고 열정도 일으키지 못한 프리실라에 대한 사랑 고백을 12년이나 흐른 다음 사족으로 덧붙이고 있다. 동등한 관계에서 인습의 속박에서 해방된 공동체를 건설하기 위해 이 계곡에 왔지만 사람들은 자기들이 떠나왔던 사회의 갈등을 되풀이하고 있을 뿐이다. 그런데 이 갈등이 보다 작은 규모의 사회에서 빚어짐으로써 구성원들에게 그 영향이 더욱 강력하게 행사하게 되면서 그만큼 더 참담한 결과를 초래하게 된 것이다.

5. 새로운 인식의 요구

　커버데일이 실패한 공동체에 관해 글을 쓰고 있다면 호손은 실패한 인간들에 관해 글을 쓰고 있다는 저스터스(James Justus)의 지적대로(122) 블라이드데일에 왔던 사람 가운데 누구도 기존 사회의 가치에서 자유로워진 사람이 없다. 자신의 계획을 실행하기 위해 여기에 참여한 홀링스워스는 그 계획을 현실로 옮길 수 있는 경제력이 있는 프리실라와 결혼을 했음에도 과거 자신의 행동 때문에 연약한 프리실라에게 의존하는 풀 죽은 인간으로 변해버렸다. 자유의지가 아니라 타인에 의해 이끌려왔던 프리실라는 자신감 넘치는 남성다운 홀링스워스의 사랑을 받는 여인이 아니라 상심해 기운이 빠져버린 그를 돌보는 유모 같은 존재로 전락했으며 언니 제노비아의 비참한 죽음에도 불구하고 어떤 변화의 조짐이 없다. 이 작품에서 가장 자유롭고 생명력이 넘치던 제노비아 역시 과거에 맺은 웨스터벨트와의 관계를 청산하지 못하고 기성사회의 원동력인 돈의 영향력에서 헤어나지 못해 유산의 행방과 함께 떠나버린 남자로 인해 파국을 맞는다. 제노비아로부터 "무례한 호기심, 간섭을 좋아하는 성격, 차가운 비판"(157)의 소유자로 비난받은 커버데일은 어느 누구와도 진정한 관계를 맺지 못한다. 이런 커버데일이라는 인물을 통해 호손은 다른 사람과 관계를 맺는 것을 주저하며, 인간 본래의 불완전함을 감싸 안지 못하는 사람은 아무것도 창조하지 못하는 황폐한 삶을 살 수밖에 없음을 피력한다(Justus 352).

　『주홍글자』의 헤스터가 모든 권리를 거부당한 채 침묵 속에서 사회에 굴복하지 않고 묵묵히 그 사회를 살아내 많은 여성들에게 위로와 힘이 되어 주었던 반면, 여성의 권리에 대해 열렬히 주장했던 제노비아는 자살로 허무하게 생을 마감한다. 이 두 여주인공이 보여준 삶의 방식의 차이에는 두 가지 이유가 존재한다. 첫째, 『주홍글자』의 시대 배경이 작가를 당대의 묵시적인 검열에서 자유롭게 해준 200여 년이라는 시공의 차이가 존재했고[1] 두 번째로는 작가의 시대 인식 차이에서 비롯되었을 것이다. 호손 작품 가운데서 가장 통렬하다는 제노비아의 죽음은 19세기 사회에 대한 작가의 인식을 말해준다. 17세기 청교도들은 헤스터가 마을 경계선에 있는 오두막에서나마 딸과 삶을 꾸려나가도록 묵인했을 정도의 "커다랗고 따뜻한 마음씨"를 지니고 있었으며 자기들이 신성한 의무를 실천하고 있다는 경직되나 엄정한 도덕의식은 존재했었다. 그러나 호손이 본 19세기 미국사회는 헤스터의 삶처럼 고통스러우나마 삶을 지속하게 하는 제 3의 선택조차 용납하지 않는다. 작가는 자기가 살던 사회는 "기존 사회의 가치에서 머리카락 한 올 만큼이라도 벗어나는 여자"(206)는 생존에 치명적인 제재를 받을 수밖에 없음을 분명히 제시한다. 동시에 19세기의 제노비아는 그녀가 머리에 자주 달곤 하던 온실의 화려한 꽃처럼 헤스터가 가슴에 달고 있는 A자가 표상하는 자기 운명에 대한 진지한 성실함과 정직함을 가지고 있지 않다(Brodhead 1976, 99). 그 뿐 아니라 곤경에 처한 사람 주위의 인물들 역시 타인의 고통에 대해 끝없이 호기심만을 발동할 뿐이지 진심으로 그 사람을 도와주려는 생각이 없는 비정한 인간들이다. 제노비아가 언젠가는 비참한 운명을 맞이

---

1) A. N. Kaul은 호손에게 있어 17세기는 성실한 민주적 시민으로서 자기 나라의 유산을 평가하고 비판자가 되는데 자유로울 수 있는 공간이라고 말한다(Kaul 146).

하리라는 것을 예견하고 있던 커버데일까지도 그녀를 죽음에 이르도록 방치하고 있을 뿐이다.[2] 커버데일은 제노비아의 죽음에 대해 무책임하게 홀링스워스만을 비난하고 있다. 제노비아의 죽음은 19세기의 사회와 인간의 타락성 정도를 가늠할 수 있게 한다.

블라이드데일 공동체의 실패는 당시 사람들이 개혁에 대해 갖는 낭만적인 신뢰를 우려하며 무한한 발전 가능성을 맹목적으로 추종하는 풍조에 대한 호손의 깊은 성찰이라 할 수 있다. 또한 작가는 과거와 완전히 결별하고 새로운 사회, 새로운 인간관계를 정립하는 것은 "인간성 자체를 바꾸는 일 만큼이나 지난한 일"이라고 했던 헤스터의 말처럼 간단치 않음을 다시 한번 이 작품을 통해서 말하고 있다. 제노비아의 돌연한 죽음과, 축복과 사랑이 보이지 않는 홀링스워스와 프리실라의 결혼, 프리실라에 대해 커버데일이 하는 믿음이 가지 않는 사랑의 고백, 그리고 보스톤으로 돌아온 뒤 자칭 "늙은 독신남"이라는 커버데일이 자신의 일상을 토로하는 마지막 장은 새로운 사회의 건설이란 거의 불가능하다는 점을 암시한다. 그러나 또 한편으로는 이러한 결말은 시장사회를 살아가는 작가로서 당시 미국인들이 추종하던 가치관에 정면 도전을 피하며 어쩔 수 없이 타협할 수밖에 없는 호손의 고충을 엿보게 한다. 즉 19세기 사회의 축도라 할 수 있는 이상적인 실험 공동체의 실패를 담아낸 참담한 보고서를 호손은 인습적인 두 사람의 결합과 기존 사회가 빚어놓은 순종적인 여자에게 화자이며 주인공인 인물이 사랑을 고백함으로

---

2) Beverly Hume(390), Jennifer Flieschner(523)와 같은 비평가들은 커버데일이 제노비아를 살해했을 가능성을 강하게 암시한다.

써 그리고 보스톤으로 돌아온 다음 주인공의 피상적인 평온한 삶을 제시함으로써, 당대 사회에 대한 자신의 신랄한 평가를 은폐하고 있다.

그러나 호손이 다른 작품들과 달리 화자를 등장시켜 이 공동체에 대한 보고를 하게 만드는 것에서 짐작할 수 있듯이 작가 호손은 화자 커버데일과 거리를 둠으로써 자신의 의도를 에둘러 피력하고 있다. 작가는 새로운 공동체 건설의 실패를 전달하는 이야기를 통해 보다 나은 새로운 세계로 전진하는 방법을 역설적으로 제시하고 있는 것이다. 우리는 작가가 우리 스스로 파악해 주기를 열망하는, 화자가 이야기하는 피상적이고 타협적 결말 아래 번뜩이고 있는 당시 사회와 인간에 대한 호손의 예리한 통찰에 주목해야 한다. 언뜻 절충적으로 보이는 마무리 뒤에 가려진 19세기 미국사회에 대한 호손의 통렬한 비판을 읽으면서 우리는 사회와 인간 실존의 핵심에 존재하는 한계를 꿰뚫어보는 작가의 인식이 갖는 정직함과 날카로움을 새삼 돌아보게 된다. 동시에 소설 속 인물들의 고통스런 실패를 통해 타인에 대한 무조건적인 신뢰와 고통의 분담을 두려워하지 않는 새로운 인식에로의 전환이야말로 좀 더 바람직한 사회가 가능하게 된다는 호손의 메시지에 귀를 기울여야 할 것이다.

『대리석 목양신』
목양신의 역사화, 탈역사화

I. 들어가는 글

호손은 친구이자 편집인이었던 틱너(William Ticknor)에게 보내는 편지(1860년 4월 6일)에서 『대리석 목양신』(*The Marble Faun: or the Romance of Monte Beni*)의 발간을 환영하는 호의적인 서평에 대해 이렇게 자기 심정을 토로하고 있다.

저는 당신이 보낸 느낌과 후한 칭찬에 깊이 감사드립니다. 오랫동안 자리를 비웠고 작품을 발표하지 않았던 다음이라 저는 칭찬을 받아서 기분이 아주 좋습니다. 제게 그 칭찬은 친구들이 제가 돌아온 것을 환영해주는 소리로 들립니다. 그런데 사실은 제가 무언가를 잘 썼다면 그 작품은 이 로맨스여야 한다고 생각합니다. 그 이유는 이 작품보다 더 깊이 생각하고 느끼고 고생을 한 적이 없었기 때문이지 요. (*Letters* 262)

위의 편지에서 밝힌 바대로 가장 고생을 하면서 썼다는 호손의 마지막 장편『대리석 목양신』은 발표 당시 평이 좋았고 그의 장편 가운데 가장 많은 부수가 팔렸다. 그러나 이 소설은 지금의 독자들에게는 가장 주목을 받지 못하고 있다(Bell 355). 많은 평자들이 이 소설을 '인간의 타락'(Fortunate Fall)에 관한 탐색이며 뉴잉글랜드 청교도의 한계를 그리는 작품으로 해석하고 있듯이(Liebman 62, Lewis 118, Male 157) 이 작품은 당시 미국사회의 문제를 전면에 드러내지 않아 당시 사회문제와는 전혀 관련이 없는 듯하다.

호손이 대학을 졸업하고 12년 동안 칩거하며 지낸 습작 기간이 호손에게 현실과 유리된 작가라는 꼬리표를 달게 했으나 호손은 당시 지적 사회적 운동이었던 초월주의 공동체인 브룩 팜(Brook Farm)에 참여한 바 있고 결혼한 다음에는 가족을 부양하기 위해 끊임없이 일자리를 얻으려고 노력한 가장이었다. 호손은 당시 자기가 지지한 정당이 정권을 잡는 것에 따라 일자리를 얻기도 하고 밀려나기도 했으며 대학 동창 피어스(Franklin Pierce) 대통령의 선거용 전기『프랭클린 피어스의 인생』(*Life of Franklin Pierce*)을 쓸 정도로 당시 정치상황에 깊은 관심을 가지고 사회 변화를 주시하는 사람이었다. 그러나 대부분 그의 작품이 보여주듯이 호손은 자기 의도를 감추고 "예민한 독자"만이 그것을 알아차릴 수 있도록 완곡하게 이야기한다. 『주홍글자』(*The Scarlet Letter*)에서 19세기 미국인들의 문제를 숙고하기 위해 17세기 뉴잉글랜드 식민지 사회로 돌아갔던 것처럼 『대리석 목양신』에서 호손은 남북전쟁 직전의 혼란스런 미국 사회의 문제를 이탈리아를 배경으로 투사하고 있다. 이 로맨스를 발표할 당시 이미 미국문학의 정전작가로 자리를 잡았던 호손은 이전 작품보다 훨씬 간접적으로 당대의 급박한 문제를 다루고 있다.

  『대리석 목양신』의 「서문」에서 그는 "이탈리아는 시적이나 동화적인 영역을 제공하기 때문에 로맨스의 장소로서 그에게는 중요하다. 이탈리아에서는 미국에서처럼 사회 현실이 당위성을 가지고 심각하게 압박을 가하지 않는다"(3)고 하면서 독자로 하여금 1850년 대로마를 영광스런 과거의 유적을 가진 "영원한 도시"(Eternal City)로 생각하게 만든다. 호손은 이 로맨스의 중심에 자리잡고 있는 정치·사회적인 문제에 관한 관심을 가리고 인간의 타락이라는 주제를 다루는 알레고리로 독자들의 시선을 돌리고자 한다. 그렇지만 인간의 타락이라는 동일한 주제를 다루는 밀턴의 『실락원』(*Paradise Lost*)이 17세기 영국을 뒤흔든 청교도 혁명을 관통한 정치적인 긴장에 대한 탐색이며 혁명의 소용돌이 한가운데서 혁명의 흥망성쇠를 직접 겪은 작가의 소산이라는 점을 생각하면[1] 이 작품을 단순한 알레고리로만 읽을 수 없다는 점을 짐작할 수 있다. 호손이 로마는 다만 동화의 땅이라고 하면서 자기 작품을 우화적으로 해석할 것을 부추기는 듯 하지만 사실 그는 알레고리를 사람들의 도덕

---

1) 많은 비평가들이 '인간의 타락'에 관한 호손의 개념이 밀턴과 같다는 점을 지적했다 (Liebman 64, Levine 19).

적, 역사적 한계를 반영하는데 사용한다.

호손이 가족과 함께 1858년 1월 이탈리아에 왔을 때 펠리스 올시니(Felice Orsini)라는 이탈리아 민족주의자가 파리에서 나폴레옹 3세를 암살하려고 시도했었다. 그 사건이 가져온 결과 가운데 하나는 이탈리아를 통치하던 오스트리아 황제를 이탈리아에서 추방하고 빼앗은 땅 가운데 프랑스는 니스와 사보이를 피에몬테 공국은 롬바르디아와 베네치아를 받는다는 프랑스와 피에몬테 공국 사이의 타협이었다.[2] 19세기에 본격화된 이탈리아의 독립운동 '리소르기멘토'(Risorgimento)[3]는 서로마제국의 붕괴 이후 처음으로 이탈리아 반도를 하나의 나라로 통일시킨다는 대의가 그 근거를 가지게 되었다. 1849년 가리발디(Giuseppe Garibaldi) 군대는 로마를 공략하였고 마찌니(Giuseppe Mazzini)는 그곳을 중심으로 공화정을 선언했으며 이에 교황 비우 9세(Pius IX)는 해외로 도피했다. 프랑스는 교황을 다시 세운다는 명목하에 이탈리아의 정치적 상황에 개입했고 이탈리아의 독립을 원하는 민족주의자들로부터 교황을 보호하기

---

2) 피에몬테는 1820년에서 1821년, 1848년에서 1849년 두 번에 걸친 오스트리아 황제에 저항하는 전쟁이 실패로 돌아간 다음 일어난 1859년에서 18161년에 걸친 이탈리아 통일운동의 출발지였다. 이 과정을 종종 Piedmontisation이라 칭한다. 그러나 이는 후에 발생한 농부들의 운동과 결을 달리하게 된다. 피에몬테의 사보이 왕가는 이탈리아의 창고 역할을 하게 되고 피에몬테의 수도 튜린(Turin)은 이탈리아의 수도가 되지만 영토의 획득은 역설적으로 이탈리아에서 피에몬테의 중요성을 축소시켜 수도가 플로렌스로, 그 다음에는 로마로 이전하게 되었다(Columbia Encyclopedia 참조).

3) Risorgimento는 영어는 'resurge,' 우리말로는 '부활'로 옮길 수 있는데 이탈리아 역사에서 이 용어는 "대략 1750년대에 시작해서 1870년대까지 지속된 이탈리아 통일을 이끈 문화적 민족주의와 정치적인 운동을 가리킨다"(Riall iv).

위해 10년 동안 로마에 군대를 주둔시켰다. 호손 가족이 이탈리아를 떠난 1859년 5월 이탈리아 통일운동에 결정적인 전투가 시작되었는데 호손은 이탈리아 체류 기간에 일어난 그곳의 정치적 상황을 완전히 간과할 수는 없었을 것이다.

그러나 이 시기의 호손의 일기와 편지들은 이탈리아의 유적과 예술, 기후나 거리 그리고 다른 미국 여행자들에 관해 기록할 뿐 예민한 정치 사회적인 문제들은 언급하지 않는다. 하지만 호손이 16개월 동안 이탈리아에 체류하며 쓴『대리석 목양신』은 그곳의 정치적 상황에 대한 그의 관심을 감추지 못한다. 로마와 이탈리아 지방의 이교적이고 가톨릭적인 배경을 차용하면서 이탈리아에 대한 당시 인습적인 개념과 인류 타락의 우화를 전면에 내세우는 이 도덕적 드라마에 호손은 세 명의 외국인 예술가를 등장시켜 로마의 예술과 예술적인 장인 솜씨에 관한 의견들을 집어넣는다. 그래서 이 로맨스는 예술의 창작과정을 주제로 하고 도덕적인 논평의 틀로서는 예술 비평을 이용하였으며 부유한 미국인들을 위한 관광안내서로써 받아들여지기도 했다(Levy 93, Buzard 168).

이 작품을 로마 유적을 소개하는 관광안내서와 인간의 타락을 주제로 하는 청교도 도덕극으로 해석하는 비평은 이 작품이 배경으로 하는 이탈리아라는 장소와 작품이 집필된 시기가 갖는 의미를 간과하고 있다. "로마의 무거운 과거와 나란히 했을 때 우리가 다루거나 꿈꾸는 모든 문제들은 덧없고 환상처럼 보인다"(6)고 하면서 로마가 "예술의 고향"이며 유장한 역사를 지닌 "영원한 도시"라는 점을 작가는 계속 상기시킨다. 그러나 동시에 예술적 독창성의 관점에서 보자면 현재의 시점에서 어떠한 예술도 로마에서는 창조되지 않은 듯이 보인다. 이 소설에서 활

기차고 현존하는 당대 역사나 이탈리아 반도의 현실 정치와 문화는 로마라는 도시의 기념비적이고 정전적인 역사에 자리를 양보한다. 호손이 그리는 로마에는 실제 사건이나 현실을 살아가는 로마사람들은 등장하지 않고 현실보다 확대되고 조화를 이루지 못하는 요소들이 존재하는 공간이다. 우화적인 로맨스가 무정부적이고 비정치적인 주제의 환상을 전달한다면 표면으로 드러나지 않는 당시 이탈리아의 현실 묘사는 근본적으로 불안정한 당시 국가의 이야기를 암시한다. 로마에 관한 서로 다른 성격의 두 이야기는 미국이라는 조국의 종말에 대한 작가의 염려와 국가를 유지하고 강력하게 만들 수 있는 제국적인 비전 강화에 대한 희망을 이야기한다.

이런 모순들은 이 로맨스의 해결되지 않는 양의성을 드러낸다. 이런 양의성은 식민본국이던 제국에 대한 향수와 이 향수가 만들어내는 의존적인 태도에서 비롯된다고 할 수 있다. 왜냐하면 이런 양가적인 입장은 현재 혁명적인 폭력으로 흔들리고 위협당하는 국가에 안전하다는 환상을 주기 때문이다. 이런 향수와 의존적인 태도는 당시 미국이 국제사회에서 주장하는 예외주의와 미국의 정치적 위상이 상승하는 것이 정당하다고 주장하는 이념과는 상반된다. 1850년대라는 특정한 시기는 미국이 루이지애나, 뉴멕시코, 캘리포니아라는 거대한 영토를 획득하면서 국토 확장이라는 제국주의적 야심이 팽배하던 시기와 노예문제로 야기된 남북전쟁 사이에 끼어 국가 정체성 문제에서 난관에 봉착한 때였다. 이런 시기에 쓰인 『대리석 목양신』은 호손이 처음 의도했던 것보다는 많은 것들을 기록할 수밖에 없었을 것이다.

호손은 이 로맨스 「서문」에서 "우리나라에는 로맨스를 쓰기 어려울 정도로 어두운 그림자나 신비감이나 범법 행위가 없다"(3)고 하지만 우리는 칠박공이 있는 어두침침한 고택에 사는 핀천 가족(The Pyncheons)이나 건국의 출발에 대한 의문을 제기하는 "엄숙하고 무거운" 그의 단편 작품들이 떠오른다. 그러나 『대리석 목양신』의 서문은 이런 것들과는 전혀 관계가 없는 듯한 태도를 취하고 있다. 이는 역설이라고 하기에는 "당시 미국 현실이 동화와 시를 받아들이기에는 너무 거칠고 정치화되어 가는 현상에 대한 씁쓸한 유감이 함축되어 있다"(Kemp 210)고 볼 수 있다.

이렇게 현실에 거리를 두는 서술 전략은 대체로 정면으로 다루기 어려운 주제를 이야기해야 할 때 사용된다. 호손이 『주홍글자』의 서문인 「세관」("The Custom House")에서 말한 로맨스의 공간인 "중립적인 공간"(Neutral Territory)은 상상력을 투사해 이런 현실을 변화시키는 영역이다. 『주홍글자』의 주요인물들이 빚어내는 갈등과 그 해소방식은 타향살이와 정착, 귀향과 타협이라는 민족 이야기를 만들어낸다. 『주홍글자』에서 식민지 정체성과 국가 건립의 과제를 조명하던 문제는 『대리석 목양신』에서는 탈식민지인들이 겪는 갈등과 제국주의에 관한 관찰로 전환된다.

이 글은 이탈리아를 배경으로 하는 소설에 당시 미국사회에 대한 호손의 관심이 어떻게 투영되고 있으며 정치적 독립을 쟁취한 미국이 영토를 확장하는 제국주의적 식민본국으로 변화되는 과정에서 분열될 위기에 처한 고국을 하나로 묶어줄 민족 이야기를 창조하고자 한 호손의 야심 찬 노력을 찾아보고자 한다.

2. 민족 이야기의 창조

이념적인 문제를 알레고리로 변장시킨 이 로맨스의 등장인물들은 미국이라는 민족(nation)과 국가(state)를 격렬한 소용돌이로 들어가게 만들 문제를 구현한다. 미국적인 순진함과 신교도의 순결을 상징하는 "청교도의 딸"(399) 힐다(Hilda)는 인종적으로 혼혈이며 불투명한 과거를 지닌 미리엄(Miriam Schaefer)과 그녀의 연인이자 인종적으로나 사회적으로 '원시인'이라고 할 수 있는 도나텔로(Donatello)와의 만남으로 타락을 경험한다. 미리엄과 도나텔로가 상징하는 원시적이고 저항적인 세력이 가하는 폭력적인 위협은 힐다의 구출 그리고 힐다와 미국인 조각가 캐넌(Keynon)과의 결합을 통해 제압당한다. 결국에 가서 두 미국인들은 자기 나라로 돌아감으로써 이탈리아 혁명의 무질서한 회오리에서 빠져나온 반면, 범죄자 도나텔로는 투옥되고 도나텔로에게 살인을 '교사한' 미리엄은 스스로 고립을 택한다.

호손은 현실에서는 이룩하지 못했지만 예술과 "동화의 영역"에서 사회적 분열과 남북전쟁의 발발을 끝까지 억제할 수 있었다. 1850년대 남부와 북부 간의 노예문제와 영토분쟁을 조정하는 '타협법안'(The Compromise Act)으로 남북 간의 긴장이 완화되는 동안 호손은 노예폐지론자들을 반대하는 글을 『프랭클린 피어스의 인생』(1852)에 쓸 수 있었다. 호손은 노예폐지론자들이 노예주들(The Slave States)과의 싸움에서 "200년 동안의 기적을 통해 하느님의 섭리가 통일을 이루어낸 나라를 조각내고 신성한 맹세를 깨뜨리며 헌법을 갈기갈기 찢는 것"(351) 외에는 어떤 해결책을 찾지 못했다고 한다. 그러면서 그는 "이 문제를 누구도 관여하지 않고 내버려 둔다면 하느님의 섭리가 노예제도를 꿈처럼 사라지게 할 것"(352)이라고 결론을 내린 바 있다. 하지만 1860년 턱너에게 보낸 편지에는 그런 편안한 마음을 찾을 수 없다. 그는 "연방이 해체되는 것을 찬성한다. 그 문제에 관해 노예폐지론자들이 극단에까지 밀어붙이기를 희망한다"(Letters 227)고 하면서 "연방이 태초부터 존재했던 것은 아니다. 그것은 하느님의 법이 아니라 인간이 만든 계획"(255)이라고 말하고 있다.

호손에게 국가와 대치되는 민족은 정치적인 구조가 아니라 형이상학적인 틀이다. 그에게 민족 이야기는 신의 섭리가 작동하는 영역이다. 정치, 저항, 전쟁 같은 인간의 방식은 정상 궤도를 벗어났으며 신의 섭리를 좌절시킨다는 것이다. 고국에서 멀리 떠나 있는 사람은 노녁석 황무지에서 이상적인 사명을 표명함으로써 민족을 재발견하게 된다. 정치적인 국가는 항상 유토피아를 지향하는 신심 깊은 '민족'과 연결지으려 하고 그와 반대로 식민지의 민족주의나 식민본국에 저항하는 독립운동을 하는 '민족'은 상상 속의 국가와 접속되기를 바란다. 따라서 민족주의는 식민 상태를 벗어난 탈식민 시기에는 유지하기 어렵고 문학에서는 다루기 어려울 수 있다. 혼돈스러운 나라 상황과 더불어 호손은 『대리석 목양신』을 쓸 때쯤 이런 갈등을 극심하게 겪었을 것이다.

탈식민 이야기와 제국주의적 외상이라는 양의적인 결과를 분석하기에 앞서 「세관」을 통해 민족과 국가의 관계를 살펴보자. 호손이 『대리석 목양신』을 캐년과 힐다의 귀국으로 마무리를 짓는 것은 미국이라는 '집'과 화해를 의미한다(Michael 151). 그러나 이는 "예술의 고장" 로마로부터 도피와 예술의 거부를 의미할 수도 있다. 호손의 글에 일관되게

나타나는 예술적 삶과 정치적 삶이 공존할 수 없다는 주장이 어떤 글에
서보다 「세관」에 잘 드러나는데 정치적 상황의 변화로 세관에서 밀려난
호손은 그 사건에 대한 유감을 「세관」에 남기고 있다. 그는 세관의 자
리를 유지하고 싶었지만 강제 퇴직을 당함으로써 그는 "다른 어떤 곳의
시민"이 되어 『주홍글자』를 쓰게 된다. 호손은 자신이 유지하고 싶어
했던 세관에서의 일자리는 사실 그에게 로맨스 집필을 가능하게 하는
시간과 마음 상태를 제공하지 못했다고 토로한다.

   그러나 예술과 정치는 서로 간에 밀접한 관계를 맺고 있다. 세일럼
세관에서 일하면서 호손은 『주홍글자』의 소재를 얻게 된다. 국민문학의
'정전'의 기틀을 마련하던 1850년대에 『주홍글자』에 대한 국민적인 갈채
는 그를 미국문학의 정전 작가로 만들어주어 그가 쓴 피어스 대통령
(Franklin Pierce)의 선거용 전기는 전국적으로 비중 있게 받아들여졌다.
피어스가 대통령으로 당선된 후 그는 리버풀 영사로 취임하게 됨으로써
다시 한번 글쓰기를 미루게 된다. 하지만 동시에 영사라는 자리가 제공
한 여가와 경제적인 여유는 유럽 체류와 『대리석 목양신』의 소재를 제
공한다. 고국을 떠나 있던 시간은 호손으로 하여금 국가에 대한 소속감
을 더 강하게 가지게 했을 것으로 짐작된다.[4] 타국에서 호손은 미국적

---

4) Conrad Shumaker는 『블라이드데일 로맨스』(*The Blithedale Romance*)를 쓸 무렵 호손
   은 미국역사가 막다른 골목에 봉착해 있는 것으로 보았고 외국에서 체류하는 동안 국
   내에서는 분명하게 보지 못한 면들을 보다 깊게 인식하게 됨으로써 미국의 미래에 대
   한 믿음을 새롭게 다지게 되어 미래는 구세계가 아닌 신세계의 것이라는 신념을 더욱
   강화하게 되었다고 주장한다(71). Laurie A. Sterling은 "집(home)과 국가정체성의 성
   립을 연결시키면서 이 로맨스에 나타난 '집'의 의미를 탐색한다.

이상에 대한 믿음을 회복하게 되고 안정을 잃어가는 국가를 하나로 묶어줄 수 있는 민족 이야기를 다시 쓰겠다는 야심을 가지고 『대리석 목양신』을 쓰기 시작하였다.

물론 "민족 이야기"란 실제로 존재하지 않는다. 그것은 '걸작 이야기'가 만들어내는 가장 중요한 결과라고 할 수 있다. 역사적인 시간 안에 존재하는 실제 국민들이 만드는 총체로서 국가는 민주적인 인물과 민족의 발전 스토리를 만들어냄으로써 위로받는다. 이런 이야기들은 본질적으로 역사적이나 국가의 고통스런 현실을 민족의 이상화된 비전으로 변모시키기 위해 역사의 요소들을 재구성한다.[5] 『주홍글자』에서 보여준 여성의 타락과 공동체 파괴나, 「세관」의 후원제도라는 부패한 정치체제가 보여주는 사회문제에 대한 대처방안으로 호손은 급진적 변화보다는 상징적인 근원으로 회귀를 바라며 자신의 희망을 『대리석 목양신』에 제시한다.

『주홍글자』는 호손이 「세관」에서 토로한 것처럼 세일럼에서 일어난 극히 사적인 이야기에서 시작해 클라이막스 장면으로 진행된다. 정점을 이루는 「뉴잉글랜드 축일」("The New England Holiday")이라는 장(chapter)에서 1648년경 초라한 보스턴 식민지는 딤스데일 목사가 찬양하는 새로운 공동체에 대한 비전과 예술적이고 저항적인 헤스터(Hester Prynn)의 운명

---

5) 민족주의 이미지 혹은 신화를 창조하게 되는 역사의 해석과 선택, 기억과 망각의 과정은 민족주의 이해에 가장 중요하다. 과거 가운데 어떤 요소가 기억되고 어떤 것이 망각 속으로 사라지는가? 또한 어떤 상징이 선택되고 어떤 상징이 폐기되는가? 이는 곧 어떤 특정한 역사적인 사건과 기억은 민족적인 정서와 민족주의를 창조하고 강화하는데 다른 것보다 더 적합하다는 점을 말한다(Baycroft 26).

과 더불어 민족으로 변화된다. 이제 막 자리 잡기 시작한 식민지를 "민족"으로 그리는 작업과 현실로 이루어진 민족과 국가의 실질적인 부분을 민족 이야기로 확립하는 것은 서로 별개의 일이다. 그러나 『주홍글자』가 미국문화에서 지니는 정전적인 위치는 바로 그것을 성취한다. 중ㆍ고등학교 필독서로 수용되어 미국의 문화자산이 된 이 작품은 문학과 민족과 국가의 관계가 형성되는 과정을 보여준다. 그렇다면 어떻게 그런 텍스트들이 개인을 민족과 연결시키는가? 어떻게 민족에 봉사하는가?

민족과 민족주의에 관한 대부분의 연구는 곧 국가와 민족은 서로 같은 기준으로 측정할 수 없다는 사실을 보여준다. 그들은 서로 다른 개념 내에 지정학적인 영역과 그에 맞서는 문화이념적인 영역 안에 존재한다. 어패드럴(Arjun Appadural)이 주장하듯 민족과 국가는 "서로 다른 프로젝트가 되었다"(13). 앤더슨(Benedict Anderson)은 "민족은 처음에는 상상 속의 공동체"라고 하면서 많은 부분이 인쇄 매체와 이야기라는 상상을 통해 발생한다고 한다. 마치 국가가 민족주의가 염원하는 대상이듯 민족은 국가가 투사하는 욕망의 대상이라는 점이다. 상상과 실제의 연결은 문학과 같은 문자매체를 이용할 수 있다. "이야기 내부세계를 외부세계와 통합시키는 영속성이라는 사회학적인 조망을 거쳐 민족과 동일하게 되거나 민족을 부인하는 주인공"(Anderson 30)을 탄생시키는 문학은 민족과 국가에 중요한 가치를 지니게 된다. 그런 문학은 그것을 생산해낸 공동체의 존재를 다시 한번 확인시켜 준다.[6] 이런 점에서 문

6) Howard Zinn은 국가는 끊임없이 민족을 이용한다고 주장한다(9). 현실의 정치상황과 반대되는 민족 이야기를 다시 창조하겠다고 상상하는 호손 같은 작가들은 결국에 국

학의 임무는 국민들을 국가라는 공동체의 울타리로 다시 끌어들이기 위해 그들을 교육하며 재구성하는 것이다.

"주홍글자가 자기 임무를 다하지 못했다"(xi)는 버코비치(Sacvan Bercovitch)의 비평은 헤스터가 딤스데일이 죽은 다음 떠났던 보스턴 식민지를 기다려주는 사람이나 초대해준 사람도 없이 다시 돌아온 것과 연관 지어 다룬다. 헤스터가 유럽에서의 좀 더 자유롭고 풍요로운 인생을 포기하고 돌아온 것은 아마도 17세기 중반의 미완의 상태이나 앞으로 탄생하게 될, 『주홍글자』가 발간될 당시 이미 민족으로 자리 잡은 미국이라는 국가의 재확인이었으며 주홍글자 A가 America를 의미한다는 점을 주장하는 거라고 할 수 있다. 『대리석 목양신』에 등장하는 또한 명의 길 잃은 '청교도의 딸' 힐다는 가톨릭교의 유혹과 범죄의 방조자가 될 위험에서 벗어나 고국으로 돌아간다. 이탈리아의 정치적인 갈등은 로마의 '사제 통치자들'의 모략, 프랑스군의 주둔에 관한 언급, 로마 카니발의 소동으로 간접적으로 언급되는데 미국의 젊은이들은 이탈리아 내란을 목전에 두고 귀국을 결정한다.

이런 이야기들이 『대리석 목양신』에서 어떤 식으로 나타나는가? 이 로맨스에는 당시 이탈리아의 정치적 상황과 당시 역사에 관한 분명한 언급은 거의 없다. 알레고리를 사용하는 로맨스 장르의 자유로움은 현실과 거리두기를 허용한다. 호손은 이탈리아의 혼란스런 상황을 다가오는

가에 봉사하게 된다는 것이다. 다시 말하면 국가는 공동체로서 문화적 인종적 공동체인 민족이 정치적 공동체인 국가와 일체를 이루는 민족국가(Nation-State)를 만들어낼 수 있는 "민족 이야기"가 필요하기 때문이다.

미국의 내전에 관한 경고로 사용할 수도 있었으나 이탈리아의 정치적 갈등의 핵심에 있는 혁명지도자 마찌니와 가리발디가 표상하는 공화주의적 결단과 민주주의 관점을 보고 미국과 이탈리아를 단순하게 비교하기는 어려웠을 것이다. 이탈리아를 직접적으로 이용하는 대신 호손은 이 소설 「서문」에서 자기는 "이탈리아의 관습이나 인물을 그리려는 게"(3) 아니라는 점을 강조한다. 물론 그런 주장을 하면서 호손은 "이탈리아적인 미신"(34)이라는 "한가로운 이탈리아"(36)와 같은 정형화된 특징을 담아낸다. 그는 당시 영미문학이 공통적으로 보여주는 당시 이탈리아의 남루한 현실에 대한 경멸과 숭고한 고대 로마와 영원한 이탈리아 시골 경관에 대한 이상화와 같은 이탈리아를 대하는 인습적인 문학전통에 동참하고 있다. 벤틀리(Nancy Bently)는 『대리석 목양신』에 "특정한 장소의 생기 찬 정신을 죽은 유적으로부터 분리시키는 대조법이 당시 이탈리아를 다루는 영미권의 작품들과 공통되게 나타난다"(908)[7]고 지적한다.

3. 목양신 도나텔로

누추한 현실과 '영원한 도시'라는 상반되는 이탈리아의 묘사는 도나텔로라는 인물로 나타난다. 그는 어떤 인물들보다 근본적인 변화를 겪

---

7) Bentley는 "영묘한" 혹은 "환상적인" 이탈리아에 반대되는 현실 속의 "가난한" 이탈리아를 논하고 있으나 민족주의나 반제국주의에 대해서는 언급하지 않는다. Stern같은 역사주의 비평가들 역시 남북전쟁 전의 미국역사와 정치를 이탈리아 현실과 연결해 논하고 있으나 미국과 이탈리아의 민족주의에 관해서는 언급하지 않는다.

는데 이 로맨스의 제목과 부제로 판단하면 분명 중심인물이다. 호손은 영국의 출판업자에게 "'목양신의 로맨스'(The Romance of a Faun), '미리엄: 로맨스'(Miriam: A Romance), '힐다: 로맨스'(Hilda: A Romance), '성녀'(Saint), '힐다의 사당'(Hilda's Shrine)(Letters 206)" 등 여러 개의 제목을 제시했다. 이는 그가 이 작품의 주인공을 누구에게 둘 것인가를 결정하지 못했다는 사실을 보여준다. 미국적 시선을 포기하지 않은 이 로맨스의 공적 관점으로 보면 힐다를 중심으로 하는 제목들이 좀 더 타당한 선택으로 보인다.[8] 그런데 영국의 출판업자는 '변모'(Transformation)를 택했다. 호손은 이 제목이 못마땅했는지 미국 출판업자에게는 "'대리석 목양신: 몬테 베니의 로맨스'(The Marble Faun: A Romance of Monte Beni)로 할 것"을 제안했다(Letters 226). 영국 출판업사가 선택한 것이나 미국에서 발표한 것이나 제목만 본다면 도나텔로가 이 작품의 중심으로 생각된다. 이 작품은 여러 가지 변화를 그리고 있지만 가장 진지하고 근본적인 변화를 겪는 인물은 대리석 조각에서 사람으로, 로마의 식민화된 신하에서 몬테 베니 영지의 성숙한 영주로 변화되는 '목양신' 도나텔로 백작이라고 할 수 있다.

도나텔로가 세 명의 외국인 예술가들의 주된 관심을 받는 사람이라는 점이 로맨스의 서두 대화에서 드러난다. 다른 이탈리아인들이 "그림

---

8) Michael Bell은 19세기는 미국 상류층이 자녀교육을 위한 여행뿐 아니라 신흥부자들이 유럽에 눈을 돌리는 시기였는데 그들에게는 힐다와 캐넌이 주인공이었다고 주장한다. Bell은 도나텔로와 미리엄이 복합적인 인물이기는 하나 이 로맨스의 주제를 묘사하는 과정의 일부로 수용되었다고 한다(356).

같은 타입이고 소박한 님프"(291)나 "바깥에 나와 일하는 로마의 세탁부"(146)처럼 어떤 유형이나 직업군으로 그려지는 반면에 도나텔로는 세세하고 구체적으로 그려진다. 그러나 그는 제목이 보여주는 비중과는 달리 친구들과의 관계에서 주도적이지 못하고 수동적이며 관찰대상이다. 도나텔로에 관한 묘사에는 인종에 관한 언급과 비인간화가 미묘하게 암시된다. 이 작품은 캐피톨(Capitol) 화랑에서 프락시텔레스(Praxiteles)의 〈쉬고 있는 목양신〉이라는 대리석 조각과 젊고 순진한 이탈리아 청년의 모습을 비교하는 것으로 시작된다. 이 외국인 친구들이 도나텔로를 "소박하고 붙임성 있는 종족"(7), "시간과 무관한"(15) 존재라고 한다.

> 당신은 이 환상이 나를 어떻게 사로잡는지를 생각할 수도 없을 거예요. 현실의 인간이 이 신화적인 목양신과 비슷하다는 것을 지금 상상해보세요. 그의 생이 얼마나 행복하고 즐거운지, 얼마나 만족스러운지를. 따뜻하고 감각적이고 오감으로 자연을 즐기고 숲과 강에서 행복하고 기뻐하며 마치 네 발을 가진 종족처럼 살아가는 그가. 인류가 죄 없던 어린 시절에 그랬듯이 죄나 슬픔이나 도덕을 생각하기 전처럼! 아, 캐넌, 당신과 힐다와 나, 나만이라도 뾰족한 귀를 가지고 있다면! 목양신은 양심도, 후회도, 마음의 부담도, 어떤 고통스런 추억도, 어두운 미래도 없을 거라는 생각을 들어서요.(13-4)

이와 같은 미리엄의 대화는 인간과 목양신의 본성에 대해 깊이 생각하게 만든다. 인류가 타락하기 전처럼 자유롭고 비역사적인 목양신을 연상시키는 도나텔로는 "어린아이이거나 멋대로 하는 존재"(14)처럼 행동한다. 이렇듯 자기들 마음대로 추측하는 도나텔로의 원시적인 특성에 대해 화자는 좀 더 경멸적인 비유를 더해간다. 도나텔로는 "사냥개(14), 스패니얼처럼 부드럽고 사랑스러운 애완동물(43), 준 인간, 동물, 인간보다 덜 발달된 상태의 피조물(78)"이라는 것이다. "인간의 발전 정도"에 관한 문제는 문명화된 인간을 혐오하며 죄를 아직 경험하지 못한 '자연인'이라는 맥락에서 제기되지만 이는 퇴락한 이탈리아 사람들뿐 아니라 일부 미국인들에 대한 호손의 태도를 보여준다. 호손은 메리마운트(Merrymount) 식민지에서 잔치를 벌이는 이교도9)들과 남북전쟁 중에 목격한 남부 흑인노예들을 목양신에 비교한 적이 있다. 호손이 이렇게 반복적으로 목양신의 메타포를 사용하는 것은 그에게는 그것이 환상적이나 안전한 메타포라는 점을 암시한다.

1862년 남북전쟁이 발발하던 시기에 워싱턴과 버지니아를 여행하면서 쓴 「주로 전쟁 문제에 관하여」("Chiefly about War Matters")라는 글에서 호손은 도주 중인 남부 흑인노예들을 목격하고 그들을 신화 속의 목양신에 비유한다.10) 버지니아에서 북쪽을 향해 가는 흑인들을 "북부에서 보던 자유 흑인들과 다르다. . . . 그 사람들은 그들만의 독특한 종처럼

---

9) Kemp는 「메리마운트의 축제기둥」("The Maypole of Merrymount")에서 엔디컷 (Endicott)같은 청교도와 월라스턴 산(Mount Wollaston)에 사는 이교도 주민들을 호손시대의 남부와 북부의 대치로 본다(229).

10) 반인간 반동물로서의 도나텔로의 위치는 그를 흑인노예와 연결시킨다. 만약 도나텔로가 흑인노예를 낭만화한 인물이라면 도나텔로의 살인행위와 거기에서 비롯되는 그의 변화는 '반인간'이 '인간'으로, 노예가 자유 시민으로 변모될 가능성을 실험하는 것으로 읽을 수 있다. 도나텔로가 저지른 범죄에 대한 다양한 반응은 도나텔로가 지적인 상태로 발전할 수 있는가? 그가 공동체의 완전한 구성원이 될 수 있는가? 그는 동료시민으로 변화될 수 있는가?와 같은 질문에 대한 응답으로 볼 수 있다(Tellesfen 461).

보였다. 인간이 아닌 아마 옛날의 숲의 신들과 비슷한 선한 종이었다"(420)고 평한다. 그는 이들이 북부의 흑인보다 더 순하고 원시적인 단순한 외모와 자유스러운 태도를 지니고 있다고 낭만화 한다. "이들 불쌍한 도망자들"인 남부 흑인들에게 보이는 관용과 친절한 태도 아래에는 북부의 자유 흑인들에게 가지고 있는 불안감이 깃들어 있고 남부 노예들이 사실은 목양신이 아니라 인간이라는 사실에 대한 두려움을 감지할 수 있다. 호손은 '타협 법안'을 옹호하는 데서 그랬듯이 여기에서도 노예 문제를 인간이 다루지 않고 '신비한 신의 섭리'에 맡겨야 한다고 주장했다(423).

호손은 영국으로 오기 전 미국에서 글을 쓸 때는 인종과 노예문제에 거리를 둘 수 있었으나 시기적으로 급박했고 타국인 이탈리아에서 쓴 『대리석 목양신』에는 노예해방에 대한 두려움이 더욱 분명하게 드러난다. 캠프는 이런 두려움을 열등하고 복종적이며 교육받지 못한 자기 통제력이 없는 '원주민'은 주인에게 공포를 불러일으키고 주인을 공격하게될 거라는 식민주의자의 무의식으로 해석한다(217). 여기에서 주인이라는 말은 호손 개인이 아닌 노예제도로부터 간접적으로 이익을 보는 사회계층 전반을 가리킨다고 할 수 있다.[11]

열등한 인종을 대표하는 도나텔로가 다른 외국인 친구들에게 던지는 매력은 유순함과 단순함에 있다. 연구와 분류대상으로 제시되는 도나텔로가 하는 역할은 다른 사람들이 그에 관해 추측하고 규명하도록

---

11) Jonathan Arac은 민족적 서사시의 확립은 개인적으로 지역과 국가적인 차원에서 비참함을 생성시키는 정치·경제적 조건에 의존하는 것임을 증명한다고 주장한다(724).

내버려두는 태도에서 분명하게 나타난다. 미리엄이 도나텔로가 머무는 시골을 상상하며 "내 생각에는 발아래에 마을이 있는 낡고 녹이 슨 성과 포도원이 있는 곳"(81)일 거 같다고 하자 그는 그렇다고 수긍한다. 비역사적이고 반의식적인 도나텔로는 다른 인물들에게 그들의 우월성을 다시 한 번 확인시켜 주는 존재이다.

하지만 민족이나 인종을 편의상 필요에 따라 분류해 지배하겠다는 의지는 종종 실패한다. 미리엄과 캐넌, 그리고 힐다는 목양신 도나텔로에게 정열적이고 경이로운 면 외에 자기들이 예상치 못한 분노를 발견한다. 그들은 도나텔로에게 "평소의 도나텔로 같이 순한 사람에게는 거의 예상하지 못하는 불독이나 맹수 같은 특성과 야만인의 특징이 이상하게 섞여 있는 것"(18)을 알게 된다. 유순하고 아이같이 천진하게 장난치는 가운데 불쑥 불쑥 나타나는 도나텔로의 분노에 미리엄이 당황하는 것은 우월하다고 생각하는 인종들이 흔히 가지는 타인의 주체성에 대한 그릇된 인식을 드러내는 하나의 본보기이다. 보머(Boehmer)는 "타자란 지배적인 주체에게 낯선 존재이고 관념적 투사의 대상이며 권위로 규명된 것에 반대거나 부정적인 것이다"(21)고 주장한다. 이 타자성(otherness)은 "'우리'의 정체성을 지지하며 상대를 통제하기 위한 목적으로 열등하고 종종 유해한 '그들'로 구성되는데"(Kemp 219) 이 주장은 도나텔로와 그의 친구들과의 관계를 규명하는데 그대로 적용된다.

충동적인 어린아이 같은 존재로 제시되는 도나텔로는 야만인이나 원시인에 대한 19세기 인종 분류 이론에 들어맞는다. 벤틀리가 지적했듯이 제국주의 이념에 이 이론들이 얼마나 잘 이용되는가를 보면 흥미롭다(924). 그러면 유순한 동물과 위협적인 야만인을 결합시키는 목양신이라는 존재 안에 신화적 과거와 근대적 민족주의가 공존하는 이탈리아와 '순진한'미국인들을 연결시키는 이유는 무엇인가? 인종과 민족주의는 공통점이 전혀 없는 공포와 욕망들을 결합하는데 사용된다. 1850년대 후반의 유럽의 인종 이론은 제국들의 영토 확장을 정당화하는데 이용되었다. 사이드(Edward Said)가 지적했듯이 그것은 큐비에(George Cuvier), 고비노(Arthur de Gobinau)와 같은 우생학자들의 주장에 "우월한 인종 유럽인과 열등한 인종들인 동양인과 아프리카인을 구분하는 인종분류의 정당성을 강조하는 인류 진화론이 첨가된 것이다"(206). 지역과 인종을 연관 짓는 제국주의 이데올로기는 "야만적으로 명명된 지역을 문명화된 지역이나 세력에 통합시키거나 점령해야 한다"(Said 207)고 주장한다. 당시 사회진화론은 자연 상태에서 도태되어가는 인종은 다른 인종으로 대체되어야 한다고 주장한다. 시간상의 과거는 제국적인 지형 설계에 의해 공간화 된다. 이는 우리가 근대화와 자본주의 도래 이전의 전원에 향수를 느낀다하더라도 신화적 산물과 '전근대적' 공동체는 사라지는 것이 당연하다는 의미를 내포한다. 『대리석 목양신』의 결말 부분에서 캐년이 "도나텔로와 같은 인간들 특히 행복을 위해 태어난 사람들은 이 세상과 연결점이 없다"(459-60)고 하는 것처럼 도나텔로 같은 이가 사라지는 것에 대해 이 로맨스가 보여주는 슬픔이나 동정은 그들 같은 존재는 사라질 수밖에 없다는 당위성을 넘어서지는 않는다.

민족주의와 인종적인 결속에 근거를 둔 저항은 인종적인 타자로 규명된 '원주민'에 대한 제국주의자 관점에 대응한다. 파농(Franz Fanon)이 아프리카 혁명 선언문을 쓸 때 "탈식민이란 완전히 다른 인종으로 한 인종을 대체하는 것"(35)이라고 한 주장은 제국주의적 시각의 인종 이론과 완전히 다르다. 식민지의 권력 구조는 '우월한' 외국 문화의 지속적인 보급, 모든 토착세력들의 저항에 대한 경계, 이주 정착민들의 거주 지역과 토착민들의 거주 지역 가르기, 특히 폭력의 독점적 이용을 통해 작동된다. 파농은 "금지로 뒤덮인 이 좁은 세계에서는 절대 폭력에 의해서만 이의를 제기할 수 있다"(37)고 주장한다.

4. 이탈리아의 탈역사화

『대리석 목양신』은 쇠락한 당대 로마의 현실을 "금지로 뒤덮인 좁은 세계"로 그리고 있으나 이렇게 상황을 악화시킨 조건이나 원인들을 분석히지 않는다. 19세기 중엽 이탈리아는 분명 파농이 말하는 20세기 중엽의 알제리는 아니다. 그렇지만 당시 이탈리아 역시 두 명의 외국 출신 국왕과 교황 그리고 영주들의 통치 아래에 심각하게 분화되고 계층화된 땅이었다. 경제적인 어려움은 식민지 상황과 비슷하고 정치적인 억압은 심각했다. 나폴리의 감옥을 조사한 뒤 이탈리아 독립운동의 대변인이자 훗날 영국수상이 된 글래드스턴(William Egwart Gladstone)은 "이탈리아는 이탈리아를 감시하고 지배하도록 지명된 권력에 의해 끊임없이 법적인 침해를 받고 있다"(Davidson 124)고 격분했다. 호손은 이 소설에서 이탈리아 사회의 병폐를 이탈리아인의 천성 탓으로 돌리며 권력을 잡은 가톨릭교회의 사제들을 비난하는 것으로 그친다. 때때로 로마에 주둔한 프랑스 군이 언급되지만 그들은 도시 풍경에 매력을 더하는 정도이다.

르바인(Robert Levine)은 "호손이 프랑스 군대의 강압적인 주둔을 강조하고 있다"(25)고 주장하나 이는 과장된 것으로 보인다. 작가는 프랑스의 정치·군사적 힘을 "수염이 덥수룩한 투덜대는 퇴역군인"으로 표현한다. 그 군인들이 하는 일이란 고작 "아이들이 꽃밭을 밟지 않도록 지키는 평화로운 임무"(100)이다. 프랑스군의 "강압적인 주둔"을 목격할 수 있는 유일한 순간은 카니발이 열리는 동안 발생한 소동을 통제하는 것이며 평소의 프랑스군은 그저 초소를 지키고 있을 뿐이다.

　　프랑스 군대의 초연함은 피아자 델 포폴로(Piazza del Popolo)와 그 길의 맨 끝, 오스트리아 대사관저 앞과 그 반대편 그리고 안토니우스 기둥 옆 그리고 그것들 한 가운데 서있는 전초병들에게서 분명히 드러났다. 만약 사슬에 매어 있는 살캥이라는 로마의 궁전이 발톱을 그런 식으로 보였다면 검은 옷을 입은 사제들은 지금 가짜 사탕수수와 시든 꽃은 서로에게 마구 던지고 있는 군인들에게 본격적으로 불을 번쩍거리면서 총알을 날렸을 것이다. (441)

프랑스 군대 외에 오스트리아의 역할이나 민족주의자의 동요는 언급되지 않으며 이탈리아인들이 혁명을 일으킨 이유에 대한 설명도 없다.

　모든 것을 좀 더 분명하게 해명해 달라는 압력을 받고 쓴 이 로맨스의 제 2판 「후기」에서도 호손은 단지 이탈리아의 "사제 통치자들"과 그들 수행원들의 음모를 막연하게 암시할 뿐이다. 그러나 그런 암시는 작가가 미국 독자들의 고딕양식에 대한 호감과 반가톨릭 정서를 인식했다는 의미이지 이탈리아 정세를 세밀하게 관찰, 분석한데서 나온 것은 아니다. 그러나 이 말이 당시 이탈리아에 바티칸의 정치적 음모가 없었다는 사실을 의미하지는 않는다. 당시 이탈리아 통일운동에는 교황의 통치에 대한 반대 외에도 그람시(Gransci)가 말한 대로 "서로 마찰하는 국가, 계층, 동맹, 엘리트들 간의 복잡한 의사일정이 내재되어 있고 외국의 점령에 반대하는 투쟁이라는 적대적인 입장들"(98)이 섞여 있었다.

불협화음을 내는 이탈리아의 정치적 기류에 대한 몇몇 암시는 호손이 보여주려 한 부드러운 목소리를 지닌 로맨스의 영역을 벗어난다. 국가적인 무질서와 혼돈이라는 사실적인 이야기 대신에 미리엄을 뒤쫓는 모델이라는 남자를 도나텔로가 살해하는 이야기가 보여주듯 우리는 이 로맨스에서 유럽의 어두운 미스터리에 끌리는 여행자 스토리를 보게 된다. 그러나 이것이 오직 사랑과 복수의 이야기일 뿐일까? 호손은 미리엄이나 그녀를 괴롭히는 모델이라는 인물에 내해서 분명하게 밝히지 않는다. 작가는 미리엄의 가계에 관한 여러 소문과 그녀를 베아트리스 첸시(Beatrice Cenci)나 야엘(Jael) 또는 유디트(Judith) 같이 역사와 성경에서 살인을 감행하는 여성들과 관련짓는 암시만을 하고 있다. 호손은 이런 암시들이 이 작품에서 가장 복잡한 인물로 제시되는 미리엄12)을 이해하는데 충분한 것으로 생각한 듯하다. 미리엄을 추적하는 모델은 복수

---

12) 미리엄은 자신을 강간한 아버지의 살해를 사주한 죄목으로 참수당한 베아트리스 첸시와 동일시된다. 뿐만 아니라 화가 미리엄이 그리는 인물들은 성경에서 복수하는 여인들이다. 그녀가 과거에 정말 죄를 지었는지, 지었다면 그 죄가 가족의 죄인지 아니면 가족이 정해준 운명을 거부해서 그녀가 죄를 저지른 것인지 분명하지 않다. 죄의 연유가 무엇이든 간에 미리엄은 "아버지를 살해한" 여인이라고도 하고 "유태인 상속녀" 또는 "남미 농장주의 딸"이라는 소문이 있다. 또는 "아프리카인의 뜨거운 피 한 방울이 그녀가 모든 것을 포기하고 고국을 떠나게 할 정도로 수치스럽게 만들었다"(23)라는 소문이 도는 '인종적인 타자'이다(Tellesfen 463).

의 신처럼 신화세계에서 현실로 걸어 나오듯이 지하묘소에서 등장해 수사이자 사제로 변화된다. 네 젊은이들은 모델의 시체가 프란치스코 성당(Capuchin Church)에 안치되었을 때 그가 수사이자 신부 안토니오(Brother Antonio, Father Antonio)라는 사실을 알게 된다.

여기서 주목할 점은 이 모델이 죽은 다음 그를 가톨릭 수도회의 수사와 사제로 변화시키는 주제와 이념적인 필요성이다. 고대 로마시대 정치범을 처형하던 타르페이언 절벽(Tarpeian Rock)에서 모델을 던져 죽이는 행위와 그가 교회에 소속되어 있는 사람이라고 밝히는 것, 그리고 이탈리아를 배경으로 하는 이야기에서 죽은 사람을 가톨릭교회라는 오래된 제국을 상징하는 인물로 변화시키는 데에는 정치적인 의미가 함축되어 있다. 당시 이탈리아에서는 정치권력을 장악하고 있던 가톨릭교회가 제국적인 권력을 상징한다고 볼 수 있기 때문이다.

이와 동시에 호손은 로마를 점령한 또 다른 "제국적인 세력" 즉 미국인 예술가들의 '식민지'를 제시한다. 고국을 떠나온 여행자와 예술가들은 실질적으로 로마를 식민화한다. 당시 로마에는 토착귀족들이 사라졌고 "바다 건너에서 온 야만인들에게 로마의 유산들을 거의 넘겨주었다"(130). 이들 예술가들은 호손과 비슷하게 "정치와 거리를 둔 시적이고 동화적인 장소"를 찾는다. 그러나 예술가들의 이런 행동 역시 정치적인 의도가 숨어 있다. 미국에서 온 예술가들은 이탈리아의 대리석뿐 아니라 제국적 상징의 저장고 같은 나라를 탐색함으로써 영원히 지속될 문화적인 기념비를 조성하고자 했다. 나라 전체가 시끄럽던 1850년대 미국은 워싱턴 기념비(Washington Monument), 로턴다 그림(Painting of the Rotunda of Capitol) 같은 공적 기념비 조성에 착수했었다. 『대리석 목양신』에는 호레시오 그리너프(Horatio Greenough), C. G. 톰슨(C. G. Thomson), 존 깁슨(John Gibson) 그리고 캐년의 모델이 된 윌리엄 W. 스토리(William W. Story)와 같은 당대의 미국 예술가들 여럿이 언급되고 있다.

로마의 대표 유적인 트레비 분수에서 외국인 예술가들이 나누는 대화는 이탈리아의 기념비적 유적과 그에 상응하는 미국의 기념비 건설 작업에 관한 그들의 관심을 엿보게 한다. 한밤중 분수에 앉은 일단의 예술가들이 미국인들은 이 분수를 어떻게 이용할까에 대해 논하고 있다.

> "이 분수가 미국의 도시에 있었다면 이 수력으로 무엇을 했을까요? 이 수력을 미국인들은 목화기계를 돌리는데 썼을까요?"라고 어떤 화가가 넌지시 물었다. "미국인들은 이 대리석 조각 신들을 끌어내렸을 것 같은데요. 미국사람들은 내게 서른 한 개의 연방주들(그 숫자가 그 숫자인가)을 조각할 수 있는 권한을 주었을지도 모르지요. 이 각각의 주들은 하나하나 분리된 통에서 은빛의 물줄기들을 거대한 통에 쏟아내고 그 통은 국가의 번영이라는 위대한 저장고를 나타내야 할 것입니다"고 캐년이 말했다. (145-6)

캐년은 조국을 위해 이 같은 영웅적인 작업을 하기를 원한다. 고대 이탈리아의 예술가들은 이런 작업을 하는데 후원을 받았다. 캐년이 외국에 머무는 이유 가운데 하나는 현실에 영합하지 못하는 예술적 취향으로 그가 고국의 후원을 받지 못하는데 절망했기 때문이다.

> 미국 예술가들은 그들의 조국 도시에 있는 냉랭하고 외로운 자기들 작업실을 기억하고 몸을 떨었다. 화랑에서 그들이 얻은 것 이상의 형제

애를 찾기 위해 그들은 이탈리아에서 여러 해를 지냈다. 그들의 독창
성이 사라지거나 독창성이 야만성과 함께 닦여 사라지는 동안. (132)

캐년이 조각한 클레오파트라 상은 "이집트인의 특성과 넓은 누비아인
입술"(126)을 가진 인종적 특징을 정직하게 표현하는데 이는 당시 미국
의 취향에 맞지 않았을 것이다. 프라이드(Vivien Green Fryd)가 지적하듯
이 당시 미국의 예술은 백인 남성 정치가의 제국주의적인 이상과 행동
의 정당화를 고무하고 인디언들을 주변화하고 비인간화하는 것과 괘를
같이해 흑인들 역시 제외시켰다(224). 캐년의 조각처럼 흑인노예를 연상
시키는 조각은 정파적인 긴장을 악화시키거나 연방정부 수도에서 형성
되고 있는 "제국과 확장주의"[13]를 결집시키는 알레고리를 약화시킬 수
있었다. 그런 이유로 1878년까지 흑인의 전시회가 없었다. 그 당시 미국
예술은 백인을 제외한 타 인종은 제거되거나 백색으로 변화되었다고 짐
작할 수 있다.

　순백색의 대리석은 제국의 견고함을 상징하는 동시에 제국이 맞이
한 종말이나 파편화를 나타내기도 한다. 이 로맨스의 상당부분이 기념
비적 유물이나 상상 속 기념비의 가치에 대한 대화로 이루어져있다. 호
손은 예술품의 복사에 대해 비판적이지만[14] 혁신에 대해서도 반대한다.

---

13) 벨러는 "건국의 아버지들 이후의 미국인들은 자기 나라를 유럽에서부터 서부로 이동
　하는 제국의 종착역으로 규정했다. 미국이란 제국은 자기 나라가 문명의 서진 운동의
　종착역이자 동시에 이제껏 존재해왔던 제국 가운데 가장 위대한 제국이 될 것을 예언
　했다. 이 발전이론은 19세기 미국 정치이론과 민족주의 세계를 통해 이어졌다. 그들은
　오래 전부터 광대한 대륙의 '아메리카 제국'을 계획하고 있었다"고 주장한다(100-1).

그 시대의 다른 사람들처럼 호손 역시 "미국사회에 널리 퍼진 질병, 즉 자기 시대가 미국 혁명의 영웅적인 시대와 너무 멀리 떨어져 있다는 의식에 대한 일종의 응답이 되는 기념비 건설을 위한 강렬한 충동에 공감한다. 기념비는 과거와의 연속성을 다시 건설하는 것이기 때문이다" (Byer 164). 호손이 체류하던 당시 이탈리아의 현실은 자기네 나라의 영광스런 과거와 그런 연속성을 주장할 수 없었다. 그러나 호손은 로마의 유적을 이용하여 기념적인 작업을 할 수 있다고 생각했다. "로마의 먼지는 역사적이다. 그 먼지가 우리 책에 내려앉고 잉크와 섞여 들어간다"(101)고 희망적으로 이야기한다. 호손에게는 『대리석 목양신』 자체가 기념비를 세우는 또 하나의 노력이 된 것이다(Byer 165).

로마 유적이 우리에게 던지는 메시지는 삶의 우발성과 타락의 초월에 있다. 미리엄이 말하듯 "저기 단단하고 육중하게 누워 있는 원주 기둥에 위안이 있다. 여기 영원히 누워 있는 기둥은 인간의 모든 고통을 찰나적인 괴로움에 지나지 않는 것으로 만든다"(150). 호손이 이루어내고자 한 민족 이야기는 미리엄이 말하는 대리석 기둥과 비슷하다. 그 이야기는 동질적이고 무한한 현재 안에 숭고하고 영웅적인 '과거'를 유지하고자 하는 기념비적 예술이라는 점에서 로마의 유적들과 비슷한 역설을 만든다. 호손은 인간 행동으로 이루어진 역사와 미학적이고 제국

---

14) 호손은 궁극적으로 힐다 편에 서지만 "힐다가 자기 나라에 남아 있었더라면 미국화랑에 걸릴만한 가치 있는 독창적인 작품들을 만들어내는 게 불가능하지 않았을 것이다"(55)라고 하는 말에서 보듯이 그녀가 이탈리아 거장들의 걸작들을 복사하는 것에 대해서는 유감스럽게 생각한다.

적인 세계관이라는 고정된 질서의 융합이 신의 은총으로부터의 타락이라는 주제에서 어떻게 만들어지는지를 보여주고자 한다. 호손은 이탈리아에 대한 자신의 미학적인 사고를 독자들이 수용할 것으로 생각하는 듯하다. 다시 말하면 로마의 조각상과 걸작 예술품이 지니는 영원하고 숭고한 가치에 대한 숭배는 예상된 것이다. 그런데 이런 숭배는 그것들의 역사적인 근원과 그 예술품들을 창출해낸 로마제국의 장원제도와 대리석을 채굴하던 사회적인 조건, 예술 후원가들의 자산과 같은 구체적인 역사적 사실들을 무시한다. 호손의 로맨스가 제시하는 이탈리아의 역사적인 환경은 이탈리아를 탈역사화 한다.

5. 목양신의 역사화, 탈역사화

호손이 이탈리아 사람들 특히 도나텔로를 제시하는 방식과 로마에 대한 묘사는 식민주의자 담론의 특징을 보여주는 모범적인 예라고 할 수 있다. 초기 글에서 확립시키고자 했던 민족 이야기를 변모시키는데서 호손은 영토와 문화적인 확장을 통해 유지되는 제국주의가 예술가에게 양의적인 위치를 제공하는 걸 발견한다. 도나텔로의 반식민적인 행동에 대한 알레고리적인 해석을 더 발전시켜보자면 미국인 예술가들과 미리엄이 사랑한 인류 타락 이전의 인종인 도나텔로는 미래를 생각하거나 과거를 기억하지 않는다. 하지만 이 작품 후반부에서 역사의식의 양면은 스스로 주장한다. 괴로운 과거를 떨쳐버리는 것이 미리엄의 바램이었다면 도나텔로의 동기는 현재에만 존재했었다. 그러나 "범죄를 저지른 다음, 영혼을 갉아먹는 가책은 도나텔로의 도덕성을 일깨우고 캐년과 힐다가 상상도 하지 못했던 도덕적이고 지적인 수많은 고상한 능력들을 발전시켜"(460) 그는 과거를 복원하고 미래에 대해 고민하는 존재로 변화된다.

도나텔로가 유일하게 살아남은 자손인 몬테 베니 가문의 몰락은 현재 이탈리아의 경관을 보도하는 여행기에 나타나는 '실제' 이탈리아의 몰락과 평행을 이룬다. 로맨스의 부드러운 속삭임과는 달리 귀에 거슬리는 여행기의 소리는 로마에 대해 저주를 퍼붓는다. 현실의 로마는 "오랫동안 썩어가는 시체"이며 이 도시 거리들은 "말할 수 없이 추악하고" "로마라는 침대 위에 있는 욕심 사나운 사람들"은 "나쁜 고기에 쓸데없이 사용되는 나쁜 조리법과 냄새 고약한 버터, 상한 와인과 빵을 먹고 산다(325)."

이탈리아의 현실을 전하는 여행가의 실망스럽고 경멸스런 표현은 고대 유적 위에 건설된 "쇠락한" 현실에 던지는 제국주의적 시선과 유사하다. 예를 들어 이집트에 대한 19세기 서구의 동방정책은 제국들의 식민지 점령을 일견 과학적이고 도덕적으로 들리는 이론으로 합리화한다. 나폴레옹의 이집트 정복을 정당화하기 위해 쓴 『이집트 기행』(*Description de L'Egypte*)의 「서문」에서 푸리에(Jean-Baptiste-Joseph Fourier)는 "과거 수많은 나라에 지식을 전파했던 이집트가 현재 야만 상태에 빠져 있는데 이런 상태의 나라를 나폴레옹만이 구원할 수 있다"(Said 85 재인용)고 주장한다. 고대 기념비적 유물의 발굴은 잔인한 정복을 감행한 식민국가에 합법성을 부여한다. 앤더슨은 "이런 유적들은 이념적으로 기념비를 건설한 사람과 식민지 주민들을 일정한 위계질서에 밀어 넣는다. 기념비들은 그 존재 자체가 그곳 주민들에게 이제는 그런 위대한 작업을 할 능력이나 스스로 통치할 능력이 없다는 사실을 보여준다"(181)고 지적한다. 로마의 유물은 거기에서 태어나 거주하고 있는 퇴락한 로마 주민들의 소유가 아니라 미적 가치를 감상하러 와 유적과 그 복사물들을 자기 나라로 실어 보내는 미국인이나 외국인들의 것이다.

그러나 다른 한편으로 힐다처럼 해외에 체류한 이후 창작을 하지 못하고 이탈리아가 낳은 걸작 예술품만을 복사하는 외국인 예술가들은 그들 정신에 깊숙이 자리 잡은 식민지인의 노예 상태 같은 정신을 보여준다. 미국인들이 유럽의 예술 정전을 우상화하는 것은 반민족주의자까지는 아니라 할지라도 퇴행적으로 보인다. 그러나 한편으로 미국은 제국의 적법한 상속자로서의 정체성을 구축해가는 과정이기도 하다. 당시 워싱턴은 제국시대의 로마와 같은 도시가 되었다. 이는 대리석 조각을 통해 상징적으로 나타난다. 도나텔로는 이런 과정을 비유적으로 보여주는 인물이다. 이 로맨스는 프락시텔레스가 만든 목양신 대리석 조각과 도나텔로를 동일시하는 것으로 시작해서 도나텔로가 생명을 갖게 되는 과정을 이야기한다. 목양신에게 호흡을 불어넣는 것은 다른 이의 생명을 빼앗는 행동과 우연의 일치를 이룬다. 미리엄의 눈짓에 따라 도나텔로는 그녀를 괴롭히는 모델을 절벽 너머로 밀어버린다. 그 행동은 그를 "목양신에서 인간에서 변하게 만들었으며 지성을 발전시키게 되는데 이런 변화는 지금까지 우리가 알던 도나텔로의 원래 모습이 아니었다"(172). 도나텔로는 목양신에서 인간으로 변화되면서 힐다나 캐넌, 미리엄과 같은 외국 친구들의 의견을 따르지 않고 자기가 가는 길을 스스로 결정하고 교회라는 짐을 던져버린다. 도나텔로가 보이는 이러한 폭력적인 행동은 폭력이 식민화된 타자에게 인간다운 주체성을 만들어낸다는 파농의 주장이 적용되는 대목이라고 할 수 있을 것이다.

도나텔로를 "식민화된 타자"라고 지칭하는 것[15]은 이 로맨스의 정치적이고 우화적인 질서 안에서 가능하다. 『대지의 버림받은 자들』(*The Wretched of the Earth*)에서 파농은 "탈식민은 새로운 사람의 탄생이다. 그러나 이러한 탄생은 그 합법성에서 어떤 초자연적인 힘에 빚을 지지 않는다. 식민화된 존재는 그 자신을 해방시키는 과정에서 인간이 된다"(36-7)고 주장했다. 물론 이런 알레고리적인 해석은 이 텍스트가 이탈리아 통일 운동을 알레고리로 만들지 않으면 '작동'되지 않는다. 『대리석 목양신』의 도덕적이고 신학적 문법은 이 작품을 비정치적으로 읽을 것을 요구한다. 원시인과 이방인, 신화 속의 죄 없는 이가 역사 속의 인간으로 변모하는 것에 대해 이 로맨스는 양의적이다. 호손은 흑인노예의 해방을 반대할 수도 받아들일 수도 없었다. 파농의 말을 받아들인다면 호손은 미국사회가 "폭력적으로 변하는 것"을 수용할 수 없었다. 그의 관점에서는 도나텔로가 역사 이전, 정치적 시대 이전 산물인 '목양신'에서 역사화 되고 정치적 인간으로 변화될 때, "타락한" 그는 국가 권력에 따라 죄의 대가를 치러야 한다. 목양신 도나텔로는 신화 속에서 나와 시간 속으로

---

15) Tellesfen은 도나텔로는 아프리카계 미국인(African American), 미리엄은 뮬라토(Mulatto)를 상징한다고 주장한다. 미국사회가 밀려들어오는 많은 이민자들에 대해 두려움을 가졌지만 결국에는 피부 색깔이 같은 인종들에게는 미국사회로 편입되는 것을 허용하고 유색인종은 허용하지 않았다고 주장한다. Tellesfan은 미리엄보다 도나텔로가 곤경에 처하는 것이나 도나텔로의 폭력은 거기에서 연유되는 것으로 분석한다. Bentley 역시 미리엄과 도나텔로를 인종적 타자로 규명한다.

역사 속으로 들어와 자기 행동에 책임을 지는 사회적 인간으로 변화된다. 그러나 사회적인 인간이 되는 순간 그는 사회에서 사라지게 된다.

오랜 역사를 지닌 귀족가문의 도나텔로가 민족적이고 대중적인 혁명에 참여하는 농부나 민중을 대표하기 어렵다. 그러나 이탈리아의 국민운동 역시 순전히 대중적인 것은 아니었다. 통일된 정부를 이룩하기 위해 이탈리아 독립운동의 기본이 된 공화주의는 왕정의 리더십을 받아들여야 했다. 영토 확장과 정치적 영향력에서 이득을 본 피에몬테는 이탈리아 반도의 상충되는 이해관계와 혼돈스런 국가 정체성의 통합을 위해 제 3자의 역할을 했다.[16] 그람시는 그 과정을 "타협과 수동적 혁명"이라고 명했다(Gramsci 59). 노동자 계급의 과격한 행동노선과 프랑스의 급진적 자코뱅당과 같은 혁명의 반작용에 대한 공포는 "이탈리아 통일운동의 급진주의자와 진보주의자의 행동을 억압했다"(Riall 12). 이들에 대한 두려움은 호손으로 하여금 민족주의적 독립혁명을 주도하는 이탈리아인들을 전적으로 지지할 수 없게 만들었을 것이다.

도나텔로는 소위 파농이 말하는 식민지 압제의 비참한 희생자는 아니지만 그에게 '식민화된' 지위를 부여하는 것이 틀린 거라고만 할 수 없다. 처음에 그는 제국적인 통치의 실질적인 대리자라고 할 수 있는 "식민자" 친구들의 권위에 복종한다. 도나텔로가 『템페스트』(*Tempest*)의

---

16) 이탈리아 반도의 통일은 서로 다른 정치체제를 협력하게 만드는 것만은 아니었다. 문화적으로도 이탈리아는 서로 이질적이었다. 언어문제를 예로 들어보더라도 이탈리아 통일이 얼마나 요원한지 보여준다. 이탈리아가 통일을 이룬 1865년에 2.5% 만이 지금의 이탈리아어를 사용했다고 한다(벨러 84).

칼리반(Caliban)처럼 복종하는 것은 한편으로는 문화적인 '식민지화'와 군사적인 점령의 표상이다. 그러나 이 로맨스에는 이탈리아 반도가 군사적으로 점령당한 사실은 문화적인 식민지화에 대한 강조로 인해 겉으로 드러나지 않는다. 이 로맨스는 여기에 암시된 국가의 통일과 해방 알레고리를 거부하고 그것을 신의 은총에 의한 신교도의 구원이라는 익숙한 알레고리로 대치하고자 한다. 그렇게 함으로써 이 작품은 정치적인 저항이나 민족적인 혁명을 도덕적인 타락으로 방향을 전환한다. 낙원에 머물기를 거부하는 "행복한 토착민"은 사회로부터 고립되고 사라져야만 한다. 또한 이 작품은 국민적인 봉기를 억압하는데 예술 특히 도덕적인 예술의 이용을 강조한다. 현실을 예술로 변화시키는 것은 예술을 정치적 행동으로 변화시키는 위험스럽고 전복적인 과정을 반대한다.

강대국의 문화에 동화되지 않는 타자의 상징으로서 목양신은 예술과 기념비적인 기억의 저장고인 대리석에 가장 구체화되어 있다. 미리엄은 캐년이 대리석으로 조각해놓은 도나텔로를 보고 "당신은 열에 뜬 인간을 차갑고 조용한 대리석으로 변화시켰군요. 얼마나 축복받은 변화인가요!"(119)하며 찬양한다. 이 같은 변화는 열정적이고 제어하기 힘든 행동 때문에 희생당할 가능성이 있는 사람들에게는 축복일 것이다. 그러나 대리석에 생명을 불어넣는 것은 돌같이 차가운 사람들을 열정적이고 주관적이며 통제하기 어려운 과격한 영역으로 몰아가는 위험을 감수하는 것이다. 호손은 이 작품에서 혁명적인 에너지 특히 인종과 국가와 성적인 타자들로 인식된 존재들을 예술로, 좀 더 구체적으로 말하면 대리석 조각이나 로맨스로 변화시킴으로써 위기에 처한 미국의 상황을 예술로 타개하고자 희망한다.

6. 나가는 글

혼란스런 이탈리아에 체류하던 미국 젊은이들이 고국의 보수적인 가정으로 안전하게 귀환하는 것은 이탈리아의 민족주의와 하부의 저항이 잠재된 이야기가 아무런 갈등이 없는 듯이 보이는 미국적 탈식민국가에 관한 이야기로 흡수되는 것을 의미한다. 백인, 앵글로 색슨, 뉴잉글랜드 신교도, 명백한 운명, 자본주의자와 같은 미국적인 주관성에 대립하는 타자 도나텔로는 고대 식민제국의 안전함에 대한 향수와 제국주의에 저항하는 폭력에 대해 이 로맨스가 대응하는 하나의 방식이라고 할 수 있다.

호손은 식민 상태에서 해방된 미국이 제국으로 탈바꿈하면서 야기되는 문제들, 즉 노예해방이나 영토 확장 그리고 동족 간의 전쟁이 야기할 폭력과 혼돈에 대해 어떤 현실적인 대안도 제시할 수 없던 자신의 딜레마를 이 소설의 결말로 해소하고자 한다. 작가는 식민지 주민이라고 할 수 있는 이탈리아인 도나텔로가 복종적인 식민화된 타자에서 자기 행동에 책임을 지는 독립된 인간으로 변화되는 것을 보여주면서도 그를 사회에서 사라지게 만들고 미국인들은 귀국하는 것으로 마무리한다. 도나텔로가 성장하는 변화를 통해 '열등한' 타자로 인식된 인간들의 발전 가능성을 인정하지만 그런 변화가 진행되는 동안에 야기될 폭력적인 변화를 이미 정전작가로 자리 잡아 보수화된 호손으로서는 전적으로 찬성할 수 없었을 것이다. 호손은 힐다가 도움을 청하는 미리엄의 손길을 거절하고 귀국을 결정한 것처럼 이탈리아나 미국의 역사적 현실에 눈감고 모든 것은 '하느님의 섭리에 맡기고자' 했는지도 모른다.

그러나 이 로맨스에서는 가능했던 해결책이 현실에서는 가능하지 않다는 점을 누구보다도 호손 자신이 잘 알고 있었을 것이다. 호손은 이탈리아의 복잡한 사회 상황을 인간의 '타락' 신화로 가리면서도 목양신의 변화를 제시해 목양신으로 비유된 존재들의 발전 가능성을 암시한다. 그러나 동시에 이 로맨스는 사회에서 주어진 자리를 벗어난 인간은 그 사회에서 징계를 받을 수밖에 없다는 점 역시 보여준다. 호손은 캐년과 힐다를 복잡한 상황의 이탈리아에서 귀국시키지만 그들이 돌아오는 미국은 폭풍전야로서 그들이 고대하는 고요하고 안정된 고국이 이미 아니라는 점 역시 인식하고 있었다. 그러나 그 점에 관한 언급 없이 전쟁이 임박한 분열된 나라의 현실을 뛰어넘어 국민을 하나로 묶을 수 있는 민족 이야기를 창조하려 했으나 결론에서 털어놓듯이 그는 자기가 만든 이야기기 미치 손으로 짠 태피스트리처럼 "쉽게 찢어질 수 있는 허약한 이야기"라는 점을 인식하고 있다.

독립적인 존재로 변화된 도나텔로가 사회에서 자기 자리를 매김 하지 못했던 것처럼 목양신으로 비유된 흑인들과 이방인들의 운명 역시 비슷한 것을 우리는 알고 있다. 남북전쟁 이후 노예상태에서 벗어난 다음에도 「주로 전쟁문제에 관하여」에서 "흑인들이 오랫동안 불공평한 입지에서 세상과 어려운 싸움을 해야 할 것이다"(424)고 했던 예상대로 호손은 그들이 '보이지 않는 존재'로 살아갈 미래를 예견하고 있다. 호손의 혜안은 당시의 많은 노예폐지론자들이 했던 희망적인 예상과는 달리 쉬운 해결책이란 없다는 것을 보고 있었다. 이것이 바로 그가 이 글 서두에서 밝힌 것처럼 이 작품을 쓸 때 "가장 깊이 생각하고 느끼고 고통스러워 한" 까닭이었는지도 모른다.

멜빌의 『사기꾼』
믿음의 시험자

I. Confidence-Man, 그는 누구인가?

멜빌(Herman Melville)이 살아생전에 발표한 마지막 소설[1]인『사기꾼』
(*The Confidence-Man: His Masquerade*)은 많은 사람들이 중도에 읽기를 포
기할 정도로 혼란스런 작품으로 간주되어 왔다. 발표 당시의 리뷰는 이
작품의 난해함에 대해 이렇게 말하고 있다.

---

1) 멜빌의 마지막 작품은『빌리버드』(*Billy Budd, Sailor*)이다.『빌리버드』는 1891년 멜빌
   사망 후 멜빌의 최초 전기작가인 Raymond M. Weaver가 1918년 멜빌의 손녀딸
   Eleanor Melville Metcalf에게서 받은 유품에서 발굴해내 1924년에 발표했다.

우리는 이 책을 처음부터 읽기 시작했다. 10장(chapter)이나 12장을 읽고 난 뒤에 우리는 우리 앞에 있는 작품의 의미(의미가 있어야 한다면)에 대한 최소한의 실마리도 얻을 수 없는 것을 알았다. (*London Illustrated Times*, 1857년 4월 25일 기사, *The Confidence-Man*, W. W. Norton 1971, 271 재인용)

이런 혼란스러운 플롯 때문에 이 소설은 멜빌이 이후에 작품을 다시 발표한다는 생각을 하지 못하게 할 정도로 독자들로부터 철저하게 외면당했고 멜빌에 대한 재평가가 활발하게 이루어지던 1920년대에도 여전히 비평가들의 주목을 받지 못했다. 1949년 체이스(Richard Chase)에 의해 평가를 받은 이후 그 소설이 발표된 지 100여년이 지난 후에도 브라운 (Merlin Brown)이 "이 작품의 의미나 문학적인 성과에 대한 진정한 합의가 없었다"(401)고 할 정도로 그 의미가 다양하게 해석되었다. 이 작품의 주제에 대해서도 많은 평자들은 사물의 핵심에 존재하는 모호성으로 보고 있다.[2] 그렇지만 다른 한편으로는 이 소설이 모호함 가운데서 드러내는 것이 있다는 주장도 있다. 드루(Philip Drew) 같은 비평가는 이 작품을 세심하게 읽어보면 의미를 찾아낼 수 있다고 한다(439). 이런 의견을 피력하는 비평가들 사이에서도 해석의 폭이 크다는 점은 새삼 말할 필요도 없을 것이다. 이 작품은 "절망적인 책이며 우울한 작품"(Hoffman

---

2) 카웰티(John Cawelti)는 멜빌이 "이 세계를 풀 수 없는 수수께끼로 보며 도덕적 진공 상태에 독자를 남겨놓는다"(278)고 한다. 루이스(R. W. B. Lewis)는 멜빌이 "앞서 말한 내용을 뒤이어 수정하고 부인하고 취소하면서 결국에는 어느 하나 확실한 단언을 남기지 않는 스스로를 지워가는 문장으로 된 작품"(266)이라는 평을 한다.

281)이라는 평에서부터 "멜빌이 자신의 악몽을 기록한 작품이 아니고 그 것을 극복한 기록"(Dillingham 301-2)이라는 점을 주장하는 해석까지 그 스펙트럼이 넓다.

이렇게 아주 상반된 해석이 공존하는 이 작품을 읽어나갈 때 독자를 힘들게 하는 가장 큰 요인이 되는 모호성은 이 소설의 독특한 구조와 주 인공의 정체성의 문제로 모아질 수 있다. 만우절인 4월 1일 새벽부터 밤 까지 하루 동안 미시시피 강을 항해하는 피델(Fidele: 충복, 믿을만한 사람의 뜻을 가진 프랑스어) 호에서 주인공과 승객 간의 대화로 이루어지는 이 소 설은 기존 소설과는 상당한 거리가 있다.3) 그러나 밴 크롬파우트(Gustaaf van Cromphout)는 멜빌 소설의 이러한 독특함이 멜빌을 소설가라는 사실 을 부인하게 만들지는 못한다고 주장한다.

> 멜빌은 미국문학사에서 매우 뛰어날 뿐 아니라 아주 특별한 위치를 점하게 만든 문학을 만들어냈다. 그의 위대한 작품들은 장르에 대한 질문에 대해 1850년대나 오늘날에도 합의점이 없는 듯이 보일 정 도로 근본적이면서도 아주 특별한 위치를 점하고 있다. 그러나 멜빌 의 이러한 독특함 때문에 그를 소설 장르에서 제외시킨다는 것은 정 당화 될 수 없다. (van Cromphout 41-2)

멜빌이 이 작품의 형식에 대해서 어떤 말도 하지 않았지만 독특한 형식 을 통해 기존의 소설 형식이 요구하는 한계로부터 자유롭게 자신이 피

---

3) Alexander C. Kern(28)과 Leon Howard(228) 역시 이 작품이 소설로 계획된 것이 아니 라는 주장을 하고 있다.

력하는 주제를 이야기하고 있다.

이 소설의 구조와 긴밀히 연결되는 주인공에 관한 문제는 이 소설이 지니는 논의의 핵심이라고 할 수 있는데 하나의 주인공이 계속 변장을 하고 등장한다는 관점과 그가 동일한 인물이 아니라는 의견으로 나누어진다.[4] 필자는 이 소설의 제목 『사기꾼: 그의 가장무도회』(*The Confidence-Man: His Masquerade*)가 복수인 남자들(men)이 아닌 단수 남자(man)를 취하고 있고 부제가 가장무도회(masquerade)라고 한 것이나 중심 인물이 다음에 등장할 인물을 소개하고 다음 사람을 위한 포석을 미리 마련하는 것으로 보아 한 사람이 계속 변장해가며 등장하는 것으로 보는 견해에 동의한다.

주인공에 관한 또 다른 중요한 문제는 그가 누구인가? 하는 정체성의 문제이다. 이 이슈는 작품 주제와 연결되는데 이 인물은 비평가에 따라 당시 물질주의와 배금주의를 상징하는 사기꾼(John P. McWilliams 196), 작가의 분신(Elizabeth Foster 49-53), 모든 사람(Everyone) 혹은 누구인지 결정할 수 없는 인물(David S. Reynolds 164), 선과 악을 다 가지고 있는 인물(Merlin Bowen 408) 등으로 다양하게 해석된다. 주인공의 정체성에 관한 문제는 신뢰(confidence)라는 단어에 인간(man)이 합성되면 신뢰라는 의미와 전혀 상반된 '신뢰를 저버린 사람, 즉 사기꾼'이라는 의미가 되는 것만큼이나 단정하기 어렵다. 슐먼(Robert Schulman)은 자본주의 사회는 하나의 확실한 관점을 지니지 못하게 하며 인간의 내면을 여럿으로 분열시킨다고 하면서 그 일례로 이 작품을 들고 있다(8). 또한 쉐퍼

---

4) Philip Drew는 한사람이 계속 변장해서 등장한다고 주장하고(418-42), Elizabeth Keyser는 Cosmopolitan은 독창적인 인물이며 confidence-man의 연장으로 보지 않는다(279-81).

드(Gerald W. Shepherd)는 이 주인공의 모호함은 삶의 복합성을 드러내기 위해서라고 주장한다.

> 멜빌은 낙관주의자도 비관주의자도 충분하지 않다는 점에, 철학적인 의미와 상식적인 의미에, 기괴한 것과 인습적인 것에, 리얼리티의 복합성을 대면하는데 있어서 악의적으로 위선적인 것과 순진하게 의식하지 못하는 것에 조명을 던지기 위해 "사기꾼"의 외양과 매너 그리고 수사학을 받아들인다. (Shepherd 192)

주인공이 어떤 인물인지 확실하게 규명할 수 없는 점은 주인공이나 주인공의 수작에 넘어가는 상대방 누구도 선과 악의 범주를 확실하게 노정하지 못하는 비슷한 사람들이라는 사실을 보여준다. 작가는 주인공과 상대방이 만나고 거래를 하면서 이 주인공을 상대한 사람들과 주변에서 그를 지켜본 이들이 그가 누구인가를 추측하도록 만든다. 타인에게 무조건적인 신뢰를 요구하는 인물을 통해 작가는 믿음과 사랑이라는 지극히 인습적이지만 공동체적 삶에 기본이 되어야 하는 미덕에 대해 다시 한 번 성찰하게 만든다. 그리고 토지와 부의 획득을 최종 목적으로 하는 서부개척정신이 기독교적인 미덕과 병존할 수 있는지를 타진한다.

사기꾼이라는 명백한 증거가 없음에도 주변사람들과 독자들의 의심스런 시선으로 인해 사기꾼으로 간주되는 이 주인공은 승객과 독자들이 미처 깨닫지 못하는 사람들 내면의 위선과 탐욕, 인격의 이중성을 들추며 믿음이 진실한 인간관계의 설립에 본질이라는 점을 강조한다. 이 주인공은 그가 "상대하는 인물들이 공통적으로 지니고 있는 점, 즉 그들 모두가 자기 자신들이 누구인지도 잘 모르는 그래서 자신에게조차 이방인이라는 사실을 들추고 있다"(Dillingham, 305)고 한 말과 같이 등장과 퇴장을 거듭하며 사람들 내면 깊숙이 잠재되어 있으나 스스로 인정하지 않는 진면목을 직시하도록 유도한다. 그러나 우리는 주인공이 신뢰와 사랑과 자비와 같은 미덕을 강조하면 할수록 점점 더 그 본래의 가치를 인정하지 않고 실용성과 경제적 이익을 앞세우며 자신들이 입으로 하는 주장과 실제 행동이 완전히 분리된 사람들과 만나게 된다.

멜빌은 정체를 알 수 없고 선악의 구분이 애매한 인물이 하는 믿음과 사랑의 상호간의 설립을 위한 다양한 시도를 통해 19세기 사회전반을 검토한다. 작가는 개발이 진행되면서 물질적이며 상업적으로 변화되고 구사회의 악습으로 생각한 불평등한 법이 집행되는 사회와 미국의 신화를 창조하는데 바탕이 된 신개지 개척민의 실체 모습 그리고 중심사상으로 자리 잡은 이상과 실용이 결합된 진보적 철학문제를 짚어보고 있다.

이 글은 사기꾼이 누구인지 분간이 안 되고 사기꾼으로 의심받는 주인공보다 더 탐욕스럽고 어리석으며 무감각한 사람들을 부각시킴으로써 인간에 대한 신뢰를 근간으로 설립되는 민주사회를 표방한 미국의 실상에 관한 멜빌의 비판과 그가 우리에게 우회적으로 던지는 메시지를 찾아보고자 한다.

2. 믿음의 다양한 시험

4월 1일 세인트루이스(St. Louis) 항구에 크림색 양복을 입은 사나이가 배를 탄다. 그는 가방도 없고 짐꾼 같은 일행이 없다. 그는 "최근 동부에서 온 자기 직업에 독창적인 천재"라는 사기꾼을 찾는 플래카드가 붙어 있는 곳까지 온다. 그는 그 플래카드를 보려고 모여 있는 사람들 앞에서 고린도 전서에 나오는 "사랑은 악을 생각하지 않으며, 사랑은 오래 참고 온유하며, 사랑은 모든 것을 견디며, 사랑은 모든 것을 믿고, 사랑은 결코 실패하지 않는다"(1)라는 글을 석판에 썼다가 지우면서 석판을 들고 사람들 앞에 서있다. 그가 그런 행동을 하는 동안 곁에 있는 이발소에서 나온 이발사가 가게 문 앞에 "외상 사절"(No Trust)이라는 푯말을 붙이고 사라진다.

사람들에게 이리저리 밀리는 동안 크림색 양복의 사나이는 귀머거리에다 벙어리라는 사실이 드러난다. "여기에서 정말 낯선 사람"(1)인 그에게 관심도 없던 승객들은 그가 끈질기게 사랑(charity)에 대해 쓴 석판을 들고 서있자 그를 밀어내버린다. 이 장(chapter)의 제목이 「많은 사람들은 그만큼 많은 마음을 지닌다는 점을 보여주기」("Showing that Many Men Have Many Minds")라고 한 것처럼 승객들은 이 벙어리가 누구인가에 대해 추측을 한다.

"이상한 사람"
"불쌍한 사람"
"도대체 그는 누구일까"
"피부색이 흰 흑인"
"저런!"
"흔치않은 인물"

"유타에서 온 풋내기 예언자"

"사기꾼"

"특이한 바보"

"뭔가 중요한 존재"

"강신술사"

"백치"

"가련한 사람"

"관심을 끌려는 사람"

"조심해야 할 사람"

"여기에서는 깊이 잠이 들지만 분명이 배 안에서는 소매치기인 사람"

"일종의 대낮의 엔디미언"

"도망치는데 지친 탈주범"

"러즈에서 꿈을 꾸는 야곱" (4)

이 인물에 대한 구구한 추측은 그 사람이 여러 가지로 정의를 내릴 수 있는 만큼 규명하기도 어려운 존재라는 점을 보여준다. 벙어리에다 귀머거리인 이 사람은 아무도 모르게 사라져버린다. 그리고 이 배에는 초서(Geoffrey Chaucer)의 『캔터베리 이야기』(*Tales of Caunterbury*)에 등장하는 캔터베리 순례처럼 온갖 종류의 사람들이 모여든다.

> 승객들은 초서의 캔터베리 순례자들처럼 굉장히 다양했다. 모든 종류의 원주민들과 외국인들, 사업가들과 탕아들, 도시인들과 시골뜨기들, 목축업자들(farm-hunters), 돈 많은 상속녀를 쫓아다니는 남자들(heiress-hunters), 진실을 찾는 사람들(truth-hunters) 등 모든 종류의 사냥꾼들을 뒤쫓는 더 예리한 사냥꾼들이 있었다. 실내화를 신은

요조숙녀들과 모카신을 신은 원주민 여자들, 북부 투기꾼들과 동부 철학자들, 영국인, 아일랜드인, 독일인, 스코틀랜드인, 덴마크 사람들, 줄무늬 담요를 입은 산타페 장사꾼들, 금색 크라밧을 한 브로드웨이 청년들, 잘 생긴 켄터키 뱃사공들, 일본인처럼 생긴 미시시피 목화농장주들, 칙칙한 옷을 입은 퀘이커 교인들과 연대 군복을 완벽하게 차려입은 군인들, 노예들, 검은 뮬레토들, 흑백 혼혈인들, 멋쟁이 젊은 스페인계 크리올들과 구식의 프랑스계 유태인들, 모르몬교도와 가톨릭교도들, 부자와 가난뱅이들, 어릿광대와 상주들, 금주가들과 연회를 즐기는 사람들, 교회집사들과 파업 방해꾼들, 완고한 침례교인들과 남부 시골뜨기 농부들, 실실 웃고 있는 흑인들과 고위직 사제처럼 근엄한 수족(Sioux) 추장들이 보였다. 간단히 말해 알록달록한 사람들이 모인 집합체이고, 모든 종류의 다양한 형태의 순례자와 인간들이 모인 무정부주의자 집단이었다. (6)

그러나 이 배에는 캔터베리의 순례자들과는 다르게 윤리적인 목표나 목적지가 없으며 아무 곳에도 기항하지 못하고 암흑 속에서 나아갈 뿐이다. 승객들의 모습은 건달이나 바보, 순수함과 탐욕을 가진 사냥꾼, 이방인, 상인들로 이루어진 미국사회의 축도이다. 북적대는 사람들의 모습은 마치 여러 물줄기와 섞여서 흘러가는 아주 멀리 보이는 미시시피 강의 모습과 흡사하다. 미국대륙의 중심부를 흘러가는 미시시피 강은 확산되고 변화 생성되는 미국 서부라는 새로운 사회의 상징이라고 할 수 있다.

작가는 처음 두 장에서 이 소설의 방향과 주제 그리고 무대를 설정한다. 더블러(William Dubler)가 이 소설에 관해 "인간에 대한 믿음과 불신이라는 주제와 반주제가 역동적으로 움직인다"(310)고 평한 것처럼 병

어리와 이발사가 보여주는 슬로건은 믿음과 불신이라는 주제를 제시한다. 소설 전체에 걸쳐 "사랑이야말로 신뢰하게 하는 원동력이란 성 어거스틴(Saint Augustine)의 말처럼 사랑과 믿음은 밀접하게 연결되어 있으며 삶에 대한 희망 역시 믿음에 비례한다"(68)는 주장이 강조되고 있다. 이 장에서 주목할 점은 사랑을 주장하는 이는 다른 사람들에게 무례한 대접을 받고 너무도 간단하게 무시당하는 인물이며 동시에 자신의 의사나 고통을 표현할 수 없는 귀머거리에다 벙어리라는 사실이다. 이 점은 배 안의 사회는 사랑의 의미가 거의 전달 불가능하며 그것을 피력하는 사람은 "굉장히 이상한 사람 즉 낯선 사람"(1)으로 보인다는 사실을 제시한다. 반면 외상 사절이라는 의미의 "No Trust"는 다른 의미로는 '불신'이라는 뜻도 된다는 점에 주목해야 한다. 그런데 "No Trust"라는 팻말을 붙이는 이발사는 너무도 자연스럽게 사람들에게 받아들여진다. 사도 바오로(Saint Paul)의 사랑에 대한 호소가 피델호 승객들의 관심을 전혀 끌지 않은 것은 자기 이익에 따라 모든 것을 결정하는 자본주의 사회에서 나눔과 베풂을 기본으로 하는 사랑의 본 의미가 얼마나 퇴색되어 있고 망각되어 있는지를 말해준다. 그러나 작가는 여기에 굴복하지 않고 다양한 모습으로 등장하는 사기꾼(confidence-man)을 통해 사랑과 믿음이라는 가치의 중요성을 전달하고자 한다. 작가는 "자신의 직업에 굉장히 독창적인 천재"가 되기를 바라는 인물이 이런 메시지를 전달해주기를 바라는 것이다.

귀머거리 벙어리 다음에 등장하는 인물은 베옷을 입고 탬버린을 손에 든 검둥이 절름발이 블랙 기니(Black Guinea)이다. 그는 이 작품에 등장하는 미국인의 대표적인 세 가지 유형인 양키 행상, 개척민, 짐 크로우(Jim Crow) 가운데 하나이다. 탬버린을 흔들며 "뉴펀들랜드 개"처럼 손님이 던져주는 동전을 입으로 받으며 기뻐하는 그에게 간간히 동전이 아닌 단추를 던져주는 손님들의 모습은 타락한 사랑의 일면을 보여준다. 구걸행위를 하는 그를 보고 목발을 한 남자는 검둥이가 흑인분장을 한 백인 사기꾼임에 틀림없다고 주장한다. 화자는 검둥이 블랙 기니를 곤경에 빠뜨리는 존재가 그와 같은 처지인 절름발이라는 아이러니한 면을 지적한다. 주인이 누구냐는 물음에 검둥이는 자기 이름이 블랙 기니라고 하며 자신을 보증해줄 수 있는 여덟 명의 신사를 댄다.

> 여기에 상장(喪章)을 달고 있는 굉장히 훌륭하고 선한 신사가 있고요, 나에 대해 모든 것을 알고 있는 회색 코트에 흰 타이를 맨 신사도 있어요. 그리고 커다란 책을 든 신사도 그리고 약초의사도 있고 노란 조끼를 입은 신사 그리고 황동 명패를 가진 신사, 그리고 보라색 예복을 입은 신사와 군인인 신사들이 있어요. . . . (10)

이 여덟 명의 남자들이 이름과 신분이 아닌 옷차림으로 묘사됨으로써 이 책의 부제 '가장무도회'를 새삼 상기시킨다. 그러면서 이 인물들의 불확실한 정체성을 드러낸다. 이들 여덟 명의 신사는 바로 그의 뒤를 이어 계속 등장하는 인물들이다.

감독파 교회(Episcopal Church) 목사는 여덟 명의 신사 가운데 하나라도 찾아보겠다고 나서고 감리교(Methodist Church) 목사는 목발을 짚은 절름발이 사나이에게 "당신은 사랑도 없느냐?"고 따진다. 이에 목발을 짚은 사내는 "사랑과 진실은 별개"이며 "겉모습과 사실은 다른 것"(11)이라는 말을 덧붙인다. 수세에 처한 절름발이 검둥이는 "불쌍한 검둥이"에게 자선을 베풀지 않겠느냐고 호소하는데 이때 시골 상인이 선뜻 "난 당신을 믿는다(I have a confidence in you)"라고 하면서 지갑에서 돈을 꺼내준다. 검둥이는 상인이 돈을 꺼내며 떨어뜨린 상인 명함을 자기 목발로 덮는다.

이 장은 이 소설의 중요한 세 가지 유형을 소개한다. 즉 사기꾼, 사기꾼에 속는 사람, 사기꾼에 넘어가지 않는 냉소가라는 세 가지 유형이다. 크림색 옷을 입은 벙어리5)를 염두에 두지 않는다면 이 소설에 등장하는 첫 번째 사기꾼은 절름발이 검둥이다. 이 장은 앞장에서 제시한 주제를 다시 한 번 반복한다. 멜빌은 자신이 이루고자 한 효과를 반복과 점점 증가하는 강도를 통해 얻고 있는데 석판에 메시지만을 써 들고 서있는 벙어리와 절름발이 검둥이 블랙 기니를 비교할 때 검둥이 절름발이를 좀 더 고통스럽게 제시함으로써 보는 이들에게 좀 더 강하게 메시지를 호소한다. 목발 짚은 남자는 "외상 사절"이라는 팻말을 내걸고 들어가 버린 이발사보다 블랙 기니에 대해 훨씬 강한 불신을 드러낸다. 그는 검둥이에게 관대한 태도를 취하는 승객들에게 찬물을 끼얹듯이 "지상에서는 순수한 사랑은 부패하고 거짓 자선만이 흥한다"고 주장한다. 그는 타락한 현 세계에서 "현명하고 순수한 사랑"이 가능하지 않다

---

5) 이 인물에 관해서는 의견이 분분하다. James E. Miller Jr.는 그를 예수와 같은 인물로 보는 반면 John P. McWilliams는 첫 번째 사기꾼으로 본다. 이 글에서는 이 인물을 이 작품의 주제인 사랑(charity)의 필요성을 피력하면서 동시에 이 주제를 전달하는 어려움을 상징하는 인물로 본다.

고 주장한다. 이 사람은 검둥이를 동정하는 승객들이 검둥이를 의심하도록 만들지는 않았으나 믿음이 사라진 인생은 살 가치가 없다는 씁쓸한 진리를 암시하고 있다.

> 나는 캐나다 엉겅퀴라고 불리지요. 아주 좋아요. . . . 그런데 나의
> 엉겅퀴가 당신들 농장에 싹이 많이 돋아나게 되면 그때는 당신네들
> 은 농장을 포기하겠지요. (12)

그는 다른 이들에게 의심과 공포의 씨를 뿌린 것에 의기양양해 보이지만 자기 인생이 의심과 공포로 뒤덮여버린 것에 대해서는 기뻐하는 것 같지 않다. 목발 사나이는 영원한 불신이 지니는 불모성에 대한 멜빌의 인식을 보여주는 인물이다(Q. D. Leavis 101).

상장을 단 신사의 소재를 물으며 검둥이가 사라진 조금 뒤에 상장을 단 남자가 등장한다. 그 사람은 시골상인에게 다가가서 "로버츠 씨, 안녕하십니까?"하며 다정하게 말을 건넨다. 이 만남은 블랙 기니가 자신의 보증인이라고 한 여덟 명의 인물들이 서로 긴밀하게 연결되어 있다는 사실과 이 상인이 주인공의 첫 상대라는 걸 보여준다. 존 링맨(John Ringman)이라고 자신을 소개하는 사기꾼에게 상인은 조금 전에 불쌍한 검둥이에게서 당신 얘기를 들은 적이 있다고 응대한다. 처음 보는 인물에게서 헨리 로버츠(Henry Roberts)라는 자기 이름과 6년 전 브레이드 회사(Brade Brothers & Co's) 사무실에서 만났다는 말을 듣고 의아해하는 상인에게 상장을 단 사람은 명함을 보고 자기 이름을 다시 한 번 확인해보라고 한다. 이 두 사람의 만남은 이 작품의 전개에 있어 중요한 의미를 지니는

데 3장에서 15장에 이르기까지 이 상인과 다른 모습으로 세 번 등장한 사기꾼과의 만남은 전반부에서 이 주인공이 사람들을 어떻게 다루고 있는가를 보여주는 일종의 패턴을 제공하기 때문이다(Shepherd 183). 이 인물들은 다음에 등장할 인물들을 미리 소개하고 또 상대방의 필요와 그들이 처한 상황에 따라 자기 모습을 바꿔가며 상대방의 핵심에 접근한다.

　　로버츠라는 이 상인은 계속해서 상장을 단 존 링맨, 회색코트를 입은 사나이 그리고 블랙 라피즈 석탄회사(Black Rapids Coal Company)의 주식을 파는 존 트루먼(John Truman)에게 시험을 당한다. 그는 소박한 겉모습에도 불구하고 인생의 악과 고통을 알고 있으며 인간에게 완전한 믿음을 지니고 있지 않다는 점을 사기꾼과의 만남을 통해 점차로 드러낸다. 존 링맨은 상인 로버츠에게 1실링을 빌려달라고 한다. 머뭇거리는 상인에게 그는 상인이 자신의 청을 거부할 수 없게 만드는 이야기를 들려준다. 그 이야기를 들으면서 상인은 점점 더 큰 액수의 돈으로 바꾸어 그의 주머니에 넣어준다. 퇴장하려다 다시 돌아온 링맨은 주식중개인 존 트루먼에 관해 귀띔해준다. 이 상인은 링맨에게 그렇게 좋은 조건이면 당신은 왜 사지 않느냐고 묻는다. 이런 반문은 그가 의심하고 있다는 점을 암시한다. 주식중개인으로 등장한 주인공에게 상인은 카드를 하고 있는 초록 타이와 빨간 타이를 맨 두 젊은이가 사기꾼일거라고 한다. 두 젊은이가 속임수를 쓰고 있을 거라는 말에 사기꾼은 "모든 사람이 정직하게 카드를 한다면 이길 수밖에 없다"(46)고 하자 상인은 "이 세상에 그런 게임이 없다"(46)고 한다. 이 말은 보편적인 미덕과 행복이란 하늘의 것이지 지상의 삶이라는 게임에는 해당되지 않는다는 목발 사나이의 주장과 그리 다르지 않다. 자신도 의식하지 못하고 있던 생각을 드러내기 시작한 상인은 그런 자기 태도에 당황하지만 평상시의 모습으로 돌아갈 수 없다.

> 아, 와인 좋지요, 그리고 믿음 좋지요. 그러나 믿음의 와인이 돌같이 단단한 생각의 층을 거쳐 따뜻하고 불그레하게 진실의 차가운 동굴로 떨어질 수 있을까요? 진실은 위로 받지 못할 것입니다. 친근한 사랑으로 인도되고 달콤한 희망에 유혹당해 친숙한 상상이 이런 재주를 시험해보지요. 그러나 헛된 일입니다. 단지 꿈과 이상이 기껏 당신 손 안에서 폭발해서 타는 듯한 느낌 외에는 아무것도 남지 않을 겁니다. (57)

이 같은 상인의 말은 "사랑과 진실은 별개"라는 목발 사나이의 냉소적인 주장을 되풀이하고 있다. 그는 사실 냉소적인 사람이며 겉으로 보이는 "믿음의 천배에 달하는 강한 불신이 마음 깊은 곳에 자리 잡고 있다"(57)는 점을 사기꾼은 들춰낸다.

회색 옷을 입은 신사는 태시터스(Tacitus)의 책을 들고 있는 대학생, 금단추를 단 멋쟁이 신사 그리고 성경을 읽고 있는 미망인을 만난다. 링맨이 아무 조건 없이 돈을 요구했던 것에 반해 이 회색 옷차림의 신사는 〈과부와 고아들을 위한 세미놀 보호시설〉(Seminole Widow and Orphan Asylum)에 기부를 부탁한다. 금단추를 단 옷을 입은 신사는 옷차림새가 워낙 깔끔하고 흠잡을 데가 없어 사람 자체가 선의의 상징인 듯이 보인다. 50대 후반으로 보이는 이 남자의 옷이 겉감뿐 아니라 안자락과 장갑까지 눈이 부시게 깨끗하다는 점은 곳곳에 검댕이 묻어 있는 증기선에서는 어쩐지 부자연스럽다는 점을 화자는 지적하고 있다.

그러나 사람들이 그의 손을 잠시 지켜본다면 사람들은 그 손이 어떤 것도 만지는 걸 피한다는 사실을 알아챌 것이다. 흑인 몸종의 타고 날 때부터 검은 손이 제분소 일꾼이 하얀 가루를 뒤집어 쓴 것처럼 하얀 주인의 손이 해야 할 일을 했다는 것을 사람들은 곧 알게 되었다. 그래서 그 신사는 유태인 지도자처럼 자기 손을 깨끗하게 유지하는 방법을 알고 있으며 그가 지닌 행운이 그를 아주 좋은 사람으로 만들어준 사람이었다. (30)

그의 깨끗함은 세상의 더러운 일을 흑인노예에게 맡긴데서 얻게 된 것이다. 그는 회색 옷을 입은 신사로부터 과부와 고아를 위해 기부를 해달라는 제안을 받고 지폐 석 장을 건네주면서 "자선이란 노력이 아니라 너무 깊이 빠지지 않는 사치일 뿐이다"(32)라는 말을 한다. 자선도 월 가 (Wall Street)의 정신인 상업주의와 결합해 운영해야 한다는 회색 옷을 입은 사기꾼의 '세계의 자선'(World Charity) 계획을 듣고 그는 "반쯤 장난스럽고 반을 동정하는 듯한" 미소를 띠며 또 한 장의 지폐를 쥐어주고 사라진다. 조카 결혼식에 참석하러 가는 그는 회색 옷을 입은 사내를 동정하고 이야기를 들어주지만 남을 돕는 행위가 그에게는 공감도 동정도 불러일으키지 않는 취미에 가까운 행위에 지나지 않는다. 그러나 멜빌은 기부금을 걷는 회색 옷 신사를 대하는 대학생의 냉담함 태도와 이 부자 사나이의 미지근한 태도에 비판적이면서도 뉴 예루살렘(New Jerusalem)이라는 신도시 개발을 위한 투자자를 모집하며 월 가 정신에 부합되는 세계적 자선단체를 세워 지구 전체에 복음을 전파하겠다는 사기꾼의 계획에 함축된 19세기의 개혁운동, 즉 상업주의와 영합한 기독교의 복음화에 대해서도 비판하고 있다.

믿음을 파괴하는 태시터스의 책을 읽지 말라고 충고하던 회색 옷 신사에게는 거만하게 굴던 대학생은 주식투자로 돈을 벌 수 있다는 〈블랙 래피드 석탄회사〉의 주식중개인으로 등장한 존 트루먼의 말에는 적극적인 관심을 보인다. 전반부에 등장하는 사기꾼의 상대들이 거의 대부분 자기의 이기심과 욕심 때문에 그에게 설득당하는 것처럼 이 대학생 역시 예외가 아니다. 대학생이 떠나고 혼자 남게 된 주식중개인 트루먼은 상인으로부터 들은 적 있는 구두쇠 노인을 찾으러 지하 선실로 내려간다. 기침을 하면서 물을 찾는 노인에게 친절하게 물을 건네준 트루먼은 구두쇠 노인이 어떻게 신세를 갚느냐고 하자 "나를 믿어주면 된다"고 한다. 100달러를 투자하면 곧 세배로 늘려주겠다고 하며 기침을 몹시 하는 노인에게 트루먼은 만병통치용 발사믹 강장제(Omni-Balsamic Reinvigorator)을 권하면서 약초의사를 추천해준다. 세 배로 돈을 늘릴 수 있다는 제안에는 혹하면서도 믿을 수 없는 주식중개인 때문에 망설이는 구두쇠 노인으로부터 100달러를 받아들고 주식중개인은 선실에서 사라진다. 조건 없는 기부나 과부와 고아를 위한 기부금의 찬조에는 머뭇거리던 사람들이 이익을 얻을 수 있다는 주식투자에는 열심인 것은 이 사회의 인물들이 실리에 따라 움직이는 자본주의의 한가운데 있음을 보여준다.

16장에서 20장에 걸쳐서 사기꾼은 약초의사, 골절 교정사로 등장한다. 많은 절름발이와 병을 앓는 사람들의 모습은 이 사회가 건강하지도 정상적이지도 않다는 점을 암시한다. 약초의사로 등장한 주인공은 장기간의 병에 지쳐 어떤 약이나 치료법도 불신하는 환자를 만난다. 약초의사는 이 환자에게 자연의 치유력에 대한 믿음을 강조하며 자신의 약을 먹어보라고 설득한다. 환자가 "당신이 내게 희망을 주는 것이냐?"고 묻자 약초의사는 "희망이란 믿음에 비례한다"면서 한 병에 50센트씩 받고 여섯 병을 건넨다.

약초의사는 배 뒤편 선실로 이동해 사람들에게 약을 소개하나 누구도 그에게 관심이 보이지 않는다. 몸이 성치 않은 거인(Invalid Titan)이 인디언의 피가 섞인 듯한 어린 딸을 데리고 선실로 들어서자 약초의사는 납빛 안색의 거인을 보고 달려가 "이 약이야말로 고통을 없애줄 거다"라고 하며 '사마리아인 진통제'(Samaritan Pain Dissuader)를 권한다. 이 권고에 거인은 "거짓말이야! 어떤 고통은 감각이 없어지지 않으면 완화되지 않고 죽음이 아니면 나을 수도 없다"(74)고 쏘아붙인다. 이 말에 약초의사는 전혀 기죽지 않고 3주나 잠을 자지 못한 루이지애나의 과부를 깨끗이 고쳤다고 하면서 다시 설득한다. 그러자 거인은 "남의 심금을 울리는 사기꾼"(75)이라고 고함을 치며 선실을 나간다. 그가 이렇게 화를 낸 데에는 시련의 연속이었던 그의 체험이 있었을 것이다. 고통과 실망을 겪은 경험으로 약초의사의 주장을 일언지하에 거절하지만 폭력적인 언사에 의지하는 거인의 행동은 아무런 소득을 거두지 못하며 완벽한 불신 때문에 새로운 경험을 할 모든 가능성을 없애버린다(Mitchell 21). 이 거인의 모습은 미국인들이 흔히 상상하는 신개지의 건장한 개척민이 아니라 모든 것을 불신하게 만든 우울한 체험과 병든 육체만 남은 완전히 지쳐버린 인간의 모습이다. 돌아서 나가는 거인을 보고 약초의사는 "예의도 없고 인간성도 상실해버린" 인간이라며 누군가가 문밖에서 자기를 부르는 것처럼 총총히 나간다.

약초의사가 퇴장하고 난 다음 18장 「약초의사의 진정한 정체에 대한 검토」("Inquest into True Character of the Herb-Doctor")에서는 마치 2장에서 크림색 옷을 입은 벙어리에 대해 승객들 의견이 분분했던 것처럼 약초의사의 정체에 관해 구구한 추측이 난무한다. "사람을 속이는 사람"이라는 의견에서부터 "사기꾼이 아니라 근본적으로 자기가 속는 사람," "독창적인 천재라고 부를 수 있는 사람," "사기꾼, 바보, 천재가 모두 합쳐진 인물이 아닐까?"(78)라는 의견까지 다양하다. 다시 등장한 약초의사가 자신의 번 돈 절반을 자선금으로 내놓겠다며 노동자로 보이는 사람에게 2달러를 주는데 이런 그의 행동에 승객들은 어리둥절하다. 그의 정체에 관해 이야기를 시작한 매부리코 신사가 옆 사람에게 "그에 대해 아느냐?"고 물었을 때 "무엇인가 수상하다"(78)고 대답한 것처럼 그들은 사기꾼에 대해 의심만 할 뿐 아무것도 확실하게 말할 수 없다. 약초의사가 속이는 사람인지 아니면 그가 속아 넘어가는 사람인지 알 수 없다는 승객들의 의견은 사기꾼과 사기에 넘어가는 사람 사이의 구별이 모호하다는 점을 다시 한 번 환기시킨다.

다음 항구에서 약초의사는 자칭 용병이라는 절름발이 남자를 만난다. 용병 토마스 프라이(Thomas Fry)가 불구가 된 내력은 뉴욕 법정의 부당성을 드러내 이 작품에 나오는 몇 안 되는 당시 정치에 대한 직접적인 논평이라고 할 수 있다(Watson 446). 공원에 놀라갔다가 우연히 살인사건의 목격자로 법정에 끌려간 톰은 당사자를 비롯한 모든 사람들이 풀려난 뒤에도 보석을 신청해줄 사람이 없는 그만이 감옥에 남게 된다. 축축하고 습기 찬 감옥의 공기가 몸에 스며들어 결국 불구자가 되는 바람에 적선으로 연명하게 되었다는 것이다. 그의 이야기를 믿을 수 없다고 하는 약초의사의 말에 톰은 다른 사연을 말해주겠다고 하면서 멕시코 전쟁에서 용감하게 싸운 스콧(Scott) 장군의 병사 해피 톰(Happy Tom)에게 한 푼 적선을 해달라고 한다. 그 얘기를 들은 사람이 "저렇게 거짓말을 해도 되느냐?"고 했을 때 약초의사는 톰이 단순한 변덕으로 그런 얘기를 지어낸 것이 아니라 "가벼운 가짜 질병은 사람들의 관심을 끌지만 심각한 진짜 병은 사람들의 거부만을 일으킬 뿐이라고"(84) 생각해서 그런 이야기를 하는 것이라는 설명을 해준다.

이런 주인공의 설명은 사회의 모든 악과 모순을 개혁하고자 하지만 여전히 법이 부당하게 집행되는 현실을 외면하는 미국인의 속성뿐 아니라 더 넓게는 심각하고 잔인한 인생의 진실은 대면하기를 회피하는 보편적인 인간의 속성을 지적하는 대목이다. 약초의사는 톰에게 하늘의 법이 인간의 통치만큼이나 이성적 눈으로는 공정치 못하게 보이지만 올바른 믿음을 가진 이에게는 궁극의 자선이 확실하다며 삶에 대한 긍정적인 태도를 가질 것을 권한다. 이런 조언에 톰은 허튼소리 하지 말라면서 "비틀어진 세상을 교정한 다음에 나를 고치러 오라"(85)고 핀잔을 준다. 그러나 절름발이 검둥이를 자기처럼 걷게 해주었다고 하며 자기를 믿어볼 것을 권하는 약초의사의 끈질긴 설득에 톰은 결국에 가서 공짜로 주는 약을 받으며 고마워한다.

> 당신은 나를 더 좋은 사람으로 만들어주었어요. 당신은 선한 기독교인처럼 나를 참을성 있게 대해주고 이야기를 해주었어요. 세 상자를 선물하지 않아도 그것으로 충분해요. 전지전능하신 하느님이 당신과 함께 하시기를. (86)

그와 헤어진 뒤 약초의사는 증권판매인 존 트루먼이 만난 적이 있는 기침이 심한 구두쇠 노인을 만난다. 노인은 약초의사를 보고 반가워하면서 트루먼을 보지 못했느냐고 하면서 트루먼의 주소를 묻는다. 약초의사는 구두쇠 노인에게 트루먼을 완전히 믿으라고 강력하게 설득한다. 그리고 약값을 깎아달라는 노인의 요구를 무시하고 '만병통치 발사믹 강장제'(Omni-Balsamic Reinvigorator)라는 약을 한 병에 2달러씩 여섯 병을 판다. 여기서 주목할 것은 약초의사가 17장에서 만난 환자에게는 한 병에 50센트에, 거인에게는 공짜를 제의했고 톰에게는 주겠다는 돈을 받지 않은 사실이다. 약초의사의 약값은 사기꾼이 상대방에 접근하는 전략만큼이나 다양하고 상대에 따라 달리 매겨진다.

구두쇠 노인과 약초의사 간의 대화를 곁에서 듣던 곰 가죽을 걸친 청년이 구두쇠 노인에게 "약초와 자연이 당신의 고질적인 기침을 고쳐 주리라고 생각하느냐?"(91)고 하며 약초의사가 그에게 사기를 쳤다고 말해준다. 그러자 약초의사는 "그렇게 불쌍한 노인에게 그렇게 말해주는 게 과연 인간미가 있는 것인가?"(94)하고 되묻는다. 피치(Pitch)라는 이름의 곰 가죽을 걸친 독신남은 미주리 출신으로 자신의 쓰라린 체험으로 인간과 자연에 대해 뿌리 깊은 불신을 가진 사람이다. 피치는 헨리 로버츠(Henry Roberts)라는 시골상인과 더불어 사기꾼이 세 번에 걸쳐 상대하는 인물이다. 주인공은 약초의사로서, '철학적이고 지적인 사무소'(Philosophical Intelligent Office)라는 직업소개소 직원으로서, 그리고 세계인으로서 고집 센 청년을 상대한다. 상인이 처음에는 타인에 대한 신뢰와 자비를 가진 태도를 보여주다가 점차 인간에 대한 마음속 깊은 불신을 드러내고 있다면 피치는 인간과 자연에 대한 극도의 불신 상태에서 사기꾼에 의해 마음 깊은 곳에 남아 있는 인간에 대한 일말의 신뢰를 다시 확인하게 된다. 자연에 대한 신념을 가지라는 약초의사의 말에 처음에 그는 "당신은 사기꾼이냐? 바보냐?(92)고 하면서 코웃음 친다. 애써 가꾼 만 달러 상당의 농장을 홍수가 쓸어가 버리고 농장에서 15년 동안 고용한 35명의 소년들 가운데 자기를 속이지 않거나 게으름을 피우지 않은 아이는 없었다는 이야기를 한다. 그는 사람을 대신해서 농장에서 사용할 기계를 구입하러 가는 중이다. 자신을 "자연과 인간과 자신에게 믿음을 지닌 사람"(92)이라고 소개한 약초의사는 피치의 불신을 없애보려고 하지만 단호하게 거절당한다. 상대방이 자신에게 설득당하지 않는 것을 보고 그는 피치와 헤어진다.

　이 청년에게 사람이 필요하다는 것을 알고 난 뒤 직업소개소 직원으로 등장한 주인공은 자연은 유쾌한 면도 있고 타락한 소년이 어거스틴 성인처럼 훗날 성인(saint)이 될 가능성이 있다는 점을 주장한다. 그러나 "내 이름은 피치(pitch는 '설득이나 주장'이라는 뜻이 있다)요. 난 내가 말하는 것을 고집하겠소"(109)라고 하며 고집을 부리는 피치에게 직업소개소 직원은 자기 사무실이 "인간에 대해 주의 깊은 분석적 연구"를 하는 곳이라고 주장하면서 과학적인 인간의 이미지를 주장하며 접근한다. '철학적이고 지적인 사무소'라는 PIO 직원은 피치가 흥분해서 자기는 인간에 대한 믿음을 버렸다고 할 때 "열정을 지니게 되면 과학은 자리를 비켜야한다"(104)면서 피치의 비과학적인 정신을 비웃는다. 피치는 PIO 직원의 말을 자주 가로막지만 점점 더 그 직원의 설득에 귀를 기울이게 된다. 인간과 자연을 불신하는 피치를 변화시키려 하면서 PIO 직원은 과학적으로 일에 대처해야 한다고 하지만 그가 하는 설득은 다분히 감성적이다. PIO 직원은 흠 없는 과일이 숨어 있는 꽃봉오리에서 나오듯 덕이 있는 인간은 버릇없는 아이에게서 나온다는 것과 아름다운 나비가 애벌레에서 그리고 헌 치아에서 새 이가 나온다는 비유로 새로운 인간의 가능성이 대해 피치를 설득한다.

결국 피치는 "잘 모르겠다, 하지만 내가 고용한 서른다섯 명의 아이들에게 좀 심하게 대했는지도 모르겠다"(109)고 자신의 과오를 인정하기에 이른다. 그리고 자기에게 소년을 한 명 보내달라고 선금을 주고 그 소년의 차비까지 선불로 준다. 그러나 PIO 직원이 떠난 뒤 피치는 "너무 쉽게 빠져드는데다 재치도 없고 사람과 어울리는 것을 좋아하는 본성을 지닌 자신"(113)에게, 자기결심에 위배된 행동을 한 자신에게 화를 내면서 앞으로는 좀 더 조심해야겠다고 다짐한다.

3. 믿음의 추구

더욱 냉정할 것을 다짐하는 피치에게 누군가가 다정하게 그의 어깨를 친다. 뒤돌아보니 기묘한 옷차림의 사람이 활짝 웃으며 서 있다.

간단히 말해서 이방인은 붉은색이 압도하는 여러 가지 색깔의 줄이 쳐있는 옷을 입고 있었는데 스코틀랜드의 타탄체크 무늬 같은 스타일의 옷, 왕의 예복과 프랑스식 블라우스를 입고 있었다. 색깔이 꼬아져있는 앞부분에 꽃무늬로 된 상의 셔츠가 보였다. 군용천으로 된 커다란 하얀바지는 밤색 실내용 덧신을 덮고 있었고 경쾌하게 보이는 자주색 스모킹 캡이 경쾌하게 머리에 얹혀 있었다. 분명하게 여

행자들의 왕 같았다. (114)

이 이방인의 차림새는 마치 전반부의 모든 사기꾼들이 입은 옷을 다 걸치고 나온 듯하다. 누구냐고 묻는 피치(Pitch)의 질문에 "옷차림만큼이나 다양하게 사람들의 의견을 총체적으로 어우러지게 만드는 세계인이며, 보편적 인간"(115)이라고 자신을 소개하는 말에서도 알 수 있듯이 그는 이제까지의 인물들을 총망라한 듯한 인상을 주고 있다. 그는 8장의 블랙 기니라고 한 검둥이가 제시한 리스트에는 없는 인물이다. 세계인은 여러 면에서 전반부와는 다른데 전반부의 중심인물들과 달리 직업도 없고 팔 물건도 없으며 사람들에게 돈을 요구하지도 않는다. 그는 자기가 만나는 사람들의 숨겨진 잘못을 들추어냄으로써 세상을 밝게 만들고자 하는 사람이다(Howard 231). 전반부의 사기꾼과 상대편의 짧고 가벼운 대화와는 달리 후반부에서는 길고 진지한 대화로 바뀌며 전반부는 사기꾼이 이어서 등장하는 변장한 인물들과 연결고리가 있었던데 반해 후반부는 세계인이 집중적으로 탐구하는 인물들이 서로 연결되어 있음을 알 수 있다.

멜빌이 글쓰기 전략을 바꾼 이유를 짐작하기 쉽지 않으나 사기꾼과 승객들 간의 짧은 만남으로는 자신이 전달하고자 하는 바를 충분히 개진할 수 없고 글을 써내려가면서 사람들의 속아 넘어가는 특성(gullibility)보다는 사람들 간의 믿음이 없다는 면에 더 몰두하게 되었기 때문으로 짐작된다. 그러나 세계인은 전반부에 등장한 사기꾼과 전혀 다른 인물이라 할 수 없으며 또 다른 사기꾼이라 할 수 있다(Branch 435). 에그버트와 헤어져 이발관으로 들어간 세계인의 행동이 예전의 사기꾼 모습으로 돌아오는 것에서도 알 수 있듯이 그는 예전의 사기꾼과 동일인물로 생각된다. 후반부의 세계인/사기꾼은 비록 그의 시도가 성공하는 듯이 보이지 않지만 그는 상대방의 본성과 삶의 철학을 좀 더 깊고 철저하게 노출시키고자 노력한다. 자신을 세계인이라고 소개한 사기꾼을 피치(Pitch)는 팬터마임 극의 원숭이와 비교하며 모욕적인 언사를 퍼붓는다. 그러나 세계인은 화를 내지 않고 피치에게 그가 지니는 우월한 정신을 이상한 코트 속에 감추고 있는 이유를 모르겠다고 하며 질병이란 혼자 동떨어진 정신에서 비롯되는 거니까 다른 이들과 어울리며 다른 이들을 좋아해보라고 권한다. "인생이란 가장무도회 같은 것이요. 현자처럼 칙칙한 옷에 우울한 표정을 짓고 다니는 건 자신에게 불편한 일이며 그 장소에 어울리지 않아요. 광대를 연기할 준비를 하면서 자신의 역할을 해보라"(116)고 충고한다. 세계인은 높은 다락에 곱게 모셔놓은 아무도 찾지 않는 빵장수의 부츠가 되기보다는 빵장수가 항상 신고 다니는 다 낡아빠진 슬리퍼가 되겠다고 한다. "외롭고 고상한 존재에 관한 생각이란 잘못"(117)이라고 하며 외롭고 높은 곳에 있는 수탉은 사실 겁쟁이 닭(Hen-pecked one)이라는 것이다. 자기에게 "인간은 결코 싫증이 나지 않는 술과 요리 같은 존재"(115)라고 말한다. 피치가 "모든 사람이 자기 목적을 위해 다른 사람들을 만난다"고 하자 그는 "사람들과 사귀어라, 좀더 유쾌한 철학이 삶의 목적이 되게 하라"고 충고한다. 세계인의 얘기는 사실 위로하고 위로받고자 하는 모든 이들의 욕구와 즐거움에 대한 바램이다. 인간이란 덕이 있고 존경할만한 가치가 있는 존재임을 주장하는 세계인은 자신을 존중하는 사람은 논리적으로 그 존중감을 다른 사람들에게로 전파시킨다고 주장한다. 세계인은 소외된 사람과 세상을 화해시키기 위해 파견된 대사인 자기를 피치가 스파이로 오해하는 것을 슬퍼하며 물러난다.

> 이슈마엘 같이 버림받았다고 생각하는 당신에게 사람들은 당신 실
> 수에 대해 악의를 가지고 있지 않다는 점을 농담조로 당신에게 확실
> 하게 알려주고 당신과 다른 이들을 화해시키기 위해 내가 인류를 대
> 표하는 대사로서 왔소. 하지만 당신은 나를 정직한 사절로 생각하지
> 않고 스파이로 생각하는군요. 당신 편인 사람을 못 알아보는 당신
> 실수는 당신이 어떻게 모든 사람을 제대로 보지 못하는지를 당신에
> 게 가르쳐줄 거요. (120)

이런 방식으로 사기꾼은 약초의사, PIO 직원, 세계인으로 피치를 상대한다. 그를 사기꾼으로 해석하는 평자들에게 피치는 이 책에 등장하는 몇 안 되는 현명한 사람이다. 이런 피치의 모습은 신개지에서 겪은 그의 경험이 불행히도 민주주의와 인간에 대한 믿음을 앗아 가버렸다는 점을 시사한다. 그러나 그런 그가 다시 한 번 사기꾼의 설득에 넘어가는 것은 인간은 서로 의지하며 살 수밖에 없는 존재라는 점을 확인해준다. 다른 한편 인간과 자연의 선함을 피력하는 사기꾼에게 거칠고 적대적으로 대응하는 병든 거인과 피치의 모습은 흔히 서부개척자들에 대해 일반인들이 생각하는 자유로움과 우정이나 관대하고 남성다운 특성이란 환상일 뿐이라는 점을 드러낸다(McWilliams 192).

피치라는 설득하기 힘든 상대와 헤어져 돌아가는 길에 세계인은 자기에게 즐겁게 말을 건네는 사람과 만난다. 그 사람은 피치를 이상한 작자라고 하면서 사람들을 싫어하는 피치가 인디언을 증오하는 일리노

이 주의 머독대령(Colonel John Moredock of Illinois)을 연상시킨다는 말을
한다. 찰스 노블(Chalres Noble)이라는 이 사나이는 '유쾌한 인간 혐오자'
의 전형으로 보라색 조끼를 입었는데 '보라색 옷을 입은 남자'가 나타나
야 할 차례에 등장한다. 그가 블랙 기니가 전에 언급한 '보라 색 옷의
사나이'와 비슷한 옷차림으로 등장한 것은 점점 더 사기꾼과 상대의 구
분이 매우 모호해져 가는 것을 의미하며 상대방과 역할이 바뀌었다는
점을 암시하는 듯하다. 역할이 바뀔 가능성에 대해 미첼(Edward Mitchell)
은 "본질이란 행동으로 결정되기 때문에 사기꾼과 그의 희생자들의 역
할이 흘러가는 방향과 보기에 따라 잠재적으로 상호간에 바뀔 가능성이
내포되어 있다"(18)고 주장한다. 노블은 겉으로는 사랑과 발랄한 유머감
각을 지니고 있는 듯하다. 그러나 화자는 "그의 치아가 너무나 좋아서
차라리 진짜 같지 않다"(121)는 뉘앙스를 흘림으로써 그의 정체를 암시
하고 있다. 찰스는 어렸을 때 홀(James Hall) 판사로부터 들었던 머독대
령 이야기를 해주겠다고 하면서 그 이야기를 하기 전에 머독대령만이
아닌 모든 오지 사람들(Backwoods Men)이 인디언들을 증오하고 또 인디
언에 대한 증오가 백인사회의 공통된 열정이 된 연유를 「인디언 혐오의
형이상학」("The Metaphysics Of Indian-Hating")이라는 장에서 설명한다.

> 나라가 풍요로워졌거나 힘을 가지게 되었거나 간에 국가는 개척자
> (Pathfinder)의 발뒤꿈치를 따르는가? 뒤를 따라오는 사람들에게 안
> 전함을 제공하는 개척자는 그 자신에게는 고난 외에 아무것도 요구하
> 지 않는다. . . . 미국 원주민에 대한 반감은 선과 악, 옳고 그름의 지
> 각과 함께 오지인들의 마음속에 자라나게 된다. 맨 먼저 오지인은 형

제는 사랑해야 하고 원주민들은 증오해야 한다는 것을 배운다. (127)

인디언 사냥꾼들은 두 종류로 나뉘는데 그 중 하나는 인디언 사냥을 위해 오지로 떠난 뒤 그 후 한 번도 개간지로 돌아오지 않은 "뛰어난 인디언 증오자(Indian-hater par excellance)"이고 나머지 하나는 가정생활과 인디언 사냥을 병행하는 "희석된 인디안 혐오자(diluted Indian-hater)"이다. '희석된 인디언 혐오자'의 대표 격인 머독대령을 통해 철저하게 인디언들을 증오한 인간이 어떻게 훌륭한 시민과 남편, 그리고 아버지가 될 수 있었는지 보여준다. 세계인은 머독대령이 애정이 깊은 사람이면서 동시에 끔찍한 인디안 혐오자라고 얘기하는 홀 판사의 모순을 지적한다. 머독대령의 일화는 평자들에 의해 정반대로 해석되는데 파커(Hershell Parker)는 인디언을 악의 화신으로 인디언 혐오자는 악을 물리치는 헌신적인 기독교인으로 이해한다(31). 그러나 미국의 역사가 신개지 개발을 통한 팽창의 역사라고 할 때 머독대령의 생애는 25장에서 35장에 걸쳐 이 작품에서 가장 잔인한 부분의 서막을 장식한다고 말할 수 있다(Drew 426). 맥윌리엄스는 머독대령에 대해 이렇게 해석한다.

> 백인사회에서 재판관이고 기독교 신사인 머독은 모든 인디언들을 살육하는데 광기에 찬 충동에 점점 빠져든다. 머독은 외적으로는 문명인이나 마음은 야만인이다. 그의 분열증은 서부 정착민들이 미국 대륙을 정복하는 것을 정당화한다면 인디언 개개인에게 가한 잘못을 전체 인디언들에 대한 살인적인 증오로 보편화할 수밖에 없다는 점과 연결된다. (MacWilliams 193)

멜빌은 이 장에서 미국인들이 어떤 방법으로 미국대륙을 개척하고 그들의 전진에 방해가 되는 원주민들을 어떻게 대처했으며 원주민들을 살육한 백인들의 행위가 정당화되는 과정을 보여준다. 작가는 '위대한 미국'을 건설하는 과정에서 쌓아올린 미국신화의 실체를 드러내며 미국의 팽창과 부의 축적에 기여한 개척자들에 대해 미국인들이 만들어낸 공적인 신화의 실체를 뒤집으며 패러디한다.

찰스는 겉으로는 인간관계를 잘 맺을 수 있는 모든 면을 지니고 있는 듯이 보인다. 유쾌하고 생기에 찬 그는 피치 같은 냉소적 인간을 비난하며 『햄릿』(*Hamlet*)의 폴로니우스(Polonius) 같은 현실적인 인간을 혐오한다. 그는 우정, 즐거운 대화, 술, 담배, 쾌락 등에 대해 세계인 프랭크 굿맨(Frank Goodman)과 이야기를 나누면서 "자기들 두 사람에 관해 책을 쓴다면 누가 누구인지 구분이 안 될 정도로 생각이 일치한다"(137)고 기뻐한다. 그러나 찰스가 즐거워하는 모습은 인간에 대해 피상적으로 신뢰하는 면을 보여준다. 요즘 와인이 가짜라고 하는 찰스의 말에 세계인은 얼굴이 어두워지며 포도주에 대해 그런 의심을 가진다는 것은 인간에 대한 믿음을 갖지 못하는 것과 같다고 한다.

> 와인을 다루고 파는 사람에 대한 의심을 마음에 품은 사람은 인간의 마음에 대해 제한된 믿음을 가질 수 있어요. 인간의 마음을 포도주 한 병 한 병과 같이 생각해야 합니다. 이런 저런 포도주가 아니라 그들이 소중하게 생각하는 포도주로 생각해야죠. (140)

그러면서 "가짜 포도주가 아주 없는 것보다는 낫다"(140)고 덧붙인다.

세계인은 찰스에게 자기와 어울려 술을 마시지도 않고 담배를 피우지도 않는 점을 거듭 지적하며 계속 그의 의견을 물어봄으로써 그의 진면모를 드러나게 만든다. 세계인이 아홉 개의 유머가 소돔(Sodom)의 인구만큼이나 많은 사악한 생각으로부터 구원해줄 수 있을 거라고 하며 "유머를 가진 자나 선량하게 크게 웃는 사람은 무자비한 사기꾼이 될 수 없다"고 하자마자 찰스는 남루하고 창백한 거지아이를 보고 유쾌한 듯 웃음을 터트린다. 거지아이를 비웃음으로써 좋은 사람으로 보이고자 하는 찰스의 서툰 노력은 시실리의 팔라리스(Phalaris)의 일화를 듣고 난 뒤 그가 보이는 반응으로 더욱 분명하게 드러난다. 유머를 혐오하던 팔라리스가 자기를 웃게 했다는 죄목으로 어떤 사나이를 처형했다는 이야기를 듣고 동시에 "정말 재밌는 팔라리스"라고 하는 찰스와 "불쌍한 팔라리스"라고 하는 세계인은 대조를 이룬다.

그런 다음 세계인이 "정말로 급히 돈이 필요하다"(155)고 50달러를 빌려달라고 하자 찰스는 본색을 완전히 드러낸다. 세계인에게 "거지, 사기꾼"이라며 펄쩍 뛰는 모습이 마치 "뱀으로 변하는 캐드무스와 같다"(155). 작가가 "오비드의 어떤 변신보다 더 놀라운 변신"이라고 한 상대의 모습을 침착하게 지켜보던 세계인은 호주머니에서 5달러짜리 금화 열 개를 내놓는다. 세계인이 정말로 돈이 필요했던 게 아니란 것을 깨닫자 찰스는 세계인의 행동을 예견했다는 듯 본색을 드러낸 자기 행동을 농담으로 돌리려 한다. 세계인이 이런 찰스를 전혀 신뢰하지 않는다는 사실을 그가 하는 다음 얘기로 짐작할 수 있다.

세계인 굿맨(Goodman)은 찰스에게 세인트루이스에 살았던 찰러몬트(Charlemont)라는 젊은 상인의 이야기를 들려준다. 부유한 상인 찰러몬트는 자신의 도산을 예견하고 친구들이 자기에게 등을 돌릴 게 두려워 미리 친구들을 피해 자취를 감춘 몇 년 뒤 재산을 다시 이루게 되자 아무일도 없었다는 듯이 세인트루이스로 돌아온다. 이 일화를 끝맺으면서 세계인은 상대방에게 "좋은 친구가 돈 한 푼 없는 게 밝혀진다면 친구에게 냉담하게 돌아서겠느냐?"고 묻는다. 찰스는 "내가 그런 비겁함에 대해 비웃는다는 것을 알지 않느냐?"(161)고 반문한다. 그 말을 한 찰스는 자기 언행이 일치하지 않는다는 것을 의식한 듯 총총히 사라진다.

찰스가 퇴장하고 난 뒤 세계인 프랭크 굿맨(Frank Goodman)은 초월주의자 마크 윈섬(Mark Winsome)과 제자 에그버트(Eggbert)를 만난다. 이 두 사람과의 만남은 찰스와 만남의 연장이라고 할 수 있는데 실제로 굿맨과 에그버트가 친구로 가장하여 돈을 거래하는 역할을 했을 때 에그버트는 찰스 노블이라는 이름을 사용한다. "양키 행상과 타타르인 사제" 같은 외모, 다시 말해 약삭빠른 장사꾼과 신비스러운 동방의 사제 같은 태도가 섞여 있는 듯한 윈섬은 세계인에게 찰스를 다시는 만나지 말라고 하는 경고로 말을 건넨다. 이는 찰스가 세계인에게 피치를 비난하며 말을 건넸던 것과 비슷하다. 전반부에서는 사기꾼 주인공이 승객들에게 말을 먼저 걸었던 것과는 달리 후반부에서는 승객들이 세계인에게 말을 먼저 건넨다. 세계인은 찰스와 친교를 나눈 동기만큼은 무시할 수 없다고 하며 윈섬에게 찰스가 앉아서 그의 온기가 남은 자리에 앉으라고 하며 그의 따뜻함이 윈섬에게 스며들지 않느냐고 묻는다. 그러면서 세계인은 자기 친구를 그렇게 생각하는 이유가 무엇인지 그리고 그를 어떤 사람이라고 생각하는지를 묻는다. 윈섬은 세계인의 질문에는 대답을 하지 않고 멋있는 비유라고 할 뿐이다. 찰스 노블을 믿을 수 없는 인물로 분류하면서 원섬은 주장한 믿을 수 있는 인간과 믿을 수 없는 사람으로 나누는 "분류의 원칙"을 주장하며, 인간에 대한 진정한 평가를 위해 삶이 제공하는 데이터는 마치 기하학 상 주어진 한 면으로 삼각형을 만들려는 것처럼 충분치 않다는 "삼각형의 원리"를 피력한다. 세계인이 두 이론 사이에 일관성이 없다는 점을 지적하자 원섬은 일관성이라는 게 얼마나 어리석은가에 대해 이렇게 피력한다.

> 나는 일관성에 대해 거의 신경 쓰지 않아요. 철학적인 관점에서 보면 일관성은 사람의 모든 생각을 일정한 수준으로 유지시켜주는 것이죠. 그러나 자연은 산과 계곡처럼 굴곡이 심한데 사람이 일관성이 없는 자연 진화를 따르지 않고 지식을 자연스럽게 발전시킬 수 있겠어요? 지식을 발전시키는 것은 국가적인 차원에서 변화가 불가피한 거대한 이리(Erie) 운하의 발전과 같은 것이지요. (165)

원섬의 차가움은 세계인의 따뜻함과 반복적으로 대조된다(Drew 430). 와인을 권하는 세계인에게 얼음물을 마시겠다고 하며 "티 없이 맑고 차가운 푸른 눈이 프리즘처럼 반짝거리는" 원섬은 시종일관 냉정한 태도를 견지한다. 기이한 차림의 거지가 다가와 그들에게 작은 책자를 건네며 구걸을 하자 세계인은 거지에게 1실링을 주지만 원섬의 태도는 차갑기 그지없다. "그의 태도는 나에게는 한 푼도 기대 말라"는 듯하다. 동정심이 없는 것을 지적하는 세계인에게 원섬은 구걸하는 사기꾼들에게는 선심을 쓰지 않는다고 잘라 말한다. 이 짧은 장면은 원섬의 인생철학의 핵심을 짐작하게 한다. 세계인은 네 번에 걸쳐 집요하게 찰스가 누구인지, 윈섬이 그를 어떻게 생각하는지에 대해 묻자 윈섬은 찰스를 '미시시피 강을 오르내리는 사기꾼'(Mississipi operator) 같다고 한다.

윈섬은 자신이 세상을 등진 철학이나 연구를 하는 사람이 아니라 "실용적인 인간, 세속의 사람"이라는 것을 자랑하면서 "자기의 철학을 실제 생활에 적용하는 에그버트를 통해 자신을 가장 잘 이해할 수 있다"(169)며 에그버트를 소개한다. 이 제자는 "전혀 초월주의 철학의 사도로 보이지 않으며 이익이 전혀 없는 것도 이익을 내는 걸로 바꿀 수 있을 정도로"(171) 실리에 매우 밝은 모습이다. 에그버트의 임무는 윈섬의 철학이 실질적이며 세상 체험과 밀접하게 연결되어 있음을 보여주는 것이다. 이 두 사람이 지니는 리얼리티에 대한 이중적인 관점은 찰스의 위선보다 훨씬 강력하며 섬뜩하다. 그들은 자신들의 사고방식에 있는 모순을 충분히 의식하고 있으며 찰스와는 다르게 세계인이 그것을 지적하는 데에도 당황하지 않고 자신만만하다. 자기들의 철학과 행동에 존재하는 모순을 그들은 철학의 정당성으로 제시한다. 세계인은 초월주의 철학이 현실에 어떻게 적용되는가를 알아보기 위해 에그버트에게 자기와 친구 사이로 가정한 다음 자기가 돈을 빌리는 역할 연기를 하면 어떻겠냐고 제안한다. 이때 에그버트는 찰스라는 가명을 쓰는데 윈섬이 찰스를 미시시피 증기선의 사기꾼이라고 했던 점을 생각해보면 윈섬이나 에그버트가 어떤 사람들인지 완곡하게 시사한다. 세계인이 죽마고우인 에그버트에게 어려운 상황에 부딪혀 급히 돈을 빌리려 하자 에그버트가 신봉하는 철학의 논리와 윤리가 분명히 분리된다. 에그버트는 친구를 '하늘의 친구(friend celestial)'와 '땅의 친구(friend terrestial)'로 나누어 하늘의 친구와 돈거래를 하는 것은 우정의 순수함을 흐리는 일이고, 땅의 친구 사이라면 돈거래에 보증이 있어야 한다고 주장한다. 물론 세계인과 에그버트가 '하늘의 친구' 사이라 할지라도 세계인은 재력이 없기 때문에 은행이 요구하는 보증인을 세워야한다는 것이다. 결국 세계인은 에그버트로부터 돈을 빌릴 수가 없다. 에그버트는 "내가 당신을 친구로 선택한 것은 당신의 좋은 점 때문인데 시장에서 마른 양고기가 아니라 통통한 고기를 고르고 싶은 거나 마찬가지(175)"라며 그를 타산적으로 선택한 점을 밝힌다.

에그버트는 차이나 애스터(China Aster)라는 인물의 비극을 세계인에게 들려줌으로써 돈을 빌리는 것이 얼마나 큰 불행을 가져올 수 있는지 보여주려 한다. 에그버트는 애스터가 친구의 제안을 너무 쉽게 믿고 "생의 밝은 면"만을 보았으며 반대하는 친구들의 의견을 듣지 않았다고 한다. 그러나 애스터가 맞이한 파산과 죽음은 사람을 쉽게 믿는 그의 성격 때문이라기보다는 돈이 필요하지 않는 그에게 굳이 돈을 빌려준 사람의 탐욕에서 비롯되었다고 할 수 있다. 에그버트의 이야기는 세계인이 가지는 사람에 대한 믿음을 흔들지 못한다. 세계인이 자신의 이야기에 설득되지 않은 것을 보고 에그버트는 이 이야기는 믿음의 문제와 관련이 없다고 한다. 세계인이 에그버트의 얘기에 일관성이 없다고 하자 그 역시 윈섬과 마찬가지로 일관성이란 불필요한 거라고 일축한다. 그는 세계인이 친구로 남아 돈을 빌리지 않거나 아니면 드러내놓고 거지로 나선 다음 자기에게 무릎을 꿇으면 자기도 동의하겠노라고 한다. 세계인은 에그버트의 주장을 역겨워 하며 돈 빌리는 친구의 역을 포기하고 그에게 "여기 1실링이 있으니 이것으로 앞으로 정차하는 첫 번째 역에서 내려 얼어붙은 당신 성격과 철학을 녹일 불쏘시개나 사라"(192)

고 하면서 자리를 박차고 나간다.

　세계인은 에그버트의 문제가 무엇인지를 에그버트 자신이 깨닫게 만들지는 못한다. 철학적으로 에그버트는 자기모순에 빠져 있으며 현실 생활에서는 인간적인 감정이 전혀 없다. 믿음이나 신뢰문제는 에그버트 와는 전혀 상관이 없다. 그는 사람을 두부류로 나누고 있는데 하나는 어떤 식으로든 타인에게 신뢰를 구하지 않는 "친구"라는 집단이고 다른 하나는 사업 거래에서 대상으로 취급당하는 "구걸하는 자"이다. 사람 사이의 믿음을 구하지도 인정하지도 않는 에그버트는 비인간적인 무자비 함에 자족하면서 안주한다. 멜빌은 이 두 사람과 세계인의 대면을 통해 미국의 중심 철학인 초월주의가 실용주의와 밀접한 관계가 있음을 보여 준다(라저 지프 96). 작가는 미국 건국의 정신적 바탕을 제공한 청교주의 에서 초월주의에 이르기까지 미국의 정신사는 물질주의와 밀접한 관계 를 맺고 있는 역설적인 성향이 19세기 들어서 더욱 강해지면서 삶을 정 신과 물질로 이분하는 경향을 비판하고 있다.

　에그버트와 헤어진 세계인은 이발관으로 들어간다. 이 장은 전반부 의 사기꾼과 상대역이라는 원래 양식을 취하고 있다. 세계인은 이발사 에게 면도를 부탁하면서 믿지 않는다는 의미가 깔려있는 "외상사절(No Trust)"이라는 표지를 떼는 게 좋겠다고 설득한다. "외상사절이란 불신을 의미하며 불신은 신뢰가 없음을 의미한다"(194)는 것이다. 그러나 이발사 는 여태까지의 자기 경험으로 모르는 사람들을 믿지 않는다고 말한다. 세계인은 이발사에게 "당신은 사람을 불신하는 자가 아니고 잘못 인도된 사람이라고 하면서 자기가 올바른 길로 인도해 인간에 대한 신뢰를 다 시 찾아주겠다"(200)고 설득한다. 결국에 가서 이발사는 "외상 사절"이라는 간판을 떼고 세계인과 둘이 계약서를 쓴다. 세계인은 이발사가 "외상 사절 간판을 내리고 모든 인간에게, 특히 모르는 인간을 완전히 신뢰하겠다"(201)는 서약서를 쓰도록 만든 후 면도 값을 내지 않고 나간다. 세계인이 나간 뒤 잠깐 어리둥절하고 있던 이발사는 본래의 자기로 돌아와 서랍에서 '외상사절' 간판을 다시 꺼내 문에 건다. 뒤에 그가 세계인에 대한 얘기를 친구들에게 들려줬을 때 친구들은 세계인을 "굉장히 독창적인 사람"이라고 하는데 이 표현은 맨 첫 장에서 사기꾼을 찾는 플래카드에 쓰인 구절 "그가 하는 일이 굉장히 독창적인" 사람이라는 말과 연결된다(Keyser 280).

세계인은 마지막 장에서 신사들 선실로 들어간다. 선실에는 벽을 따라 설치된 침대에 사람들이 자고 있고 불이 켜진 단 하나의 램프 아래 노인이 성경을 읽고 있다. 성경을 열심히 읽고 있는 노인의 표정은 마치 예수를 바라보는 시메온(Simeon)의 성스러운 표정을 연상시키는데 화자는 "그는 세상을 모르기 때문에 세상의 악에 물들지 않고" 하늘로 돌아가는 사람이며, 세계의 악을 맛보지 못해서 맹목적으로 그의 믿음이 유지된다는 점을 은근하게 암시하고 있다.

> 노인은 칠십 세에도 열다섯 살처럼 순수한 마음을 지니고 있는 사람으로 보였다. 세상과 떨어져 산 그의 인생은 그에게 지식보다는 은혜를 받게 했고 마지막에는 세상을 몰랐기 때문에 때가 묻지 않고 하늘로 올라간 사람 가운데 한 사람으로 보였다. (206)

성서를 읽고 있는 노인에게 세계인은 반갑게 다가가 "좋은 소식이 있나

요.?"(207)라고 말을 건넨다. 그러자 커튼 뒤에서 누군가가 "사실이기에는 너무나 좋은 것"이라고 대꾸한다. 세계인은 노인에게 자기를 "괴롭히는 성경구절에 대한 의문"을 풀어줄 수 있느냐고 묻는다. 그는 인간을 신뢰하지만 성경에 "말 많은 것을 믿지 말라—원수는 입으로는 달콤하게 말한다—많은 이야기를 나눔으로써 그가 당신을 유혹할 것이다"(208)라는 구절을 얘기한다. 그러자 커튼 뒤의 사람이 "사기꾼을 가리키는 자가 누구냐?"고 끼어든다. 노인은 세계인의 의심을 다독거리면서 그 구절은 성경에서 나온 것이 아니고 묵시록에 있는 거라고 일러주며 주의를 기울일 필요가 없다고 한다. 이에 커튼 뒤 예의 그 목소리가 또 "묵시록이라는 게 무엇이냐?"고 묻는다. 이 목소리가 누구의 것인가에 대한 의견이 구구한데 리비스(Q. D. Leavis)는 작가의 목소리라고 주장한다 (106). 이발사와 만난 세계인의 모습에서 짐작할 수 있듯이 이 목소리는 세계인이 사기꾼이라는 것을 독자에게 계속 상기시킴으로써, 찰스와 마크 윈섬, 그리고 에그버트와의 만남에서 세계인과 상대방과의 위치가 완전히 도치되어 사기꾼의 위치가 고착되는 것을 방지하는 역할을 한다. 노인은 세계인에게 "창조주의 피조물인 사람을 불신한다는 것은 창조주를 불신하는 것과 같다"(210)고 한다.

이때 여러 가지 잡동사니를 팔고 다니는 소년행상이 선실로 들어선다. 빨갛고 노란 누더기를 걸친 양키 행상소년은 기름이 번들거리는 얼굴에 불붙은 석탄 조각에서 뿜어져 나오는 스파크처럼 반짝이는 버찌 같은 눈과 표범 같은 치아를 드러낸다. 이 소년행상의 영악스런 모습은 작가가 예측하는 미국의 미래 모습이다. 행상소년은 노인에게 돈을 숨기는 머니 벨트(money belt)와 도난방지용 자물쇠를 보여주며 사도록 권한다. 노인은 창조주를 믿듯이 인간을 신뢰한다는 말을 하면서도 그 물건들을 하나씩 산다. 어린 장사꾼은 노인에게 위조지폐 탐색기를 덤으로 준다. 노인은 믿을 수 없는 세계에서 무장을 갖춘 것이다. 그러나 노인은 자신이 이런 물건을 구입한 의미를 전혀 의식하지 않으며 소매치기가 활개 치는 배에서 그런 물건을 파는 소년을 "공공연하게 자선을 베푸는 사람"이라고 칭찬한다.

노인이 얘기를 계속하고자 할 때 세계인은 다음과 같이 다시 한 번 노인이 했던 "당신이 사람들을 불신하지 않기를 바란다, 왜냐면 그것은 창조자에 대한 불신을 의미하기 때문"(213)이라는 말을 상기시킨다. 노인과 세계인은 "진실한 믿음을 가진 사람은 여행의 위험에 대해 신경을 쓰지 않는다"고 한 성경 말씀 때문에 안심하고 여행한다고 의견의 일치를 이룬다. 그러나 이 말을 하는 동시에 노인은 아들이 당부했다면서 배가 난파될 경우를 대비하는 구명대를 찾아 헤맨다. 세계인은 그에게 구명대 대신 깡통으로 된 요강을 보여주면서 이것을 찾느냐고 하며 건네준다. 세계인의 생각으로는 이 노인에게 필요한 건 구명대보다 요강이라고 판단한 것이다. 세계인은 그 선실에서 단 하나 남은 램프를 끄고 그를 부축해서 데리고 나간다.

이 노인은 신에 대한 믿음이 자신을 지켜줄 거라면서도 돈을 숨기는 벨트와 자물쇠, 위조지폐 탐색기 그리고 구명대까지 챙기는 자기행동의 모순을 전혀 깨닫지 못한다. 심지어 노인은 구명기구가 사실은 요강인지도 모른다. 찰스 노블이 자기 말과 행동이 일치하지 않은 것에 대해 당황하며 퇴장했고 마크 윈섬과 에그버트는 자신들의 모순에 대해 당당하게 주장하나 언행의 불일치를 분명히 의식하고 있다. 그러나 이 노인은 자신의 말과 행동이 모순되는 것에 대해 의식조차 못하고 있다. 행상소년은 아무런 거리낌 없이 노인에게 믿지 못할 세상에서 필요하다고 생각되나 전혀 신뢰할 수 없는 물건을 팔고 있으며 그 물건을 산 노인은 그것에 대해 일말의 의심도 하지 않는다. 마지막 장 「진지함의 증대("Increase in Seriousness")」라는 제목이 암시하듯 사람들에게 그들이 깨닫지 못하는 본성과 모순을 일깨워줌으로써 진실을 드러내고자 한 세계인은 자기가 한 행동의 의미가 점점 더 전달되지 않은데 대해 좌절하게 된다.

4. 실패의 의미

멜빌은 역설적으로 믿음의 문제를 사기꾼으로 의심받는 인물을 등장시켜 검토하고 있다. 우리는 인생 항로라 할 수 있는 강을 항해하는 배 안의 온갖 사람들과 사기꾼과의 만남에서 사랑과 믿음에 대한 여러 형태의 시험과 그 반응들, 그리고 19세기 미국사회의 관심거리였던 사회개혁, 신개지의 개척문제, 그리고 사회의 바탕이 되는 철학에 대한 논의와 비판을 지켜보았다. 절름발이 검둥이에서부터, 상장을 단 신사, 회색 옷 사나이, 증권거래인, 약초의사, 직업소개소 직원 그리고 이 인물들을 모두 합쳐놓은 듯한 세계인에 이르기까지 다양한 변장과 책략으로 멜빌은 모든 것을 믿지 못하고 의심하는 사람들에게 신뢰, 사랑, 자선, 우정 등의 의미와 중요성을 타진해보았다. 그렇다면 사기꾼의 실험은 성공했을까?

작가는 「이 장을 건너뛰지 않고 읽은 독자들로부터 다소간의 시선을 받을 것이라고 자신한, 마지막 세 낱말(Quite an Original)이 만든 담론 텍스트의 마지막 장」("In Which The Last Three Words[Quite An Original] Of The Last Chapter Are Made The Text Of Discourse, Which Will Be Sure Of Receiving More Or Less Attention From Those Readers Who Do Not Skip It")이라는 긴 제목이 붙은 44장에서 이발사의 친구들이 세계인에 대해 "상당히 독창적인"이라고 한 구절에 대해 설명하고 있다. 멜빌은 소설의 기이한 인물(odd character)과 독창적 인물(original character)에 대해 이야기하면서 이 두 인물을 구분해야함을 강조한다. 그는 기이한 인물은 소설 속에 여러 명 등장할 수 있으나 독창적 인물은 매우 희귀하다고 한다. 독창적 인물이란 캄캄한 어둠 속에 빛을 내는 드러먼드 등('Drummond Light')처럼 주위를 밝혀주며 마음속에 창세기적인 시작을 가능하게 만드는 인물이어야 한다는 것이다.

> 독창적인 인물이란 빙글빙글 도는 드러먼드 등처럼 그 주위에 빛을 던지며 모든 것을 비춰주며 모든 것이 그로부터 시작된다. 그것이 햄릿과 어떻게 연결되는지 주목하라. 그래서 어떤 사람들의 정신에서는, 창세기에서 태초의 시작에 빛을 비추는 것과 같은 방식으로 그런 인물과 결과에 대한 적절한 개념이 만들어지게 된다. (205)

작가가 한 명의 독창적 인물을 창조해내기 위해서는 큰 행운이 있어야 한다고 하면서 이발사 친구들이 세계인을 '독창적'이라고 한 평가는 적절하지 않다고 하는 멜빌의 끝맺음은 사기꾼의 시도가 성공하지 못했다는 것을 시사한다.

그러나 독창적인 인물의 탄생이란 멜빌의 얘기처럼 작가의 상상력에서만 나오는 것이 아니고, 주인공이 상대하는 인물들과 독자들의 마음과 소통할 때, 그리고 이들 마음에서 성장하며 세상에 태어날 수 있을 때 비로소 탄생의 가능성이 있는 것이다. 사기꾼의 성공과 실패는 지금 여기에서 섣불리 결정할 수 있는 문제는 아닐 것이다. 사기꾼은 독창적인 인물이 될 가능성만을 지니고 있을 뿐 공동체의 구성원들이 그를 수용하고 그가 피력하는 메시지에 귀를 기울일 때 그는 독창적 인물로 태어날 수 있다. 하지만 멜빌은 19세기 미국 독자들이 자기의중을 파악하리라는 기대는 하지 않은 듯이 보인다. 쉐퍼드(George W. Shepherd)는 사기꾼의 시도가 실패한 것은 새로운 시작에 대한 미국인들의 거부를 나타내는 것이며 19세기 미국 독자들에 대해 가지는 멜빌의 불신이 반영된 것이라고 주장한다(192).

사기꾼이 마지막 장에서 노인을 맹목적인 믿음에서 일깨워 선과 악이 혼재하는 있는 그대로의 세상을 보게 하려는 시도를 그만두고 마지막 남은 불 하나마저 끄고 노인의 손을 잡고 선실을 나가는 것은 자신이 한 시도의 한계를 깨달았기 때문으로 짐작된다. 그러나 "무엇인가 뒤따를 것이다"라고 하며 이 작품이 끝나는 것은 독자의 마음에 일말의 변화가 일어나기를 바라는 작가의 미련을 드러낸 것으로 추측할 수 있다. 많은 독자들이 끝까지 읽지 못하고 포기할 정도로 혼란스러운 이 작품이 우리에게 진정한 의미를 던질 수 있으며 어지러운 표면 밑에 멜빌이 그리고자 한 밑그림이 포착될 때는 이 책에 등장하는 많은 불신자들이 주장하듯 삶의 진실이란 알음알이의 문제가 아니라 하나의 결단이며 선택으로서의 믿음이라는 점을 깨달을 때일 것이다. 거기서 한발 더 나아가 사회와 자연으로부터 수없이 상처를 받고 배반을 당하지만 타인에 대한 믿음과 사람들 간의 연대를 이룩하는 것이야말로 우리의 존립에 절대적으로 필요하다는 점을 우리 스스로 인정할 때이다.

멜빌은 이 소설에서 믿음과 사랑의 의미가 서로 소통되지 않고 변질되었으며 선장이 부재하는 피델(Fidele)호처럼 지도자도 목표도 없이 어둠 속을 나아가는 듯한 미국사회를 비판한다. 작가는 병든 사회를 회복시킬 수 있는 인간 사이의 사랑과 믿음의 중요성을 주장하는 인물을 사기꾼인지 아닌지, 도대체 누구인지 알 수 없는 자로 선정하고 있다. 이는 타락한 사회를 비판하기 위해서는 비판자 역시 그 사회만큼 타락할 수밖에 없고 그렇게 되어야만 크림색 옷의 벙어리 사나이처럼 다른 이들에게 떠밀리지 않고 그 사회에서 살아남을 수 있다는 엄숙한 실존의 사실을 인정하는 것이다. 멜빌은 강을 여행하는 배 안의 삶처럼 흔들리고 불안정한 세계에서 생존해가야 하는 우리에게 삶이란 불확실함과 불신 속에서 존재해가는 것임을 그러나 동시에 그런 상황에서도 인간에 대한 절대적 믿음이 바탕이 되어야함을 이 작품을 통해 간절하게 피력하고 있다.

조지 리파드의 『퀘이커 시티』
'형제애의 도시'를 찾아서

1. 들어가는 글

필라델피아 출신 조지 리파드(George Lippard 1822-1854)는 한동안 거의 망각된 작가였다. 그의 사후 50여년이 지난 1917년 필라델피아 작가 앨버트 모델(Albert Mordell)이 "지난 세기 전반 필라델피아 출신 가운데 가장 흥미로운 작가였던 조지 리파드는 실질적으로 우리에게 알려지지 않았다"(*GL: Prophet*, "A Forgotten Novelist" 9)고 한 것이나 그로부터 다시 50여년이 지난 1970년 시캠프(Carsten E. Seecamp)가 "오늘날 리파드는 거의 잊힌 작가이지만 생존 당시 작가들 가운데서는 가장 독창적이었던 사람"(12)이라고 한 것처럼 독자와 비평가들로부터 외면당한 리파드의 문학에 대해 안타까워하던 사람들이 이따금씩 언급하는 정도였다. 그러나 1969년에서 1971년 사이에 그의 대표작 다섯 편의 소설이 재발간되고 이후 문화연구와 역사비평의 대두로 문학의 지평이 바뀌면서 그의 작품들이 본격적으로 재발굴되고 연구가 시작되었다.[1]

리파드는 호손과 멜빌이 그려낸 미국의 다른 면을 그리고 있다. 뉴잉글랜드의 고도 세일럼 출신 호손은 넉넉한 집안 출신은 아니었지만 당시 대학을 졸업한 엘리트였고 대학동창 피어스(Franklin Pierce)가 미국의 14대 대통령으로 당선되면서 정무직인 영국의 리버풀 영사로 근무한 경력을 가진 사람이었다. 그는 19세기 미국문학의 정신적인 기초를 이루는 초월주의 문학운동을 이끌었던 작가들과도 막역한 친구 사이였다. 멜빌은 아버지의 사업실패와 사망으로 한때 극심한 가난을 겪었지만 양가 부모 모두 뉴욕 상류사회 집안 출신이었으며 양가의 사촌들은 부유한 생활을 하던 사람이었다. 멜빌이 상선과 포경선 선원생활을 하면서 미국문명과 전혀 다른 세계와의 접촉으로 미국이라는 나라의 기층을 이루는 근본적인 문제를 다루고 있다면 가난했던 리파드는 필라델피아 하층 사람들의 곤경을 보다 직접적으로 목격한 작가라고 할 수 있다.

보스턴과 뉴욕을 중심으로 활동한 중산층 출신의 작가들이 중산층 독자들을 겨냥한 것과는 다르게 리파드는 필라델피아 출신으로 자신이

---

1) Fieldler는 *Love and Death in American Literature*(1966)에서 리파드를 문화적인 맥락에서 그의 작품을 다루면서 작품에 관해서는 본격적으로 평가하지 않는다. 리파드에 관한 본격적인 비평작업은 1982년 David Reynolds가 *George Lippard* 평전을 발간하고 부터라고 할 수 있다. 레이놀즈 이전의 리파드에 관한 논문으로는 Cowie(1948), Wyld(1956), Seecamp(1970), Emilio de Grazia(1973), Ridgely(1974) 정도이다.

노동계층이었고 노동자들을 대상으로 글을 썼다. 따라서 리파드의 문학에는 그간 미국문학의 정전이 인정한 고전작가들이 간과한 하층계층의 비참함과 노동자들의 문학에 대한 갈증 그리고 상류계층의 부패와 부도덕에 대한 분노가 여과 없이 생생하게 포착되어 있다. 리파드는 글을 발표하기 시작한 1842년부터 서른 두 살의 나이에 결핵으로 세상을 떠난 1854년까지 무려 스무 권에 달하는 소설과 기사 그리고 강연으로 100만 단어에 달하는 글을 쏟아냈다. 미국의 대중문화가 부상하기 시작하던 1840년대에 발표된 그의 소설은 대중들에게 강력한 호소력을 던져주었다(Reynolds, *Beneath the American Renaissance* 82). 미국문학의 정전에 들어간 작가들이 대중으로부터 거의 주목 받지 못한 시절에[2] 리파드의 소설들은 지배계층의 방탕과 위선에 대한 분노를 쏟아내 독자들로부터 뜨거운 반응을 불러일으켰고 전례 없는 판매를 기록했다. 그는 『퀘이커 시티』(*Quaker City or the Monks of Monk Hall: A Romance of Philadelphia Life, Mystery, and Crime*)의 27판 서문에서 이 소설을 쓰는 목적을 이렇게 말하고 있다.

나는 필라델피아 시에 나타난 것과 같은 부패한 사회 시스템의 모든

---

2) Poe는 사망하던 해인 1849년 7월 필라델피아에 들러 리파드에게 도움을 청할 정도로 경제적으로 궁핍했으며 *Quaker City*와 거의 같은 시기에 발간된 Melville의 *Pierre*는 일 년 동안 283부 팔렸다. *Quaker City*가 발간된 1844년 호손은 낡은 목사관(Old Manse)에 칩거하면서 작품 수입으로는 가족을 부양할 수 없는 어려움에 봉착해 있었다. 리파드는 *Quaker City*로 당시로서는 상당한 거액이었던 4,000달러를 1년에 벌어들인 작가였다(Fiedler 243).

면을 기록하는 책을 쓰기로 결심했다. . . . 맹세코 내가 살면서 겪은 나쁜 체험이 19세기 대도시의 사회시스템에 나타난 거대한 악만큼 생생하게 나에게 인상을 남기지 않았기를. . . . 만약 여러분들이 내 책에서 하느님이 공표한 형제애라는 위대한 사상과 충돌하는 장이나 페이지 혹은 한 줄을 발견한다면 내 모든 혼을 다해서 그 장, 그 구절, 그 행을 거부할 것을 여러분들에게 부탁드린다. 동시에 이런 생각이 나로 하여금 이 책을 쓰게 했다는 것을 기억해주시길. 그리고 내 나이 16세부터 25세까지 나의 인생은 다른 이들의 유년시절이나 성년 시절의 체험에는 거의 기록되지 않을 그런 어려움과 곤경과 계속되는 투쟁이었다는 것도 기억해주시기를. . . . (2)

모든 문학작품이 작가가 겪은 체험의 산물이라고 말할 수 있지만 다른 어떤 소설가들보다도 조지 리파드의 문학은 그가 겪었던 고통스런 경험과 1840년대 필라델피아를 배경으로 휘몰아치던 변혁의 소용돌이 속에서 탄생한 것이다(Seecamp 195).

유럽의 종교탄압을 피해 떠나온 독일 이민의 후손인 리파드는 아버지가 낙마사고로 몸을 다쳐 농사를 지을 수 없게 되자 필라델피아로 떠난 부모와 떨어져 위사이콘(Wissahickon) 강가의 저먼타운(German Town)에 조부모와 함께 남았다. 그의 모든 글에 일관되게 나타나는 불안감이 이때의 경험으로 시작되었을 것으로 짐작된다. 할아버지가 돌아가시자 고모들은 은행 빚에 쪼들려 과수원과 정원, 마지막에 집까지 팔고 필라델피아로 갔다. 부모가 있는 필라델피아로 간 리파드는 후원자의 도움으로 감리교 목사를 양성하는 미들타운 칼리지(Middletown College)에 갔으나 학교 목사의 무자비하고 위선적인 행동에 대한 혐오로 학교를 떠났다. 이 행동은 제도화된 종교에 그가 공개적으로 한 첫 번째 저항이었다. 아버지보다 의지했던 조부모와 어머니 그리고 동생 둘을 잃은 그는 평생 가까운 적이 없던 아버지가 그에게는 유산을 한 푼도 남기지 않고 사망하자 법률사무소 조수로 들어갔다. 무보수에 가까운 법률사무소 조수를 하는 동안 노숙자와 다름없는 생활을 하면서 당시 필라델피아에 불어 닥친 끔찍한 불경기로 인해 많은 은행이 문을 닫고 굶주린 실직 노동자들이 스트라이크를 하는 양상을 직접 목격했다.

그의 사회비판은 1827년에서 37년까지 10년 동안 널리 확산된 노동자들의 조합 조직과 호전적인 노동쟁의에 뿌리 내리고 있다. 필라델피아는 1780년대 노동운동이 시작된 곳으로 첫 파업이 발생했으며 조합이 처음 만들어진 노동자들의 저항의 온상이었다(*GL: Prophet* 15). 엘리트 계층에게 가하는 리파드의 공격은 당시 악화되는 경제적 불공평과 이에 대한 노조의 저항이라는 상황 속에서 성숙해갔다. 1850년 2월 16일에 발간한 주간지 『퀘이커 시티』(*The Quaker City weekly*)에서 "현재의 자본과 노동 시스템은 인간을 거대한 기계로 추락하게 만든다. 관습과 법으로 지지를 받는 거대한 기계는 부유한 한 명의 복지를 위해 계속 작동하는 반면 가난한 백 명은 그 기계의 무자비한 바퀴에 의해 짓밟힌다"(*GL: Prophet* 11)고 분개했다. 그는 부자와 가난한 사람들 사이의 골이 점점 넓어지고 깊어가는 모습을 목격했다. 1800년대 이전에는 필라델피아의 부자 10%가 전체 부의 50%를 차지했으나 리파드가 글을 쓸 당시 1840년대에는 90%를 차지하게 되었고, 1860년대에 이르러서는 상위 1%가 부의 50%를 차지하게 되었다. 이전에는 70%의 가난한 사람들이 사회 전체 부의 30%를 차지했는데 이제는 3%로 내려앉았다(Laurie 11). 리파드는 필라델피아에서 했던 본인 체험을 직접 토로한 적은 없었지만 노숙을 할 정도로 가난했던 청년이 당시의 노동자들의 저항정신에 동조하고 받아들였을 것으로 짐작된다.

리파드는 소위 사회의 기둥이라는 상류 엘리트들의 타락을 폭로하듯이 선정적으로 그렸다. 이러한 그에게 "파격적인 앵무새," "열광적인 급진파," "정치적인 떠벌이"(xvi)라는 별명을 붙여준 상류계층 사람들과는 달리 그에게 동조한 사람들과 노동계층에게는 부유층의 위선과 부패에 대한 그의 공격이 점점 더 큰 울림을 지니게 되었다. 필라델피아의 진보적인 목사, 찰스 촌시 버(Charles Chauncey Burr)는 그를 "단테나 셰익스피어 수준의 천재이며 억압받는 자들과 무시당하는 자들을 옹호하는 시대의 대표적 지도자"(GL 16)라고 격찬했다. 리파드에 대한 평가가 어떻게 엇갈리는가에 관계없이 노동계층에 대한 헌신과 부패한 사회의 개혁을 향한 진지한 그의 자세에 대해서는 의심할 여지가 없다.[3]

보스턴 출신의 작가들과는 다르게 필라델피아 출신으로 자신이 노

---

[3] 리파드는 문학으로 세상을 개혁하고자 했지만 그 한계를 깨달았는지 죽기 몇 년 전부터는 직접 정치에 참여했다. 1847년 필라델피아 시의원(District Commissioner) 선거에 낙선한 다음 1848년 그는 노동계층을 대상으로 하는 대중 주간지 *Quaker City Weekly*를 창간하고 1850년에는 Brotherhood of Union이라는 노동조직을 창설하였다. 그가 2년 동안 편집한 *Quaker City Weekly*는 만 오천부가 넘게 팔렸는데 이 신문에 그는 다섯 편의 소설을 발표하고 노동조합(The Brotherhood of the Union)의 설립과 중흥을 위해 글을 발표했다. 소설의 명성은 그의 사후 50년 이내에 거의 사라지다시피 했지만 그가 조직한 Brotherhood of the Union은 설립한지 몇 년 안에 전국으로 확대되었으며 1994년에서야 최종적으로 해체되었다(Unger 320). *The Quaker City weekly*와 리파드 문학과의 관계는 Streeby, "Opening Up Story Paper" 참조.

동계층이었고 노동자들을 대상으로 글을 쓴 리파드의 센세이셔널한 폭로가 1840년대 독자들에게 폭발적인 반응을 얻게 되는 이유는 무엇인가? 리파드의 격렬한 저항은 어디에서 오는가? 라고 하는 질문에 대한 답은 바로 그에게 문학이란 "거대한 다수의 잘못을 그리기에 너무 훌륭하거나, 너무 위엄이 있어서 사회개혁을 위해 실질적으로 작동되지 않으면 전혀 쓸모없는 것"(WB 148)이라고 토로한 것처럼 예술이라기보다 사회개혁을 위한 수단이었기 때문이다.

『퀘이커 시티』를 필라델피아 출신 선배작가 찰스 브록덴 브라운 (Charles Brockden Brown)에게 헌정할 정도로 필라델피아의 전통에 대한 애정이 남달랐던 리파드가 물려받은 종교적이고 정치적인 전통은 뉴잉글랜드에서 통용되던 이념들과는 근본적으로 달랐다. 그는 '아메리카'를 청교도들의 뉴잉글랜드와 동일시하려는 문학가와 역사가들의 주장[4]이 미국의 사상과 정치의 중심에 존재하는 다른 관점들을 주변화한다고 불평했다. 리파드는 "펜실베이니아가 뉴잉글랜드 역사가들에게 구차스런 대접을 받는다"(The Quaker City weekly 1849년 1월 6일)고 하며 문학의 중심지로서의 보스턴의 영향력과 지역적 경쟁 관계가 펜실베이니아 역사

---

4) 뉴잉글랜드의 청교주의 미국적 정체성 형성의 관계에 대해 Richard Brodhead, Jane Tompkin 참조. Berkovitch는 청교도 근원에 대한 몰두는 당시 대중문학까지 팽배해 있다고 주장한다. "당대 병폐에 대한 해결책으로 뉴잉글랜드 청교도들에 대한 향수가 남북전쟁 전에 나온 모든 형식의 대중문학에 나타난 주요 주제였다(49)." William Charvat 역시 보스턴이 미국문학의 중심이었음을 지적한다. "보스턴 출판사들은 미국문학의 출판에 있어서 거의 라이벌이 없었다. 1850년 이후 문학가들에게 보스턴은 출판의 양에서 비교할 수 없을 정도로 중요했다(302)."

를 약화시킨다고 불만을 토로하였다(Streeby, "Haunted House" 446).

뉴잉글랜드를 중심으로 활동한 작가들의 작품들이 청교주의 문화의 산물이라면 리파드는 펜실베이니아를 중심으로 하는 문화적인 지형도를 조성하고자 하였다. 앞서 이야기했듯이 펜실베이니아 농장에서 태어났고 빚 때문에 농장을 은행에 넘겨주고 가족들과 필라델피아로 나온 그는 생을 마감할 때까지 이 도시에 거주했다. 그는 뉴잉글랜드 역사에서 중산층을 중심으로 하는 국민적 자아의 근원을 찾는 대신에 펜실베이니아를 거점으로 하는 문화와 인종, 종교로 이루어지면서 중산층을 넘어 노동계층까지 확대된 정체성을 확립하고자 노력했다.

본 장은 '형제애'라는 의미를 가진 도시 펜실베이니아 주의 필라델피아5)를 배경으로, 상류사회의 부패를 고발하고 노동계층의 이익을 대변하며 정의를 구현하는 새로운 세상을 펼치고자 한 리파드의 노력을 그의 대표작 『퀘이커 시티』를 통해 찾아보고자 한다. 좀 더 구체적으로 이 소설에 나타난 가정의 와해, 경제적 불평등, 그리고 기존 종교의 타락에 대한 비판을 통해 퀘이커교도인 윌리엄 펜이 필라델피아에 자리잡을 때 그렸던 "모든 사람들이 평등하게 잘사는, 억압받는 자들을 위한 고향"(GL, "The Gospels of New World" 108)이 되는 '형제애'로 이루어진 사회를 복원하고자 했던 작가의 노력과 그 한계를 살펴보고자 한다.

---

5) Philadelphia는 펜실베이니아 주에 있는 도시로, 설립자 William Penn는 philos "loving" + adelphos "brother"라는 의미의 그리스어, 즉 형제애("brotherly love")라는 뜻으로 도시 이름을 지었다. Dicitionary.Com.

2. '형제애의 도시'와 몽크 홀

『퀘이커 시티』는 1844년 매주 한 번씩 열 번에 걸쳐 발표했던 것을 한 권으로 발간한 것이다. 이 소설은 『톰 아저씨 오두막』(*Uncle Tom's Cabin* 1852) 이전에 출간된 소설 가운데 가장 많이 팔린 베스트셀러로 첫 해에만 6만부가 팔렸고 5년 동안 27판을 발간했으며 영국과 독일에서는 해적판으로 출판되어 상당한 인기를 끌던 작품이다(*Beneath the American Renaissance* 207). "지금까지 출간된 미국소설 가운데 이 책보다 많은 공격을 받은 소설도 없고 많은 독자를 확보한 소설도 없다"(2)고 작가 자신이 「서문」에서 말하고 있듯이 『퀘이커 시티』는 그때까지 발표된 어떤 미국소설보다 많은 비판을 받으면서도 널리 읽혔던 소설이다. 그의 소설이 이처럼 양가적인 평가를 받은 이유는 19세기 당시 사회적인 문제를 직접적으로 적나라하게 포착하면서 상류사회의 부패에 대해 직접적이고 무자비하게 공격을 가했고, 동시에 모든 이가 평등하고 풍요롭게 사는 사회를 이룩하기를 갈망하는 염원을 강렬하게 담고 있기 때문이다. 이 소설은 미국 전체에 걸쳐 뜨거운 호응을 얻었지만 작가의 주된 관심은 그가 활동했던 필라델피아를 향했으며 그 사회를 변화시키는 것이었다.

윌리엄 펜이 퀘이커 유토피아를 염두에 두고 세운, "형제애의 도시"라는 뜻을 가진 필라델피아 이야기를 쓰면서 리파드가 이야기의 주된 무대를 몽크 홀로 했다는 것은 아이로니컬하다. 수도원이라는 의미를 지닌 몽크 홀(Monk Hall)은 지상 3층, 지하 3층의 낡은 건물로 상류사회의 엘리트들이 모여 아편과 도박, 그리고 매음을 일삼는 광란의 파티를 하는 치외법권의 장소이다. 몽크 홀은 미국 혁명 이전에 부유한 외국인이 지었다고 하나 그 외국인에 대한 이름이나 역사에 관한 기록은 존재하지 않는다. 그 다음에는 몽크 홀이라는 이름을 붙여준 가톨릭 수도회가 의식을 집행하던 곳이었다는 소문이 있으며 현재 이곳에 모이는 사람들은 "법원에서 온 변호사들, 학교에서 온 박사들, 그리고 재판정에서 온 판사들 . . . 그리고 잡지사 사장들과 편집장들과 무역상들 그리고 상인들 그리고 평판 좋은 기혼자들"(55) 같은 상류층 인사들이다. 여기에 모여든 사람들은 사회적인 평판과는 달리 자기의 본능과 욕망을 좇는 사람들이며 어느 누구도 악에서 자유롭지 못하다. 몽크 홀이라는 비밀로 가득한 오래된 저택, 그 저택에 있는 미로, 함정문, 지하 감옥, 그리고 고문을 가하는 사람들과 마법사들, 희생당하는 처녀들과 같은 온갖 고딕적인 장치가 중세의 성이 아닌 1842년 필라델피아라는 도시 한복판에 등장한다.

이 작품은 필라델피아를 배경으로 1842년 12월 21일 수요일 밤에 시작해서 크리스마스이브에 끝나는 3일 동안의 이야기이다. 이 소설이 끝났을 때 우리는 '형제애의 도시'가 아니라 1840년대 미국에서 가장 혼란스럽고 폭력적인 도시를 경험하게 된다. 이 소설의 플롯은 일단 들어가면 "안내자 없이 빠져나올 수 없는 몽크 홀"(153)처럼 얼크러져 있는데 이것을 정리해보면 세 개의 주된 플롯으로 이루어져 있다. 바이어니우드 알링턴(Byrnewood Arlington)과 메리 알링턴(Mary Arlington) 그리고 구스타브 로리머(Gustave Lorrimer)와의 관계에서 비롯되는 첫 번째 플롯이 있고, 리빙스턴 회사(Livingston, Harvey & Co.)의 주인인 리빙스턴(Albert Livingstone)과 그의 부인 도라 리빙스턴(Dora Livingstone), 그리고 피츠 카울스(Algernon

Fitz-Cowls)와 류크 하비(Luke Harvey) 간의 문제인 두 번째 플롯, 마지막으로 마술사 라보니(Ravoni)와 파인(F. A. T. Pyne) 목사 그리고 그의 '딸'이라고 하는 메이블(Mabel)과의 관계가 얽혀 있는 세 번째 플롯이 그것이다. 이 세 개의 플롯이 인간 존립에 기본이 되는 가정과 경제 그리고 종교적인 기반이 와해되는 양상을 보여주면서 서로 얽혀 있다.

3. 무너지는 가정

이 소설의 시작을 알리는 바이어니 알링턴과 여동생 메리 알링턴 그리고 구스타브 로리머의 관계는 상류사회의 도덕적인 타락을 보여주는 동시에 리파드가 중상류층의 가부장제에 대해 가하는 비판을 보여준다. 리파드가 이 소설 서문에서 밝히고 있듯이 필라델피아에서 발생한 실제 사건[6]이 모델이 된 이 이야기는 감상적인 가정 소설의 패러디라고 할 수 있다. 이 이야기는 가정소설이 지니는 감상적인 면을 풍자하고 여성 잡지나 가정소설에 나타나는 가정에 대한 숭배를 비판한다. 작가는 가정소설이 지향하는 가정, 교회, 가족, 순수함이라는 이데올로기가 얼마나 조작된 것인지를 드러낸다. 감상적인 가정소설의 여주인공들은 대부분 경건하며 남편과 아들을 보조하는 미덕을 행동으로 보여주는 사람답게 공화주의적인 미덕을 지니고 가정의 평화를 위해 노력한다(손정희

---

6) 1843년 필라델피아에서 발생한 Singleton Mercer가 결혼을 빙자해 여동생을 강간한 Mahlon Herbert를 권총으로 쏘아죽이고 정당방위로 무죄판결은 받은 재판이 이 소설의 소재가 되었다(xii).

13). 하지만 이 작품에 등장하는 대부분의 가정은 집착과 배반, 탐욕 그리고 욕정으로 파괴된다.

이 소설에서 이루어지는 유일한 결혼식은 난봉꾼들이 사기행각의 성패에 돈을 거는 게임이며 사기이고 수치이다. 부유한 난봉꾼 로리머는 몽크 홀의 비밀의 방(Oyster Cell)에서 처음 만난 바이어니우드에게 "여보게, 그냥 결혼식을 가장하는 거야. 한 여자에게 일생동안 관심을 기울이는 건 내 취향에 맞지 않아. 아담하고 멋진 가짜 결혼식이 열 번하는 진짜 결혼식보다 낫거든"(15)이라고 하면서 결혼 약속으로 순진한 처녀를 유혹하는 계획을 자랑한다. 몽크 홀에서 그날 저녁 일어나는 '결혼식'은 신랑 아버지, 들러리, 주례가 모두 몽크 홀의 사기꾼들로 채워진다.

이 소설의 인물 가운데 가정소설의 전통적 여주인공과 가장 가깝다고 할 수 있는 메리 알링턴은 거리에서 우연히 만나 알게 된 로리머라는 남자를 만나 비밀로 결혼식을 올리기 위해 부모를 속이고 저녁에 집을 나선다. 메리는 이름마저 로레인(Lorrain)이라고 속인 로리머가 자기를 고의로 속였으며 정조를 유린하고 난 후 오빠 바이어니우드의 권유에도 불구하고 결혼을 단호히 거부한 사실을 알고도 그를 여전히 그리워한다. 감상소설에서 여성의 성실함과 착한 행동에 대한 궁극적인 보상으로 제시되는 결혼이 이 작품에서는 사기꾼들에 의해 조작되고 인도되는 거짓의식으로 메리를 정신적 육체적으로 파괴시키는 의식이다.

바이어니우드 알링턴과 로리머와의 관계 역시 아이러니가 관통한다. 바이어니우드는 로리머가 양가집 처녀를 속여 사기결혼식을 하겠다는 계획을 돈까지 걸면서 하면서 부추긴 사람이며 그 자신 역시 하녀를 유혹한 다음 임신을 한 하녀를 버린 남자이다. 그런 바이어니우드가 로리머가 유린하고 버린 여자가 자기 동생이라는 것을 알고 그를 총으로 쏘아 죽인다. 바이어니우드의 살인은 정당방위로 인정되어 그는 무죄로 석방되는데 여기에서 리파드가 들추어내는 또 하나의 문제는 중상계층 처녀의 정조는 법에 의해 보호를 받지만 하녀로 일하는 여자의 정조는 누구도 관심을 가지지 않는다는 사실이다.[7]

리파드는 가부장제를 비판하기 위해 가정을 지키는데 실패한 아버지를 보여준다. 메리의 아버지는 딸을 보호하는데 적극적으로 나서지 않고 오빠인 바이어니우드가 아버지 역할을 대신한다. 바이어니우드는 로리머의 사주를 받은 몽크 홀의 수문장 데블 버그(Devil-Bug)에 의해 건물 꼭대기 방에 갇히게 된 다음 여동생을 생각하며 울부짖는다.

> 난 메리가 아기였을 때 이 팔로 안았었지—황금색 머리칼과 웃는 볼을 가진 미소 짓는 아기! 그리고 누이가 학교를 가기 위해 집을 떠날 때 동생과 헤어지는 것에 내 영혼이 얼마나 고통스러워했는가! 정말로 어리고 쾌활하고 순수했었는데! 3년이 지나고 그 아이는 아름다운 처녀로 성장해서 돌아왔는데. (117)

바이어니우드와 메리는 남매간이지만 바이어니우드는 누이에게 오빠라

---

7) 리파드는 「서문」에서 여성의 정조에 대해 사회계층 간의 차별을 이렇게 비판했다. "부유한 집의 처녀를 유혹하는 것은 악명 높은 범죄로 생각하면서 가난한 처녀의 불명예를 마음대로 이용하는 사회의 법을 나는 잘 알고 있다. 이런 사고방식들이 나에게 깊은 인상을 남겼다. 나는 가난한 집안의 순진한 처녀를 유혹하는 것도 고의적인 살인이나 마찬가지로 범죄행위라는 사상에 근거한 책을 쓰기로 마음먹었다. 그것은 영혼을 죽이는 행위라 몸을 죽이는 것보다 더 나쁘기 때문이다(1-2).

기보다는 아버지 같다. 로리머에게 "오빠가 결혼을 승낙할까요? 아, 기뻐요, 로레인, 오빠가 승낙할 거예요!(125)"라고 하는 메리의 말은 '결혼'이 마치 아버지가 아닌 오빠의 허락에 달려 있는 것처럼 들린다.

또 다른 가정의 도라와 리빙스턴 부부는 부유한 중상계층 가정의 추악한 내면을 보여준다. 가난한 장인(artisan)의 딸 도라는 미모와 성적 매력을 이용한 결혼으로 더 높은 계층으로 계속 상승하고자 한다. 도라는 류크 하비와 사랑을 맹세했지만 가난한 그를 버리고 부유한 리빙스턴과 결혼한다. 결혼한 다음 그녀는 영국의 귀족 작위가 탐이나 백작아들이라고 속이는 사기꾼 피츠 카울스와 부정을 저지르며 남편을 청부살해하려 한다. 이러한 도라의 부정을 알고 그녀에게 가하는 리빙스턴의 복수 역시 상류층 가정이 얼마나 추악하고 사랑이 메말랐는가를 보여준다. 리빙스턴은 크리스마스를 같이 지내기 위해 아내를 호크우드(Hawkewood) 별장으로 데리고 가면서 그녀 이름이 새겨진 관을 뒤따라오게 한 다음 별장에서 그녀를 독살한다. 미국의 '가짜 귀족'에 만족하지 못하고 유럽의 진짜 귀족이 되고 싶어 남편을 청부살해하려는 아내와 그것을 알고 그 아내를 독살하는 남편이 이루는 가정은 욕망과 금전으로 움직이는 사회에서 여성이 어떻게 남성적인 힘의 투쟁에 말려들어가고 남성이 만든 가치체계에 감염되며 최종적으로 그런 것들에 의해 희생되는 지를 드러낸다. 이 소설에 등장하는 어떠한 가정도 형제애로 이루어진 사회를 조성하는데 기본이 되지 못한다.

4. 와해되는 경제

두 번째 이야기인 리빙스턴 사의 류크 하비 그리고 리빙스턴 회사를 상대로 사기를 치고자 하는 피츠 카울스 간의 문제는 지배계층의 착취와 부패, 그리고 경제 시스템이 무너지면서 희생되는 노동자들의 참상을 이야기한다. 리파드는 류크 하비의 입을 통해 당시 필라델피아의 부정부패에 관해 이렇게 비판하고 있다.

> "*정의라고*, 퀘이커 도시에서! 내 생각에 그건 이상한 괴물이에요! 정의가 감옥 문을 열어 제치고 은행장들에게 명령하지요. 은행장들의 귀에 과부와 고아의 저주 소리가 영원히 울릴 때 그들은 자기네가 희생시킨 만 명의 사람들을 자랑하지요. 정의는 정직한 은행장들에게 감옥 문을 나서라고 명령합니다. 그런 다음 굶주림에서 벗어나기 위해 빵 한 덩이를 훔친 불쌍한 사람에게는 바로 감옥 문을 잠그고 막아버리죠! 언젠가 정의는 폭도가 교회에 불을 지르고 저택을 약탈하면 냉혹하게 웃으며 서있을 거예요. 그런 다음 정의는 공평의 왕좌로부터 서둘러 나와 극장 벽에 대문자로 오만한 언어로 쓴 플래카드를 붙일 겁니다. '필라델피아에서는 진실을 말해서는 안 된다고!'" (205)

리파드는 경제가 가정의 붕괴와 얼마나 밀접하게 연결되어 있는지를 보여준다. 국책은행 설립에 반대하는 정책과 노동운동을 지지했던 리파드는 이 소설에서 퀘이커 도시를 병들게 하는 금융부패의 치부를 센세이셔널하게 드러내고 있다(Anthony 730). 1837년에서 1844년까지의 경제 불황은 수백 개의 은행 문을 닫게 하고 많은 은행들이 범죄행위로 고소당하던 시절이었으며 미국 노동자의 삼분의 일이 일자리를 잃었던 시기였다(Reynolds, "Introduction" to QC xi).

재정에 관련된 도덕의 붕괴로 희생되는 노동계층의 비극적인 상황이 은행장인 잡 존슨(Job Joneson)과 은행이 망하는 바람에 전 재산을 잃은 기계공 존 데이비스(John Davis)가 나누는 대화로 드러난다. "종교서적 보급 협회에 많은 돈을 기부하고 벨벳 쿠션이 깔린 교회 가족석에서 으스대는 훌륭한 시민 가운데 한 사람"(406)인 잡 존슨은 굶주림을 견디지 못해 사정하는 데이비스의 청을 거절한다. 데이비스는 일생동안 모은 600달러의 저축을 한 푼도 찾지 못해 굶어죽을 지경에 이르자 잡 존슨에게 몇 푼이라도 돌려달라고 읍소하지만 은행장은 "호주머니의 금화를 만지작거리면서도"(406) 한 푼도 주지 않는다. 절망하며 집에 돌아온 데이비스는 부인과 딸이 굶어죽은 것을 알고 자살한다.

위조지폐범인 피츠 카울스와 그를 잡으려는 류크 하비 그리고 피츠 카울스가 벌이는 사기행각의 대상이 된 리빙스턴 부부의 이야기는 경제적인 타락이 가정의 타락과 평행을 이루고 있음을 다시 한 번 확인하게 한다. 난봉꾼이며 투기꾼인 피츠 카울스는 위조지폐범인 가브리엘 본 겔트(Gabriel von Gelt)와 함께 100,000달러 가치의 위조지폐를 만들어 그 돈으로 리빙스턴 회사에 사기를 치고자 한다(485). 그런데 이미 미국의 경제상황은 은행에서 제대로 발행한 지폐 역시 위조지폐만큼이나 무용지물이 될 정도로 악화되었다는 점이다. 데블 버그가 금고에 많은 금화를 남기고 죽은 과부 베키 스몰비(Becky Smolby)의 집을 터는 게 "미국 은행에서 발행한 증권보다 훨씬 낫다!"(231)라고 한 말은 인플레이션이 얼마나 악화되었는지를 말해준다.

빚쟁이들과 면담을 하기 전 엉덩이와 가슴에 솜뭉치를 넣어 몸집을 불리는 피츠 카울스의 육체적인 빈약함은 액면 가치에 해당하는 실질 가치가 없는 악화된 화폐 경제를 상징한다.[8] 피츠 카울스를 감옥에 집 어넣으려고 한 류크 하비의 노력은 수포로 돌아간다. 노동자들을 비참 한 곤경에 빠뜨린 화폐경제의 상징과 같은 사기꾼 피츠 카울스는 경찰 에게 붙잡히지만 체포된 지 한 달이 안 되서 "도덕적으로 헐렁한 락스퍼" 경관에게 뇌물을 주고 풀려난다. "한 달이 채 못 되 피츠 카울스는 자유 인으로 거리를 활보했다. 위조지폐의 불가사의함과 그것을 아주 교묘하 게 속이는 기술을 구사하는 피츠 카울즈는 법을 피하고 회유하며"(553) 도주한다. 그의 도주는 나라를 병들게 하는 경제적인 위기가 계속되리 라는 것을 암시한나.

5. 타락한 종교

마술사 라보니(Ravoni)와 팻 파인(F. A. T. Pyne) 목사 그리고 메이블 (Mabel)의 세 번째 이야기는 미국 건국의 바탕이 되고 가정의 정신적인 지주가 되었던 기독교가 가난한 사람들의 비참한 삶을 도외시하고 타락 한 양상을 공격한다. 이 소설 「서문」에서 리파드는 "지금까지 구세주 예수가 설교하고 행하신 모든 원리를 짓밟는 가짜 기독교가 얼마나 파 렴치하게 타락했는지 보여주기 위해"(4) 이 소설을 쓴다고 했듯이 기독

---

8) 화폐경제의 타락과 전문직 남성의 정체성의 위기와의 관계는 David Anthony 참조.

교의 타락에 분노한다. 집회의 모든 멤버들을 "친구(friends)"로 대하고 "천국이 지금 여기에 실재하는 것처럼 살아야 한다는 믿음을 가진 퀘이커교도들"(Cooper 102)이 세운 필라델피아는 몽크 홀에 거주하는 사람들이나 거기에 들락거리는 손님들이 보여주는 것처럼 퀘이커교도들의 이상과 거리가 멀다는 것을 보여준다. 리파드가 기독교의 타락에 대해 공격하는 것은 기독교 자체를 부정하기 위해 종교를 풍자하고 자유정신을 추구하기보다는 기독교 특히 캘빈의 영향을 받은 뉴잉글랜드의 청교주의의 부패를 비판하고 '구세주 예수'에 대한 믿음을 증진하는 것이 목표였다(Moor 224).

리파드는 "지상에서의 육체적이고 물질적인 삶의 복지를 무시하지 않는 영성"[9]을 퀘이커주의(Quakerism)와 저먼타운에 자리 잡은 독일인 퀘이커들의 독일 신비주의에 의존했던 반면 "뉴잉글랜드 캘빈주의의 무자비한 냉정함"에 대해 강하게 비난했다. 그 이유는 캘빈 신학이 사회를 19세기 자본주의의 제도화된 폭력으로 사회를 분화시켰다고 믿었기 때문이다.

돈의 위력으로 이루어진 현대적인 독과점 체제는 존 캘빈의 사상이 가장 풍요롭게 피워낸 꽃이다. 캘빈의 신학을 정치적인 경제로 축소

---

9) 리파드의 "땀 흘리며 일하는 예수"의 강조는 19세기 전반 '실체가 없는 신성'에 반대하는 예수의 세속성(earthiness)과 자본의 축적, 그리고 영적인 힘 사이의 관계에 관한 의견의 불일치로 분열된 펜실베이니아 퀘이커교에서 영향을 받은 것이라고 할 수 있다. 당시 퀘이커교도의 분열은 부유한 정통파 퀘이커교도와 상대적으로 가난하고 진보적인 힉스파로 나뉘었는데 리파드는 힉스파의 주장에 더 경도되었다(Doherty 31).

해보면 결과는 다음과 같다. 가난한 사람들, 노동하는 사람들, 불운한 사람들은 세상에서 저주받고 억압의 발굽 아래 저주받도록 운명 지워진, 찡그린 신 아래에서 버림받은 자들이다. "부자, 권력자, 성공한 사람들은 부와 권력과 성공을 인간들의 비통함에서 마지막 찌꺼기까지 쥐어 짜내 그것들을 거머쥘 운명의 "**선택받은 자**"들이다.

(*GL: Prophet*, "The Three Types of Protestantism" (97-8)

중산층화한 캘빈주의 교회를 비난하는 리파드는 가난한 자들의 고통을 외면하고 자기 욕망을 채우는데 급급한 사기꾼이나 진배없는 목사를 그림으로써 당시 제도적인 교회의 역할에 대해 의문을 제기한다.

리파드는 팻 파인 목사를 통해 당시 종교지도자들에 대해 현란한 풍자를 하고 있다. 팻 파인 목사는 열정적인 복음주의자로 가장해 가톨릭을 비난하는 집회를 열어 돈을 버는 타락할 대로 타락한 목사이다. "바티칸의 교황의 개종과 바티칸의 이단을 억압하는 것을 목표"(262)로 하는 '보편적 미국 특허 복음 선교사회'(the Universal American Patent Gospel Missionary Society)의 회원인 팻 파인 목사는 외국의 이교도들과 교황을 개종시키겠다고 떠들지만 "미국의 가난한 이들은 무시하고 브랜디와 아편과 여자들을 즐기려고 몽크 홀에 숨어들어오는"(271) 사기꾼이다. 가난한 사람들을 도우라고 신도들이 보낸 돈으로 몽크 홀에서 아편을 즐기고 술을 먹는 그는 자기 딸이라고 공공연하게 얘기하고 다니던 메이블을 범하려고 했고 돈을 받고 그녀를 라보니에게 팔아넘긴 인물이다.

팻 파인 목사보다 더 충격적인 종교에 대한 비판은 데블 버그의 꿈에 나타나는 백 년 뒤 1950년대 필라델피아의 모습이다. 데블 버그의 꿈에 공화정체제가 무너진 분노의 날(the Day of Wrath)에 거행되는 왕의 대관식 날 거리에서 사람들은 "죽은 자들이 그들 가운데에서 걷고 있는 것을 알게 되었다. 그들은 종말의 날이 자기들에게 도달한 것을 어둠과 공포 속에서 깨닫게 된다"(390). 붉은 번개가 왕을 치고 그리고 차례차례 사람들을 친다. 땅이 솟아오르고 도시가 가라앉고 벼락같은 목소리가 하늘에서 들려온다.

> 시대의 부정한 것들이 드디어 보복을 당하는구나! 드디어 우상의 도
> 시 바위에서 들려오는 피의 부르짖는 목소리가 하느님의 귀를 관통
> 한다. 아래를 보라, 저주받은 도시의 파편을 보라! 아래를 보라, 그
> 리고 영원한 정의의 천사들과 함께 범죄 도시의 기도에 아멘이라 외
> 쳐라, **소돔은 불행하여라**, 하고 외쳐라! (393)

이런 상투적인 표현은 종교부흥론자의 책자에 나오는 타락한 묵시록처럼 인습적으로 들릴 수 있다. 하지만 다음에서 보여주는 것처럼 가난한 자들의 절망에 대한 리파드의 감정은 진정성이 있다.

> 자주색 옷과 좋은 린넨 옷을 입은 부자들은 세상을 충분히 오랫동안
> 즐겨왔다. 이제 가난한 자들의 하느님이 힘차게 일어서서 하느님의
> 힘찬 발아래에 있는 귀족들을 으스러뜨릴 것이다! 파괴되고 남은 것
> 들 마저 귀족들이 나눠 가진다면 무엇으로 가난한 자들을 돌볼 것인
> 가? 높은 자리에서 부유하고 타락한 자들을 끌어내리는 것을 보는
> 게 승리 아닌가? 그것은 지옥에 있는 모든 죽은 자들에 대한 가치
> 있는 승리 아닌가? (383)

기존 종교에서 어떠한 구원도 찾지 못한 리파드는 굶어 죽어가는 가난한 자들과 멸망의 구렁텅이에 빠진 필라델피아를 구할 가능성을 지닌 인물로 최근 동방에서 왔다는 마술사 라보니(Ravoni)라는 인물[10]을 등장시킨다. 그는 바이어니우드에게 버림받고 혼자 아이를 낳다가 굶주려 죽은 애니(Annie)를 살려내 "새로운 종교의 첫 번째 기적"을 실행해 보인다. 200살의 나이에도 불구하고 젊은이처럼 보이는 그는 "사람들에게 인간과 인간, 인간과 신을 굉장하고 불변하는 힘으로 연결해주는, 모든 곳을 지배하는 자석 같은 영향력을 지니는"(447) 복음을 전파한다. "털옷을 입고 창백한 안색에 검은 눈을 가진" 기괴한 외모를 가졌지만 그는 이 소설에 등장하는 인물 가운데 유일하게 가난한 이를 돕고 희망을 강조하는 인물이다. 리파드는 각주를 붙여 라보니의 주장이 "작가의 의견이 아니고 인물이 하는 말이며 대략의 윤곽을 말하는 게 자기의 목표"(422)라고 밝히고 있지만 리파드의 의견과 별로 다르지 않은 듯이 보인다. 새로운 신앙을 갈망하는 사람들에게 라보니는 "지금까지 너무 많은 신이 존재해왔다"(446)며 종교라는 이름으로 저질러진 범죄의 긴 역사를 설파한다.

　"이런 것들이 신의 이름으로 행해졌었다. 당신들은 그것이 무지와
　미신과 광기가 한 짓이라고 말하겠지만 여전히 이런 통렬한 사실은

---

10) Ravoni는 서구문학에 등장하는 여러 유형들, 즉 고딕소설에 등장하는 전통적인 악당의 후손이며 혁명가, 방랑하는 유태인, 오만한 바이런적인 인물이며 추방당한 인물을 합쳐놓은 인물이라고 할 수 있다(Ridgely 92).

세계 역사에서 눈에 두드러지게 보이며 *이런 범죄들은 신의 이름으로 행해졌다.*"

"이제!" 사람들을 빠져들게 만드는 열정으로 그의 목소리가 점점 커졌다. "*이제!* 지금 때가 왔다, 인간을 위한 무언가가 **인간**의 이름으로 행해야 하는 그때가!" (446)

그러나 라보니는 추종자들을 약속된 땅으로 데리고 가기 전에 메이블을 제니로 삼는 것을 저지하려는 데블 버그의 손에 죽는다. 데블 버그의 칼날에 피를 흘리면서 그는 재로부터 "새로운 존재가 일어서리라"는 것을 약속한다. 그의 영혼이 들어간 젊은 추종자는 '신앙의 제 2의 라보니' (the Second Ravoni of the Faith)가 될 것이다(537). 라보니의 설교와 죽음 그리고 부활의 약속은 예수를 연상시킨다. 예수를 추종한다는 기존의 종교 지도자들은 노동자들의 고통과 곤경을 외면하지만 라보니는 굶어죽은 애니와 아이를 살려내며 인간 중심의 새로운 종교를 전파하고자 한다. 그러나 기괴하고 삼류사기꾼 같은 라보니의 모습은 그가 전하는 메시지에서 새로운 희망이나 구원을 기대하기보다는 이런 구원자만을 상상할 수밖에 없는 당시 상황에 대한 리파드의 절망이 드러난다고 볼 수 있다.

이 소설은 크리스마스이브 황혼녘에 끝이 난다. 죽음의 천사와 까마귀들이 공중에 떠도는 "오늘 저녁 윌리엄 펜이 희망과 명예심으로 세운 도시, 그 뿌리는 진리와 평화의 흙에 깊이 내렸지만, 그 열매는 독과 부패, 소요, 방화, 살인 그리고 사악함인 도시"(540)에는 어떤 구원자도 태어나지 않는다. "모든 이가 형제들의 복지에 서로 책임지는 땅"(*GL: Prophet* 109)을 만들 거라는 미국의 꿈은 소수 1%가 모든 것을 독점하는 것으로 끝이 난다. 지금 이 상황에서 건국의 아버지들의 유산을 물려받은 상속자들은 독과점자들이다. 이 소설에 등장하는 하느님은 타락한 교회의 예수이지 모든 사람을 위한 복음을 전하는 예수가 아니며 "언덕 위의 도시"는 낙원이 아닌 지옥 같은 도시이다. 『퀘이커 시티』에서 작가가 보여주는 기독교는 하늘나라가 베풀 보상에 대한 희망을 품도록 만들지 못한다. 지옥이 여기이고 우리는 거기에서 벗어나지 못한다. 이 소설이 예수 탄생을 기념하는 크리스마스이브에 끝나는 것은 예수의 메시지가 이 도시에서는 더 이상 통용되지 않는다는 점을 더욱 강조하고 있다.

6. '형제애의 도시'를 찾아서

리파드는 「결말」("Conclusion")에서 류크 하비와 데블 버그의 딸 메이블의 결혼 그리고 바이어니우드와 하녀 애니의 결혼으로 여태까지 이 소설에서 찾아볼 수 없던 가정을 갑작스럽게 복원한다. 많은 금화를 남긴 베키 스몰비가 메이블의 외할머니라는 게 밝혀지고 리빙스턴이 분노로 도라를 죽인 뒤 그 역시 데블 버그가 낸 화재로 죽게 되면서 리빙스턴의 수양딸 메이블은 많은 재산을 상속받는다. 그런데 메이블이 부자가 되는 과정을 통해 리파드는 중산층이라는 개념을 복잡하게 만든다.[11]

---

11) 김은형은 "중산계층은 불안정하지만 이들은 상업과 산업적 이익을 공유하며 자아의 독립을 정의하는 중산층의 개인주의가 미국의 민주주의와 시장 경제의 근본이념으로 자리 잡게 되면서 이 계층은 자신의 사회적 패권을 확실히 입증하였다"(106)고

몽크 홀에서 온갖 악하고 천한 일을 도맡아하던 데블 버그는 친딸이 자기와는 전혀 다른 품위 있는 사회의 일원이 된다는 사실에 마음이 벅차다.

> "나는 거리를 한가로이 걸어 다니면서 메이블이 마차를 타고 가는 것을 지켜볼 거야. 나는 차가운 겨울밤 그 아이가 유명한 사람들과 어울려 그리고 부유한 상인 곁에서 극장으로 들어갈 때에 황금과 보석으로 빛이 나는 것을 볼 거야. . . . 그 곳에서 내 자신에게 이렇게 외치겠어, 퀘이커 도시의 대단한 양반들 가운데 데블 버그의 딸이 있다고!" (338)

자기 핏줄을 상류사회에 입성시킨 것에 긍지를 가지는 데블 버그의 행동은 중산층의 안정성과 순수함이라는 감상적인 이야기가 허구라는 것을 드러낸다.[12]

류크 하비와 메이블이 필라델피아에 남는 데 반해 이 소설의 첫 머리를 장식했던 알링턴 남매는 필라델피아를 떠나 와이오밍으로 간다. 바이어니우드는 하녀 애니와 그들 사이에 태어난 아이 그리고 누이 메리와 함께 와이오밍 개척지에 자리 잡는다. 부패한 도시에서 멀리 떨어진 새로운 개척지에 가정을 꾸민 바이어니우드 가족을 통해 리파드는 죄와 타락으로부터 오염되지 않고 순수한 가족을 제시하려 한다.

얼핏 보기에 그 가족은 순수하게 보일지 모르지만 이 소설은 복잡한

주장한다. 이 소설은 중산층의 패권에 전복을 시도했다고 볼 수 있다.

12) 중산층에 대한 리파드의 비판은 Streeby, "Haunted House" 참조.

플롯의 여러 실타래를 하나로 정리하지 못해 독자들의 마음을 불편하게 하고 그렇게 함으로써 리파드는 이 소설을 복잡하고 이상하게 만들고 있다. "리파드는 안정된 중산층이라는 문제가 없는 듯한 개념을 복잡하게 만들고 저항하는 듯이 보인다"(739)고 한 앤서니(David Anthony)의 주장대로 감상적이고 평범한 결말을 거부한다. 만약에 리파드가 가정 소설이 제시하는 감상적인 결말을 생각했다면 30페이지 전에 이 작품을 마무리 지었어야 했다. 바이어니우드가 자기 집에 온 로리머에게 메리와 결혼하라고 요구했을 때 로리머는 잘못을 뉘우치며 메리와 결혼했어야했다. 하지만 로리머는 결혼을 거부하고 도망가다 델라웨어 강 위의 보트에서 바이어니우드의 총을 맞고 죽는다.

와이오밍에 있는 바이어니우드 가족은 죄악으로 물든 도시를 떠나 때가 묻지 않았다고 생각되는 개척지로 옮겨왔지만 희망에 차있기보다 무기력하게 보인다. 그들이 사는 새 집에도 몽크 홀처럼 열쇠가 잠긴 비밀의 방이 존재하며 그 방에는 필라델피아에서의 기억을 불러일으킬 로리머의 초상화가 걸려있다. 바이어니우드는 여동생의 복수를 했지만 몽크 홀의 기억을 지우지 못한다.

> 그는 누이의 불행에 대한 복수를 했지만 몽크 홀과 아버지 집의 응접
> 실, 그리고 퀘이커 도시의 거리나 넓은 강 위에서 목격했던 장면의
> 기억들은 그의 영혼 위에 그림자처럼 자리 잡고 있었다. (574-5)

알링턴 가족은 '형제애의 도시'가 되지 못한 필라델피아에서 새로운 시작을 위해 이주해온 와이오밍 개척지에서도 이전 도시에서 겪은 무서운

경험의 기억에서 자유롭지 못하고 죄의식으로 점철된 악몽을 계속 꾼다.

리파드는 이 소설에서 윌리엄 펜이 필라델피아에 자리 잡을 때 꿈꾸었던 "지상에서 사랑의 하모니를 이루는 거룩한 실험을 하는"(김영태 165) 퀘이커 교리를 실현하는 공간을 마련하지 못한다. 와이오밍의 새로운 개척지 역시 너무나 복잡하게 얽힌 도시공간처럼 이들이 나아갈 길을 제시하지 못한다. 작가가 목격한 것은 미국의 상황이 필라델피아의 독립기념관(Independence Hall)에서 몽크 홀(Monk Hall)이라는 건물로 옮겨간 것이다. 그리고 건국의 아버지들이 주장했던 모든 인간의 자유로운 정신에서부터 가톨릭 수도사(monk)들이 상징하는 억압된 정신과 육체로, 거기에서 한발 더 나아가 광란의 파티와 살인을 서슴지 않는 사람들에게로 나아간 것이다.

"정신을 자유롭게 하고 욕정으로부터 육체를 자유롭게 만들기 위해 그리고 모든 인간을 억압하는 사슬을 끊기 위해"(Ridgely 94) 리파드는 이 소설을 썼으며 이것이 작가의 진정한 바램이었다. 그러나 『퀘이커 시티』에서 작가는 자기 소망을 이루지 못한다. 하지만 그가 이 소설의 인물들에게 형제애로 이루어진 도시를 마련해주지 못했다 하더라도 "악에서 눈을 감는 비천하고 가련한 위선자, 비겁자가 되어서는 안 된다"(EC 76)며 고통 받고 핍박받는 자들의 권익을 위해 일생동안 온 힘을 다해 싸웠던 한 젊은 작가의 결의에 찬 외침에서, 빈부의 격차가 급속도로 심화되는 신자본주의 시대를 사는 지금 우리가 어떤 마음과 태도로 당면한 문제들에게 접근하고 해결을 모색해야 하는지 다시 한 번 성찰하게 된다.

참고문헌

김영태. 『신비주의와 퀘이커 공동체』. 서울: 인간사랑, 2002.

김은형. 「병리적인 중산층과 로맨스의 실패: 호손의 『블라이스데일 로만스』를 중심으로」. 『미국소설』 18.2 (2011): 101-132.

손정희. 「유혹소설에서 가정소설로: 세즈윅의 뉴잉글랜드 이야기의 여성 재현을 중심으로」. 『영미문학 페미니즘』 19.2 (2011): 5-31.

라저 지프. 「실용주의와 미국문학」. 『미국인과 실용주의』. 이보형 외 옮김. 서울: 민음사, 1986.

한스 울리히 벨러. 『허구의 민족주의』. 이용일 옮김. 서울: 푸른역사, 2007.

Able, Darrel. "Hawthorne's Hester." *The Scarlet Letter with Essays in Criticism.* ed. Wang-Rok Chang. 서울: 신아사, 1983.

Anderson, Benedict. *Imagined Communities: Reflections on the Origins and Speed of Nationalism.* London: Verso, 1991.

Appadral, Arjun. "Disjuncture and Difference in the Global Cultural Economy." *Public Culture* 2.2 (1990): 1-24.

Anthony, David. "Banking on Emotion: Financial Panic and the Logic of Male Submission in Jacksonian Gothic." *American Literature* 76.4 (2004): 719-747.

Arac, Jonathan. "Narrative Forms." *Prose Writings 1820-1865. Cambridge History of American Literature.* vol. 2. ed. Sacvan Bercobitch. Cambridge: Cambridge UP, 1995. 605-777.

Bales, Kent. "The Allegory and the Radical Romantic Ethic of *The Blithedale Romance.*" *American Literature* 66 (1974): 497-509.

Bancroft, George. *History of the United States from the Discovery of the Continent.* Boston: Little, Brown. 1837.

Baycroft, Timothy. *Nationalism in Europe 1789-1945.* Cambridge: Cambridge UP, 1988.

Baym, Nina. "A Radical Reading." *Nathaniel Hawthorne: The Blithedale Romance.* N. Y.: Norton, 1978. 351-368.

_____. *Readers, and Reviewers: Response to Fiction in Antebellum America.* Ithaca: Cornell UP, 1984.

_____. "Plot in *The Scarlet Letter.*" *The Scarlet Letter.* N. Y.: Norton, 1988. 402-407.

Bell, Millicent. "*The Marble Faun* and the Waste of History." *The Southern Review* 35.2 (1999): 354-370.

Bentley, Nancy. "Slaves and Fauns: Hawthorne and the Use of Primitivism." *ELH* 57.4 (1990): 901-937.

Berkovitch, Sacvan. *The Office of the Scarlet Letter.* Baltimore: John Hopkins UP, 1991.

Bowen, Merlin. "Tactics of Indirection in Melville's *The Confidence-Man.*" *Studies in the Novel* 1.4 (1969): 401-420.

Branch, Watson G. "The Genesis, Composition, and Structure of *the Confidence-Man.*" *Nineteenth-Century Fiction* 27 (1973): 424-448.

Bradfield, Scott. *Dreaming Revolution: Transgression in the Development of American Romance.* Iowa City: U of Iowa P, 1993.

Brodhead, Richard. *Hawthorne, Melville, and the Novel.* Chicago: U of Chicago P, 1976.

_____. *The School of Hawthorne.* N. Y.: Oxford UP, 1986.

_____. "Veiled Ladies: Toward a History of Antebellum Entertainment." *American Literary History* 1.2 (1989): 273-294.

Buzard, James. *The Beaten Track: European Tourism, Literature, and the Ways to Culture, 1800-1918.* Oxford: Clarendon P, 1993.

Byer, Robert H. "Words, Monuments, Beholders: The Visual Arts in Hawthorne's *The Marble Faun.*" *American Iconology: New Approaches to Nineteenth-Century British Literature.* ed. David C. Miller. New Haven: Yale UP, 1993. 163-185.

Carpenter, Frederick. "Scarlet A Minus." *The Scarlet Letter with Essays in Criticism.* ed. Wong-Rok Chang, 서울: 신아사, 1993.

Cawelti, John G. "Some Notes on the Structure of *The Confidence Man.*" *American Literature* 29 (1957): 278-288.

Charvat, William. "Introduction." *The House of the Seven Gables.* Centenary Edition of the Works of Nathaniel Hawthorne. eds. William Chavat et.al. Columbus: Ohio UP, 1965.

_____. *The Profession of Authorship in the United States, 1800-1870.* Columbus: Ohio State UP, 1968.

Chase, Richard. *Melville*. Englewood Cliffs: Prentice-Hall. 1962.

Cooper, William A. *A Living Faith: An Historical Study of Quaker Beliefs*. Richmond: Friends United P, 1990.

Cowie, Alexander. *The Rise of the American Novel*. N. Y.: American, 1948.

Davidson, Basil. *The Black Man's Burden: Africa and the Curse of the Nation-State*. N. Y.: Times Books. 1992.

Diehl, Joanne Felt. "Re-Reading the Letter: Hawthorne, the Fetish and (Family) Romance." *New Literary History* 19 (1988): 655-673.

Dillingham, William B. "Structure and Theme in *The House of the Seven Gables*." *The House of the Seven Gables*. ed. Seymour Gross N. Y.: Norton, 1967. 449-458.

_____. *Melville's Later Novels*, Athens: The U of Georgia P, 1986.

Doherty, Robert. *The Hicksite Separation: A Sociological Analysis of Religious Schism in Early Nineteenth Century America*. New Bruswick: Rutgers UP, 1967.

Drew, Philip, "Appearance and Reality in Melville's *The Confidence-Man*." *English Literary History* 31 (1964): 418-442.

Dryden, Edgar A. *Nathaniel Hawthorne: The Poetics of Enchantment*. Ithaca: Cornell UP, 1977.

Dubler, William. "Theme and Structure in Melville's *The Confidence-Man*." *American Literature* 33 (1961): 308-309.

Elmer, Jonathan. *Reading at the Social Limit: Affect, Mass Culture, and Edgar Allan Poe*. Stanford UP, 1995.

Fanon, Franz. *The Wretched of the Earth*. Trans. Constance Farrington. N. Y.: Grove P, 1965.

Fiedler, Leslie. *Love and Death in American Literature*. N. Y: Scarborough Books, 1966.

Flieschner, Jennifer. "Female Eroticism, Confession and Interpretation in Nathaniel Hawthorne." *Nineteenth Century Literature* 44 (1990): 515-533.

Fryd, Vivien Green. *Art and Empire: The Politics of Ethnicity in the United States Capitol, 1815-1860*. New Haven: Yale UP, 1992.

Fryer, Judith. *The Faces of Eve: Women in the Nineteenth Century American Novel*. N. Y.: Oxford UP, 1978.

Gilmore, Michael T. *The Middleway: Puritanism and Ideology in an American Romantic Fiction*. New Brunswick: Rutgers UP, 1977.

Gramsci, Antonio. *Selections from the Prison Notebooks*. eds. and trans. Quintin Hoare and Geoffrey Nowell Smith. N. Y.: International, 1971.

Griffith, Clark. "Shadow and Substance: Language and Meaning in *The House of Seven Gables*." *The House of the Seven Gables*. ed. Seymour L. Gross. N. W.: Norton & Co. 1967. 383-393.

Gross, Louis S. *Redefining the American Gothic: From Wieland to Day of the Dead*. Ann Arbor: UMI Research P, 1989.

Hawthorne, Nathaniel. *Twice-Told Tales*. London: J. M. Dent & Son, 1955.

_____. "Alice Doane' Appeal." *The Works of Nathaniel Hawthorne*. vol. XII. Cambridge: Houghton, Mifflin & Co. 1878. 279-295.

_____. *The Blithedale Romance*. eds. Seymour Gross and Rosalie Murphy. N. Y.: Norton, 1978.

_____. "Chiefly about War Matters by a Peaceable Man." *Miscellaneous Prose and Verse*. eds. Thomas Woodson et al. Columbus: Ohio UP, 1994. 403-42. vol. 23. *The Centenary Edition of the Works of Nathaniel Hawthorne*. 1962-1996.

_____. *The House of the Seven Gables*. ed. Seymour L. Gross. N. Y.: Norton & Co. 1967.

_____. *The Letters: 1843-1853. The Letters: 1857-1864*. eds. Thomas Woodson et al. Columbus: Ohio UP, 1985.

_____. *The Marble Faun: or A Romance of Monte Beni*. ed. Roy Harvey Pearce et.al. Columbus: Ohio UP. vol. 4 of Centenary Edition.

_____. *The Scarlet Letter: An Authoritative Text, Essays in Criticism and Scholarship*. N. Y.: Norton, 1988.

Howard, Leon. *Herman Melville*. Berkeley: U of California P, 1951.

Hume, Beverly. "Reconstructing the Case against Hawthorne's Coverdale." *Nineteenth Century Literature* 40 (1986): 387-399.

James, Henry. *Hawthorne*. Ithaca: Cornell UP, 1978.

Justus, James. "Hawthorne's Coverdale: Character and Art in *The Blithedale Romance*." *American Literature* 17 (1975): 349-364.

Kaplan, Harold. *Democratic Humanism and American Literature*. Chicago: U. of Chicago P, 1972.

Kaul, A. N. *The American Vision: Actual and Ideal Society in Nineteenth Century*. New Haven: Yale UP, 1963.

Kemp, Mark. A. R. "The Faun and American Postcolonial Ambivalence." *Modern Fiction Studies* 43.1 (1997): 209-236.

Kern, Alexander C. "Melville's *The Confidence-Man*: A Structure of Satire." *American Humor*. ed. O. M. Brack. Scottsdale: Arete P, 1977. 27-42.

Keyser, Elizabeth. "'Quite an Original': The Cosmopolitan in *The Confidence-Man*." *Texas Studies in Literature and Language* 15 (1973): 279-281.

Laurie, Bruce. *Working People of Philadelphia 1800-1850*. Philadelphia: Temple

UP, 1980.

Lawrence, D. H. *Studies in Classic American Literature*. N. Y.: Viking P, 1964.

Leavis, Q. D. *Collected Essays: The American Novel and Reflection On the European Novel*. vol. II. ed. G. Sing. Cambridge: Cambridge UP, 1985.

Levine, Robert S. "'Antebellum Rome' in *The Marble Faun*." *The New England Quarterly* 40.1 (1969): 61-70.

Levy, Leo B. "*The Blithedale Romance*: Hawthorne's Voyage through Chaos." *Studies in Romanticism* 8 (1966): 1-16.

_____. "*The Marble Faun*: Hawthorne's Landscape of the Fall." *American Literature* 42.2 (1970): 93-110.

Lewis, R. W. B. *The American Adam: Innocence, Tragedy, and Tradition in the Nineteenth Century*. Chicago: U of Chicago P, 1955.

_____. "Afterward" to *The Confidence-Man: His Masquerade*. N. Y.: Signer, 1964.

Liebman, Sheldon W. "The Design of *The Marble Faun*." *The New England Quarterly* 40.1 (1969): 61-70.

Lippard, George. *George Lippard, Prophet of Protest: Writings of an American Radical, 1822-1854*. ed. David S. Reynolds. N. Y.: Peter Lang, 1986.

_____. *The Quaker City or, the Monk of Monk Hall: A Romance of Philadelphia Life, Mystery, and Crime*. Amherst: U of Massachusetts P, 1995.

_____. *White Banner: A Quarterly Miscellany*. Philadelphia: George Lippard Publisher. 1851.

Male, Roy. *Hawthorne's Tragic Vision*. Austin: U of Texas, 1957.

Marks, Alfred H. "Who Killed Judge Pyncheon? The Role of the Imagination in *The House of the Seven Gables*." *The House of the Seven Gables*. ed.

Seymour Gross. N. Y.: Norton & Co, 1967. 413-428.

Martin, Robert K. "Haunted by Jim Crow: Gothic Fictions by Hawthorne and Faulkner." *American Gothic: New Inventions in a National Narrative.* eds. Robert K. Martin & Eric Savoy. Iowa City: U of Iowa P, 1998. 129-142.

Matthiessen, F. O. *American Renaissance: Art and Expression in the Age of Emerson and Whitman.* N. Y.: Oxford UP, 1965.

McWilliams Jr. John P. *Hawthorne, Melville, and the American Character: A Looking Glass Business.* Cambridge; Cambridge UP, 1984.

Melville, Herman. *Moby-Dick: or, The Whale.* ed. Harrison Hayford. N. Y.: Norton, 1967.

_____. *The Confidence-Man: His Masquerade.* ed. Hershell Parker. N. Y.: Norton, 1971.

Michael, John. "History and Romance, Sympathy and Uncertainty: The Moral of the Stones in Hawthorne's *The Marble Faun.*" *PMLA* 103 (1988): 150-161.

Mitchell, Edward. "From Action to Essence: Some Notes on the Structure of Melville's *The Confidence-Man.*" *American Literature* 40 (1968): 27-37.

Miller Jr., James E. *A Reader's Guide to Herman Melville.* N. Y.: Octagon Books, 1980.

Moor, R. Lawrence. "Religion, Secularization, and the Shaping the Culture Industry in Antebellum America." *American Quarterly* 41 (1989): 216-246.

Millington, Richard. H. "American Anxiousness: Selfhood and Culture in Hawthorne's *The Blithedale Romance.*" *New England Quarterly* 58 (1990): 558-583.

Pfister, Joe. *The Production of Personal Life: Class, Gender, and the Psychological in Hawthorne's Fiction.* Stanford: Stanford UP, 1991.

Punter, David. *The Literature of Terror.* N. Y.: Longman, 1980.

_____. "Introduction." *Spectral Readings: Toward a Gothic Geography.* eds. Glennis Byron & David Punter. N. Y.: St. Martin's P, 1999. 1-8.

Rahv, Philip. "The Dark Lady of Salem." *Partisan Review* 8 (1941): 365-381.

Reynolds, Davis S. *Beneath the American Renaissance: The Subversive Imagination in the Age of Emerson and Melville.* Cambridge: Harvard UP, 1989.

_____. *George Lippard.* Boston: Twayne, 1982.

Riall, Lucy. *The Italian Risorgimento: State, Society and National Unification.* N. Y.: Routledge, 1994.

Ridgely. J. V. "George Lippard's *The Quaker City*: the World of the American Porno-Gothic." *Studies in the Literary Imagination* 7.1 (1974): 77-94.

Said, Edward W. *Orientalism.* N. Y.: Vintage, 1979.

Seecamp, Carsten E. "The Chapter of Perfection: A Neglected Influence on George Lippard." *The Pennsylvania Magazine of History and Biography* 94.2 (1970): 192-212.

Shamir, Milette. "Hawthorne's Romance and the Right to Privacy." *American Quarterly* 49 (1997): 221-255.

Shepherd, Gerald W. "The Confidence-Man as Drummond Light." *Emerson Society Quarterly* 27.4 (1982): 230-237.

Shulman, Robert. *Social Criticism & Nineteenth Century American Fiction.* Columbia: U of Missouri P, 1987.

Shumaker, Conrad. "A Daughter of the Puritans: History in Hawthorne's *The Marble Faun*." *The New England Quarterly* 57.1 (1984): 65-83.

Stein, William Bysshe. *Hawthorne's Faust: A Study of the Devil Archetype.*

Gainsville: U. of Florida P, 1953.

Sterling, Laurie A. "A Frail Structure of Our Own Rearing: The Value(s) of Home in *The Marble Faun.*" *American Transcendental Quarterly* 14.2 (2000): 93-111.

Stern, Million R. *Content for Hawthorne: The Marble Faun and the Politics of Openness and Closure in American Literature.* Urbana: U of Illinois P, 1991.

Streeby, Shelley. "Opening up the Story Paper: George Lippard and the Construction of Class." *Boundary* 24.1 (1997): 177-203.

_____. "Haunted House: George Lippard, Nathaniel Hawthorne, and Middle-Class America." *Criticism* 38.3 (1996): 433-472.

Tellesfen, Blythe Ann. "The Case with My Dear Native Land: Nathaniel Hawthorne's Vision of America in *The Marble Faun.*" *Nineteenth Century Literature* 54.4 (2001): 455-479.

Thomas Brook. *Cross-Examinations of Law and Literature: Cooper, Hawthorne, Stowe, and Melville.* Cambridge UP. 1987.

Tompkin, Jane. *Sensational Designs: The Cultural Work of American Fiction, 1790-1860.* N. Y.: Oxford UP, 1985.

Trilling, Lional. "Manners, Morals and the Novel." *The Liberal Imagination: Essays on Literature and Society.* Garden City: Doubleday, 1950. 205-224.

Turner, Arlin. *Nathaniel Hawthorne: A Biography.* N. Y.: Oxford UP, 1980.

Von Abele, Rudolph. "Holgrave's Curious Conversion." *The House of the Seven Gables.* ed. Seymour Gross. N. Y.: Norton. 1967. 394-403.

Van Cromphout, Gustaaf, "Melville as Novelist: The German Example." *Studies in American Fiction* 13 (1985): 31-44

Unger, Mary. "Dens of Iniquity and Holes of Wickedness: George Lippard and the Queer City." *Journal of American Studies* 43.2 (2009): 319-339.

Wagenknecht, Edward. *Nathaniel Hawthorne: The Man, His Tales and Romance.* N. Y.: Contium, 1989.

Waggoner, Hyatt. *Hawthorne: The Critical Study.* Cambridge: Harvard UP. 1963.

Watson Jr., Charles N. "Melville and the Theme of Timonism: From Pierre to *The Confidence-Man.*" *American Literature* 44 (1972): 398-413.

Wyld, Lionel. "George Lippard: Gothicism and Social Consciousness in the Early American Novel." *Four Quarters* 5.3 (1956) 6-12.

Zinn, Howard. *A People's History of the United State.* N. Y.: Harper, 1980.

나사니엘 호손 생애

1804년 7월 4일 미국의 독립기념일에 메사추세츠 주 세일럼(Salem)에서 나사니엘 호손(Nathaniel Hathorne, 호손이 뒷날 성에 W를 추가함)과 엘리자베스 매닝(Elizabeth Manning)의 외아들로 탄생. 1802년 누나 엘리자베스(Elizabeth) 출생. 호손 가는 세일럼에서 명망 있는 집안이었고 매닝 가는 역마차회사를 경영하는 사업가 집안이었다. 호손의 평생친구인 미국의 14대 대통령 프랭클린 피어스(Franklin Pierce)도 이 해에 탄생.

1808년 여동생 마리아 루이자(Maria Louisa) 탄생. 부친 나사니엘이 오랜 항해 도중 네델란드 령 기아나(Guiana, 지금의 수리남[Surinam])에서 황열병으로 사망. 세 자녀를 둔 호손의 어머니는 상대적으로 경제적인 여유가 있는 매닝 가의 도움으로 생활하다가 이듬해 1809년 아이들과 함께 매닝 가로 이사. 매닝 가는 대가족이어서 외삼촌과 이모 등이 나사니엘과 남매들을 보살핌.

1813년 학교에서 공놀이를 하다 부상을 당한 호손은 3년간 집에서 지내면서 책을 많이 읽는 습관을 지니게 됨. 그는 에드먼드 스펜서(Edmund Spencer)의 『선녀여왕』(*The Faerie Queene*), 셰익스피어(William Shakespeare), 존 번연(John Bunyan)의 『천로역정』(*The Pilgrim's Progress*) 등을 애독했다고 함.

1816년 어머니와 함께 메인(Maine) 주의 레이먼드(Raymond)로 이사를 해서 외삼촌 로버트(Robert)의 집에서 거주. 당시의 레이먼드는 세바고 호수 (Sebago Lake)가 있는 숲이 우거진 조용한 마을이었는데 이곳에서 머문 3년 동안 호손은 건강을 완전히 회복.

1819년 세일럼으로 돌아와 학교에 입학을 해 대학 입시를 준비.

1821년 메인 주의 보우든 칼리지(Bowdoin College) 입학. 이 대학에서 호레이쇼 브리지(Horatio Bridge), 프랭클린 피어스, 헨리 워드워스 롱펠로우 (Henry Wadsworth Longfellow)와 같은 일생의 친구를 만남.

1825년 대학 졸업 후 세일럼에 있는 어머니의 집으로 돌아와 1836년 보스톤으로 옮길 때까지 직업을 구하지 않고 독서와 작가 수업. 1828년 『팬쇼』 (*Fanshawe*)를 익명으로 자비 출판했으나 그 작품에 대해 만족하지 않아 스스로 수거해 파기해서 후대에 전해지지 않음.

1830년 세일럼 가젯(Gazette)에 처음으로 단편 「세 언덕 사이의 골짜기」 ("The Hollow of the Three Hills") 게재.

1836년 3월에서 8월까지 잡지 *The American Magazine of Useful and*

*Entertaining Knowledge*의 편집자 겸 집필자로 일함.

1837년 1830년-1837년까지 신문 잡지에 익명으로 발간한 단편들을 묶어서 본인의 이름으로 『두 번하는 이야기』(*Twice-Told Tales*) 발간.

1838년 세일럼의 소피아 피바디(Sophia Peabody)와 약혼. 소피아의 언니 엘리자베스 피바디(Elizabeth Peabody)는 에머슨(Ralph Waldo Emerson), 소로(Henry David Thoreau), 리플리(George Ripley) 등 초월주의자들과 교분이 있는 진보적인 여성으로 유치원 교육의 발전에 큰 공헌을 했음. 호손과 소피아와의 약혼은 양쪽 집안은 모르는 두 사람만의 약속이었다고 함.

1839년 1월 보스톤 세관의 계량관으로 일하다가 1841년 1월 세관에서 사직한 뒤 4월에는 보스톤의 남쪽 웨스트 록스베리(West Roxbury)의 〈브룩 팜〉(Brook Farm)의 일원으로 참가. 초월주의자들이 공동생산, 공동분배를 모토로 이상주의적 공동체를 지향해 세운 브룩 팜에 참가. 그러나 호손은 그들의 이상을 실현하는 것이 요원하다는 것과 육체노동과 창작활동의 병행은 불가능하다는 것으로 깨닫고 1년이 채 되기 전에 나옴. 소피아와 약혼했으나 경제적인 문제로 오랜 시간동안 결혼할 수 없던 호손이 경제적인 이유로 브룩 팜에 참여했을 것으로 짐작됨.

1842년 7월 9일 소피아와 결혼을 하고 콩코드(Concord)의 〈구 목사관〉(Old Manse)으로 이사. 에머슨, 소로, 초월주의자 클럽의 기관지 『다이얼』(*The Dial*)의 편집인 마가렛 풀러(Margaret Fuller) 등과 가깝게 지냄.

1844년 장녀 우나(Una) 탄생. 우나라는 이름은 『선녀 여왕』에서 따온 것.

〈구 목사관〉의 주인이 집의 반환을 요구함에 따라 세일럼의 모친의 집으로 돌아옴.

1846년 단편집 『구목사관의 이끼』(*Mosses from an Old Manse*) 출판. 6월 아들 줄리언(Julian) 탄생. 작가로서의 명성은 높아졌으나 작가 수입으로는 생활이 어려워 다시 세일럼의 세관에 검사관(Surveyor)으로 취직. 이때의 생활이 『주홍글자』의 서문 「세관」("The Custom House")에 자세히 그려져 있음. 1848년 휘그당(Whigs, 지금의 공화당)인 자카리 테일러(Zachary Talor)가 대통령이 되어 민주당원인 호손은 6월에 물러남. 검사관이라는 호손의 일자리는 정당과의 관계로 취직이 되는 정무직이었기 때문. 호손은 친구들을 동원해 그 자리를 지키려 했으나 상대인 찰스 우팜(Carles W. Upham)의 대응이 강경해 성공하지 못함. 이 자리에서 물러난 뒤 호손은 『주홍글자』의 집필에 열중해 그해 9월에는 하루 9시간을 집필에 매달렸다고 함. 7월 31일에 어머니 작고. 어머니의 죽음에 대해 슬퍼하는 글을 일기에 남김.

1850년 2월 『주홍글자』 완성. 그가 쓴 「세관」의 내용이 일부 세일럼 사람들의 분노를 사게 되어 호손은 세일럼을 떠나 버크셔(Berkshire) 지방의 레녹스(Lenox)로 이사. 버크셔에서 사는 동안 이웃 피츠필드(Pittsfield)에 사는 멜빌과 친하게 됨. 호손과 개인적인 친분을 쌓기 전 멜빌은 8월17일 잡지 『문학 세계』(*The Literary World*)에 익명으로 「호손과 그의 단편집 이끼」("Hawthorne and His Mosses")라는 리뷰에서 호손을 격찬.

1851년 버크셔에 머물면서 『칠박공의 집』, 단편집 『눈사람과 그 외 두 번 하는 이야기』(*The Snow Image and Other Twice-Told Tales*)를 출판. 막내 딸

Rose 5월 20일 탄생. 이 해에 멜빌의 『모비 딕』 출간.

1851-2년 메사츄세츠의 웨스트 뉴톤(West Newton)으로 이사.

1852년 『블라이드데일 로맨스』(*The Blithedale Romance*) 출판. 10년 전의 브룩 팜의 경험을 토대로 쓴 작품. 아이들을 대상으로 하는 『원더 북』(*Wonder Book*), 대통령으로 출마한 프랭클린 피어스를 위해 선거용 전기 『프랭클린 피어스 전기』(*The Biography of Franklin Pierce*) 발간.

1853년 콩코드의 브론슨 알코트(Bronson Alcott)의 집을 구매해 〈길가〉(Wayside)라고 명함. 대통령으로 취임한 피어스에 의해 영국의 리버풀 영사로 임명되어 1856년까지 근무.

1857-59년 영사를 그만둔 뒤 이탈리아의 로마, 플로렌스에서 거주. 이 시기의 경험이 『이탈리아 노트북』(*Italian Notebooks*)에 상세하게 기록됨. 이 시기에 『대리석 목양신』 집필.

1859년 영국 레드카(Redcar)에 거주하면서 『대리석 목양신』 완성.

1860년 2월 『대리석 목양신』 발표, 미국과 영국 양국에서 호평 받음. 7년여의 해외생활을 마치고 귀국. Wayside에 정착. 링컨이 대통령에 당선됨.

1861-62년 「그림쇼 박사의 비밀」("Dr. Grimshaw's Secret"), 「셉티머스 펠턴」("Septimius Felton"), 「조상의 발자국」("The Ancestral Footstep"), 「돌리버 박사의 로맨스」("The Dr Dolliver's Romance") 등 많은 작품의 저술을 시작했으나

끝을 맺지 못함.

1862년 워싱턴으로 호레이쇼 브리지(Horatio Bridge)를 방문, 매사추세츠 주 대표의 한 사람으로 링컨 대통령과 면담. 당시의 링컨의 풍모, 인상, 노예 문제에 대해 「주로 전쟁문제에 관하여」("Chiefly about War Matters")에 수록함.

1863년 『영국 노트북』(*The English Notebooks*)을 기초로 한 『우리의 옛 고향』(*Our Old Home*) 출판. 이 책을 친구였던 전직 대통령 피어스에게 헌정함. 당시 남북전쟁이 한창 진행 중이었고 링컨을 상대로 한 선거에서 졌던 피어스 대통령의 평판이 좋지 않아 편집자는 망설였으나 호손이 주장을 꺾지 않았다고 함.

1864년 건강이 악화되어가는 그에게 친구들이 전지 요양을 권해 W. D. 틱너(W. D. Ticknor)와 함께 여행을 떠났으나 여행 도중 틱너가 갑자기 사망하는 바람에 충격을 받음. 5월 11일 다시 친구 피어스와 뉴햄프셔를 향해 길을 떠났으나 5월 18일 플리머스(Plymouth)의 한 여관에서 영면함. 그의 장례식에는 뉴잉글랜드의 저명한 문인들, 롱펠로우(Henry Wadsworth Longfellow), 로웰(James Russel Lowell), 홈즈(Oliver Wendell Holmes Sr.), 필즈(James T. Fields), 위플(Edwin Percy Whipple), 올콧(Bronson Alcott), 에머슨(Ralph Waldo Emerson) 등이 참석. 슬리피 할로우 묘지(Sleepy Hollow Cemetary)에 묻힘.

허먼 멜빌 생애

1819년 8월 1일 앨런 멜빌(Allan Melville)과 마리아 갱스부르 멜빌(Maria Gansevoort Melville)의 8남매 가운데 셋째 아들로 뉴욕에서 출생. 뉴욕에서 유년 시절을 보냄. 할아버지인 토마스 멜빌(Thomas Melville) 소령은 보스턴 차 사건(Boston Tea Party)에 참여했던 인물이며 외할아버지 피터 갱스부르 (Peter Gansevoort) 장군은 1777년에 스탠윅스 요새(Fort Stanwix)를 방어했던 사람으로 미국 독립전쟁(American Revolution)의 영웅. 외조부는 제임스 페니모어 쿠퍼(James Fenimore Cooper)와 친했을 정도로 양가 모두 명망 있는 집안.

1830년 멜빌 집안은 프랑스로부터 직물 수입 관련 사업을 하여 부유한 편이었으나 파산. 뉴욕 주 올버니로 이사해 올버니 아카데미(Albany Academy)에 입학.

1832년 파산한 아버지가 상심해 세상을 떠난 후, 가족은 뉴욕 주 랜싱버그

(Lansingburgh)로 이사. 허먼은 가족의 생계를 돕기 위해 뉴욕 스테이트 은행(Bank of New York State)에서 일하기 시작.

1835년 서점 직원으로 일하기도 하고 형이 운영하는 모피상 점원으로 일함. 그러면서 올버니 고전학교(Albany Classical School)를 몇 달 동안 다녔음.

1837년 올바니 근처 랜싱버그로 가족과 함께 이사. 랜싱버그에서 측량학과 공학을 공부. 멜빌의 타고난 방랑 기질과 가족의 생계를 도와야겠다는 생각으로 에리(Erie)운하에서 측량사 일을 찾고자 했으나 수포로 돌아감.

1837년부터 1840년까지 3년간 학교 교사로 근무.

1839년 형의 도움으로 리버풀 행 여객선 세인트로렌스(St. Lawrence) 호의 선실 승무원 자리를 구함. 승무원으로 런던까지 갔다가 같은 배로 돌아옴. 이때 경험을 바탕으로 1849년 소설『레드 번』(Redburn: His First Voyage)을 출판.

1840년 여름 일리노이 주 갈레나(Galena, Illinois) 방문, 가을에 돌아왔으나 일자리를 구하지 못함.

1841년 메사추세츠 주 뉴 베드포드(New Bedford, Massachusetts) 항구에서 태평양으로 가는 포경선 어커시넷(Acushnet) 호를 타고 이듬해부터 항해 시작. 멜빌은 훗날 그의 인생은 이 시점에서 시작되었다고 언급. 어커시넷 호를 타고 18개월 간 일했던 경험으로『모비 딕』(Moby-Dick)을 쓰게 됨.

1842년 7월 9일 배와 선원들의 혹독한 환경에 염증을 느껴 마라케스 제도 (Marquesas Islands)의 누크 히바(Nuke Hiva)에서 동료 선원 토비아스 그린 (Tobias Greene)과 함께 탈출해 타이피 계곡에서 원주민 부족들과 지냄. 이 경험이 소설 『타이피』(Typee, 1845)의 바탕이 됨. 8월 오스트레일리아 포경선 루시안 호(Lucy Ann)에 의해 구조되었으나 타히티 섬에서 뱃사람들 폭행 사건에 휘말려 영국 영사관에 체포됨. 10월 다시 배에서 도주한 멜빌은 에이메오(Eimeo) 섬으로 도주. 11월 미국 포경선에 구조되어 낸터켓(Nantucket, Massachusetts)에서 포경선 찰스 헨리(Charles Henry) 호에 승선, 항해를 계속함.

1843년 4월 하와이 라후아이나(Lahuaina)에서 하선하여 호놀루루에서 여러 가지 일을 함. 18개월의 항해와 탈주, 체포의 과정은 그 뒤 그의 글에 큰 영향을 주게 됨. 8월 호놀룰루에서 미 해군의 수병으로 채용되어 이듬해 1844년 10월에 보스턴에 도착. 해군으로 제대해 랜싱버그로 돌아옴. 집을 비운 동안 집안의 생계도 나아지고 형제들도 독립해 삶에 여유가 생긴 멜빌은 글쓰기에 몰두하게 됨.

1845년 7월 그의 모험 이야기에 매료된 가족들의 격려로 당시 유행하던 해양소설을 쓰기 시작. 마라케스 제도에서의 경험을 바탕으로 첫 번째 작품 『타이피』 완성.

1846년 2월 미국 출판사에 거절당한 『타이피』는 멜빌의 형 갱스부르의 주선으로 모험기를 주로 출판하던 런던의 출판인 존 머레이(John Murray)에 의해 출판됨. 『타이피』는 출판되자마자 대단한 반응을 일으켜 같은 해 3월 미국의 〈와일리 앤 퍼트넘〉(Wiley & Putnam) 출판사에서 발간.

1847년 3월 런던에서 『오무』(*Omoo: A Narrative of Adventures in the South Seas*)를 발간. 뉴욕에서 친구 다이킹크(Evert A. Duyckinck)가 편집하는 『문학세계』(*Literary World*)에 글을 게재. 『양키 두들』(*Yankee Doodle*)에 풍자물 기고. 8월 메사추세츠 주의 대법관 사무엘 쇼(Samuel Shaw)의 딸 엘리자베스 쇼(Elizabeth Shaw)와 결혼, 뉴욕에 정착.

1849년 2월 아들 Malcolm 탄생. 『마디』(*Mardi*)를 3월 런던, 4월 뉴욕에서 발간. 『레드번』(*Redburn: HIs First Voyage*) 9월 런던, 11월 미국 출판.

1850년 『하얀 자켓』(*White Jacket: or The World in a Man-of-War*) 런던 2월, 3월 뉴욕에서 발간. 포경선에 대한 경험을 바탕으로 집필 시작. 8월 피츠필드(Pittsfield) 근처에서 산책 도중 나다니엘 호손을 만나 그와 친교 시작. 『문학세계』에 호손의 단편집 『구 목사관의 이끼』(*Mosses from an Old Manse*)의 서평 「호손과 그의 이끼」("Hawthorne and His Mosses") 출판. 9월에 피츠필드 근교에 농장 구입, 가족과 함께 그 곳으로 이주.

1851년 호손과 친교를 유지. 그동안 『모비 딕』 집필에 열중. 7월에 완성하여 런던에서 『고래』(*The Whale*)라는 제목으로 발간, 11월 뉴욕에서 『모비 딕』(*Moby Dick: or The Whale*)으로 발간. 둘째 아들 스탠윅스(Stanwix) 출생.

1852년 『피엘』(*Pierre: of The Ambiguities*) 8월 미국, 11월 런던 발간. 12월 콩코드에 거주하는 호손 방문.

1853년 5월 딸 엘리자베스 탄생.

1855년 3월 둘째 딸 프랜시스(Frances) 출생. 『이스라엘 포터』(*Israel Porter: His Fifty Years of Exiles*) 3월 뉴욕 발간.

1856년 단편집 『피아자 이야기』(*Piazza Tales*) 뉴욕 발간. 10월 우울증 치료를 위해 영국 글라스고우 여행. 여행 중에 리버풀에서 호손 만남. 그리스와 이탈리아, 예루살렘 성지 등을 여행하고 이듬해 귀국.

1857년 『사기꾼』(*The Confidence-Man: His Masquerade*) 3월 런던, 4월 뉴욕에서 출판.

1860년 5월 뉴욕에서 희망봉(Cape Hope)을 돌아 파나마를 경유하여 11월 뉴욕 귀국.

1861년 영사직을 얻기 위해 워싱턴 여행. 장인 사망. 이듬해 피츠필드에서 뉴욕으로 이주.

1864년 남북전쟁이 진행되던 버지니아에서 외삼촌 헨리 갱스부르(Henry Gansevoort) 방문.

1866년 남북전쟁을 다룬 시 『전쟁에 관한 시』(*Battle Pieces and Aspects of the War*, 1866)를 잡지 『하퍼』(*Harper*) 지에 실음. 뉴욕항의 세관원으로 취직해 19년 동안 일함. 멜빌의 작품을 좋아했던 정치가 체스터 A. 아더(Chester A. Arthur)가 멜빌에게 세관원 자리를 마련해주었다고 하나 멜빌에게는 말을 하지 않아 멜빌은 죽을 때까지 그 사실을 몰랐다고 함.

1867년 큰아들 말콤 권총 자살. 1872년 어머니 사망.

1876년 시집 『클라렐』(*Clarel: A Poem and Pilgrimacy in Holy Land*)을 외삼촌 도움으로 발간. 1878년 부인이 친정 친척으로부터 상당한 액수의 유산 받음.

1885년 세관 검사직 사임. 이듬해 2년 전에 가출한 둘째아들 스탠윅스가 결핵으로 샌프란시스코에서 사망.

1888년 버뮤다 여행.

1891년 시집 『티몰레온』(*Timoleon and Other Adventures in Minor Verse*)를 자비로 출판. 『선원 빌리 버드』(*Billy Budd, Sailor*) 집필을 다시 시작함. 9월 28일 심장마비로 사망.

1919년 탄생 100주년을 기념하여 멜빌문학 재발견(Melville Revival)이 시작됨. 멜빌 문학에 관한 전반적인 평가 본격화.

1924년 유고 『선원 빌리 버드』 발간. 멜빌의 전기작가 Raymond M. Weaver가 1918년 Melville의 유품에서 발굴해내 발표함.

조지 리파드 생애

1822년 4월 10일 다니엘 리파드(Daniel Lippard)와 제미마 리파드(Jemima Lippard)의 6남매 가운데 넷째로 펜실베이니아 주 체스터 카운티(Chester County)에서 출생.

1824년 가족이 펜실베이니아 주 저먼타운(German Town)으로 이사. 얼마 뒤 아버지가 낙마하여 농사를 지을 수 없게 되어 부모는 조지 리파드와 여동생들을 할아버지 마이클(Michael Lippard)과 고모 캐더린(Catherine)과 메리(Mary)에게 남기고 필라델피아로 이사.

1829-1832년 저먼타운의 콩코드 스쿨(Concord School) 다님.

1831년 어머니가 남동생 출산 직후 사망. 아기도 얼마 되지 않아 사망.

1832년 고모들이 생활고로 저먼타운의 집과 농장을 팔고 그와 여동생들을 필라델피아로 데리고 감.

1833년 재혼한 아버지와는 따로 살았음.

1837년 필라델피아의 웨스턴 교회(Western M. E. Church)에 다니게 됨. 라인벡의 고전학교(Catherine Garreston's Classical School in Rhinebeck) 다님. 뉴욕에서 감리교 목사가 되기 위해 신학교 입학했으나 학교 운영과 교사들에게 실망하고 필라델피아로 돌아와 10월 27일 아버지의 임종을 지킴.

1838년-41년 윌리엄 배저(William Badger) 변호사의 조수로 일하며 법률 공부, 펜실베이니아 주 법무장관(Attorney-General) 오비드 F. 존슨(Ovid F. Johnson) 아래서 일함.

1840년 소설 『레이디 애나벨』(*The Lady Annabel*) 쓰기 시작.

1841년 변호사 사무실 일을 그만두고 필라델피아 신문 『시대 정신』(*The Spirit of Times*)의 편집인 존 S. 드솔(John S. DuSolle)을 소개받음.

1842년 4월 9일까지 『시대정신』에서 일함. 그 신문에 ≪우리의 호신부≫("Our Talisman") 시리즈와 다양한 기사 게재. 첫 소설 『허버트 트레이시』(*Herbert Tracy*)를 10월 22일부터 11월 26일까지 연재.

1843년 필라델피아의 주간지 『시민 군인』(*Citizen Soldier*)에서 일하기 시작해 7월에는 편집인이 됨. 이 주간지에 그의 친구 에드거 앨런 포우(Edgar Allan Poe)를 변호하는 「고래 뇌 논문」("Spermaceti Papers"), 「호두나무 관 논문」("The Walnut Coffin Papers")을 실음.

1844년 『시민 군인』에 실었던 『레이디 애나벨』, 『토요 석간』(*Saturday Evenings*)에 실었던 『허버트 트레이시』를 책으로 출간. 가을에는 시리즈로 『퀘이커 시티』(*The Quaker City: or The Monks of Monk Hall*) 실음.

1845년 『퀘이커 시티』 책으로 5월에 출간. 독자들의 반응이 좋아 새로운 판 발간. 12월 8일 필라델피아의 윌리엄 워트 재단(William Wirt Institute)에서 역사 강의 시작.

1846년 〈자유의 종〉(Liberty Bell) 설화를 1월 3일 『토요 신보』(*Saturday Courier*)에 실음. 이 신문에 미국혁명에 관한 62개의 설화를 1848년 12월 23일까지 게재. 『브랜디와인 전투의 블랑쉬』(*Blanche of Brandywine*)과 미완성 소설 『나자렌』(*Nazarene*) 발간. 많은 곳에서 강의.

1847년 5월 5일부터 20일까지 〈필라델피아 시의원〉(District Commissioner of Philadelphia) 직에 출마해 근소한 차이로 패배. 5월 15일 위사이콘 크릭(Wissahickon Creek)의 바위에서 달밤에 로즈 뉴먼(Rose Newman)과 결혼. 『위사이콘의 장미』(*The Rose of Wissahickon*), 『워싱턴과 그의 장군들』(*Washington and His Generals*), 『멕시코의 전설』(*Legends of Mexico*) 발간.

1848년 『19세기』(*Nineteenth Century*)라는 계간지에 찰스 브록덴 브라운(Charles Brockden Brown)에게 바치는 단편 발간. 3월 31일 딸 미마(Mima) 출생. 『초원의 에덴동산의 벨』(*Bel of Prairie Eden*)과 『폴 아덴하임』(*Paul Ardenheim*) 발간. 7월 〈전국 개혁 위원회〉(National Reform Congress)에서 연설. 가을에는 자카리 테일러(Zachary Taylor) 대통령 후보를 위해 선거운동.

10월 30일 주간지 『퀘이커 시티』(*Quaker City* weekly) 발간.

1849년 주간지 『퀘이커 시티』에 개혁에 관한 에세이와 5개의 연재소설 시작. 『목사의 회고록』(*Memoirs of a Preacher*), 『마스크를 쓴 사람』(*The Man with the Mask*), 『넋을 잃은 사람들』(*The Entranced*), 『엠파이어 시티』(*The Empire City*), 『살인자들』(*The Killers*) 발간. 7월 12일 곤궁한 포우가 리치몬드로 가는 길에 필라델피아로 리파드를 찾아옴. 포우를 위해 글을 쓰는 친구들에게 연락해 돈을 모금해 줌. 노동자 단체(Labor Organization)인 『유니언 형제단』(Brotherhood of the Union) 설립. 이 단체는 전국적 규모로 성장함. 포우의 죽음을 애도하는 추도문 발표. 딸 미마(Mima) 사망.

1850년 『워싱턴과 그의 부하』(*Washington and His Man*) 출간. 주간지 『퀘이커 시티』에 포우와 여권주의자 루크레티아 모트(Lucretia Mott)를 옹호하는 글 발표. 3월 필라델피아 여성 재단사 조합 설립을 도움. 5월 아들 폴(Paul) 출생. 〈유니언 형제단〉 첫 연례회의에서 종신 〈최고의 워싱턴〉(Supreme Washington)으로 선출됨.

1850년 6월 주간지 『퀘이커 시티』 폐간.

1851-54년 노동조합 〈유니언 형제단〉을 위해 동부 주 순회강연. 오하이오, 메릴랜드, 버지니아 주까지 감.

1851년 3월 아들 폴 사망. 5월 21일 아내 로스 사망. 〈유니언 형제단〉 기관지 『백색 깃발』(*White Banner*) 발간. 그 기관지에 『아도나이』(*Adonai: The Pilgrim of Eternity*) 실음.

1853년 『자정의 여왕』(*The Midnight Queen*), 『뉴욕: 상위 열 사람과 하위 수백만』(*New York: Its Upper Ten and Lower Million*) 발간. 윌밍턴(Wilmington, Delaware)에서 8차 전국 산업 회의(National Industrial Congress) 참석.

1854년 결핵을 앓으면서도 「노예 엘리노어」("Eleanor: or, Slave Catching in the Quaker City") 발표. 32번째 생일 한 달 앞두고 2월 9일 사망.

1876년 미국 건국 100주년에 미국 혁명에 관한 그의 세 편의 소설 『워싱턴과 그의 부하』, 『폴 아덴하임』, 『브랜디와인의 블랑쉬』, 그리고 가장 유명한 『퀘이커 시티』를 출판사 〈피터슨과 형제〉(T. B. Peterson and Brothers)에서 재발간.

1885년 필라델피아의 〈오드 팰로우 무덤〉(Odd Fellows Cemetery)에 있는 그의 묘지에 큰 비석이 세워짐.

1900년 그가 세운 〈유니언 형제단〉(지금은 〈미국의 형제단 Brotherhood of America〉)이 233개 도시에 21,278명의 회원으로 확장됨. 매년 집회 장소에서 그의 무덤까지 〈유니언 형제단〉 회원들이 행진하며 그를 기념하는 노래와 연설을 함.

1922년 4월 〈유니언 형제단〉 회원들이 리파드 탄생 100주년을 기념하여 그의 무덤까지 행진.

1969-71년 그의 다섯 편의 소설 『퀘이커 시티』, 『브랜디와인의 블랑쉬』, 『워싱턴과 그의 부하』, 『엠파이어 시티』, 『뉴욕』이 미국에서 재발간. 『퀘이커

시티』는 독일에서 독일어판으로 출간.

1980년 〈유니언 형제단〉은 200명의 회원으로 펜실베이니아와 뉴저지에서
작은 보험 단체로 활동.

정혜옥

덕성여대 영문과 학사, 고려대 영문과 석·박사
덕성여대 어학실장, 언어교육원 원장, 도서관장 역임
미국소설학회 회장 역임
현재, 덕성여대 영문과 교수

저서『나사니엘 호손: 개인과 사회적 질서의 관계』,『미국문학의 선구자: 찰스 브록덴 브라운 소설 연구』,『여
성과 사회: 이디스 워튼 소설 연구』,『나사니엘 호손의 주홍글자 연구』(공저),『좋은 번역을 찾아서』(공
저),『성과 속 그 사이에서의 문학 연구』(공저),『미국 근현대소설』(공저),『순수의 시대』(번역),『그 지
방의 관습』(공역),『미국 소설사』(공역)
논문 주로 19세기와 20세기 초의 미국작가에 관한 논문 다수 발표

새로운 세상을 향하여

호손의 장편, 멜빌의『사기꾼』그리고 리파드의『퀘이커 시티』를 중심으로

초판 1쇄 발행일 2021년 4월 30일
정혜옥 지음

발 행 인 이성모
발 행 처 도서출판 동인 / 서울시 종로구 혜화로3길 5 118호
등록번호 제1-1599호
대표전화 (02) 765-7145 / FAX (02) 765-7165
홈페이지 www.donginbook.co.kr
이 메 일 dongin60@chol.com
I S B N 978-89-5506-839-9
정   가 26,000원